मानक हिंदी
और
हरियाणवी का व्यतिरेकी अध्ययन

केंद्रीय हिंदी निदेशालय (मानव संसाधन विकास मंत्रालय, उच्चतर शिक्षा विभाग, पश्चिमी खण्ड-7, आर.के. पुरम, नई दिल्ली) के संस्वीकृति-पत्र संख्या 5-43/2017 कें. अनु. ए. दिनांक 26.02.18 के माध्यम से प्राप्त वित्तीय सहायता से प्रकाशित हुई है।

मानक हिंदी
और
हरियाणवी का व्यतिरेकी अध्ययन

प्रो. नरेश मिश्र

वाणी प्रकाशन

वाणी प्रकाशन
4695, 21-ए, दरियागंज, नयी दिल्ली 110 002

शाखा

अशोक राजपथ, पटना 800 004

फ़ोन : +91 11 23273167 फ़ैक्स : +91 11 23275710

www.vaniprakashan.in
vaniprakashan@gmail.com
sales@vaniprakashan.in

MANAK HINDI AUR HARYANAVI KA VYATIREKI ADHYAYAN
by Prof. Naresh Mishra

ISBN : 978-93-87889-96-5
Linguistics

प्रथम संस्करण

मूल्य : ₹ 695

एम.एस. प्रिंटर्स, दिल्ली-110 093 में मुद्रित

वाणी प्रकाशन का लोगो मक़बूल फ़िदा हुसेन की कूची से

प्राक्कथन

मनुष्य सृष्टि का सर्वाधिक चिंतनशील प्राणी है। चिंतन का आधार दिव्य शक्ति संपन्न मानवीय भाषा है। भाषा के ही आधार पर वैयक्तिक, सामाजिक, राष्ट्रीय और वैश्विक उन्नति का मार्ग प्रशस्त होता है। हिंदी भारतवर्ष की राजभाषा, राष्ट्रभाषा, मातृभाषा, जनभाषा, माध्यम भाषा, संपर्क भाषा और संचार भाषा है। यहाँ के विस्तृत भौगोलिक क्षेत्र में अधिकांश लोगों द्वारा हिंदी समझी और प्रयुक्त की जाती है। विस्तृत क्षेत्र में प्रयुक्त होने के कारण हिंदी भाषा में विविधता होना स्वाभाविक है। भारतवर्ष की विविध भाषाओं के साथ हिंदी का अनुप्रेरक अंतःसंबंध है। हिंदी को समग्र दृष्टि से देखें, तो पाँच वर्गों में विभक्त किया जाता है—पूर्वी हिंदी, पश्चिमी हिंदी, बिहारी हिंदी, राजस्थानी हिंदी, पहाड़ी हिंदी। हिंदी की इस विविधता में भी संरचनात्मक समानता से भाव संप्रेषण के साथ बोधगम्यता का मनभावन रूप मिलता है।

हिंदी भाषा की स्वरूपगत विविधता की समस्या के समाधान के लिए इसका मानकीकरण किया गया है। मानकीकरण प्रक्रिया में भाषा के उच्चारण और लेखन दोनों ही रूपों को व्यवस्थित करने का प्रयास किया गया है। हिंदी के मानकीकृत रूप को मूल या केंद्रीय रूप कह सकते हैं। हिंदी के स्वरूप में एकरूपता होने से हिंदीतर भाषियों को ही नहीं विदेशियों को भी हिंदी सीखना सरल हो गया है।

वैश्वीकरण के युग में राष्ट्रीय भाषाओं का ही नहीं वैश्विक भाषाओं का भी अंतःसंबंध विवेचन और विश्लेषण उपयोगी हो गया है। भाव अभिव्यंजन, अभिव्यक्ति और संग्रहण संदर्भ में दो या दो से अधिक

भाषाओं/बोलियों का व्यतिरेकी अध्ययन विशेष उपयोगी सिद्ध होता है। व्यतिरेकी अध्ययन में दो भाषाओं अथवा बोलियों के प्रयोग संदर्भ के उच्चारण और लेखन की स्वरूपगत भिन्नता का अध्ययन किया जाता है। कोई व्यक्ति जब अपनी भाषा से भिन्न किसी अन्य भाषा या अपनी भाषा की किसी भिन्न बोली की भिन्नता समझ जाता है, तो उसे सहजता से समझना और सीखना सरल हो जाता है। यही इस अध्ययन का दृष्टिकोण रहा है।

हरियाणवी हिंदी की प्रमुख बोली है। प्रयोग संदर्भ में सशक्त भाषा है। हरियाणा से भिन्न प्रदेश के लोगों को लगता है कि पूरे प्रदेश की हरियाणवी का एक ही स्वरूप है, किंतु यहाँ केंद्रीय, कौरवी, ब्रज, बागड़ी, मेवाती, अहीरवाटी और अंबालवी हरियाणवी रूप सहजता में प्रयुक्त होते हैं। व्यावहारिक प्रयोग के व्यतिरेक को रेखांकन के लिए उच्चारित स्वरूप पर गंभीरता से चिंतन की अपेक्षा होती है और ऐसा ही किया है। मानक हिंदी से इन सभी रूपों के व्यतिरेक का विश्लेषण कर दोनों की विशेषताओं के आधार पर स्वभाषा की भिन्न बोली और भिन्न भाषा शिक्षण का दिग्दर्शन कराने का प्रयास किया है।

–नरेश मिश्र

अनुक्रम

प्रथम अध्याय

पर्यालोचन

1.1 भाषा की परिभाषा

भाषा मानव जीवन की परम उपलब्धि है। भाव-अभिव्यक्ति के साधन को भाषा की संज्ञा दी जाती है। मनुष्य में सामाजिकता लाने का आधार भाषा ही है। इसलिए भाषा और समाज अन्योन्याश्रित हैं। प्रत्येक प्राणी की अपनी भाषा होती है। मनुष्य सृष्टि का सर्वाधिक चैतन्यशील प्राणी है। इसलिए मनुष्य की भाषा की अपनी विशेष प्रवृत्तियाँ हैं।

मानवीय भाषा को दृष्टि में रखकर विभिन्न भाषाविदों और विद्वानों ने विविध रूपों में परिभाषित किया है। इनमें से कुछ उल्लेखनीय परिभाषाएँ इस प्रकार हैं–

डॉ. भोलानाथ तिवारी ने भाषा की सामान्य वैज्ञानिक और व्यावहारिक तीन परिभाषाएँ देकर उसके स्वरूप को स्पष्ट करने का प्रयास किया है–

1) **सामान्य परिभाषा**–"भाषा वह साधन है जिसके माध्यम से हम सोचते हैं तथा अपने विचार को व्यक्त करते हैं।"[1]

2) **वैज्ञानिक परिभाषा**–"भाषा, उच्चारण अवयवों से उच्चरित, यादृच्छिक (Arbitrary) ध्वनि-प्रतीकों की वह व्यवस्था है जिसके द्वारा समाज-विशेष के लोग आपस में विचारों का आदान-प्रदान करते हैं।"[2]

3) **व्यावहारिक परिभाषा**–"भाषा मानव-उच्चारणावयवों से उच्चरित यादृच्छिक ध्वनि-प्रतीकों की वह संरचनात्मक व्यवस्था है, जिसके द्वारा समाज विशेष के लोग आपस में विचार-विनिमय करते हैं, लेखक-कवि या वक्ता रूप में अपने अनुभवों एवं भावों आदि को व्यक्त करते हैं तथा अपने वैयक्तिक और सामाजिक, व्यक्तित्व, विशिष्टता तथा अस्मिता (identity) के संबंध में जाने-अनजाने जानकारी देते हैं।"[3]

डॉ. बाबूराम सक्सेना ने भाषा की सामान्य और संघटनात्मक दृष्टियों से दो

परिभाषाओं का उल्लेख किया है–

1) **सामान्य परिभाषा**–"जिन ध्वनि चिह्नों द्वारा मनुष्य परस्पर विचार-विनिमय करता है, उनकी समष्टि को भाषा कहते हैं।"[4]
2) **संघटनात्मक परिभाषा**–"भाषा यादृच्छिक वाचिक प्रतीकों की वह संघटना है, जिसके माध्यम से एक मानव समुदाय परस्पर व्यवहार करता है।"[5]

डॉ. सक्सेना ने भाषा के मौखिक स्वरूप को महत्त्व देते हुए इस प्रकार स्पष्ट करने का प्रयास किया है–"संघटनात्मक भाषाविज्ञान वालों की दृष्टि में भाषा प्रथमतः बोली जाने के लिए है, उसका लिखा जाना एक सीमित और गौण उपयोग है।"[6]

प्रो. देवेंद्रनाथ शर्मा ने भाषा की परिभाषा में अव्याप्ति और अतिव्याप्ति के दोष से बचने का संकेत करते हुए व्यावहारिक और वैज्ञानिक दो परिभाषाएँ दी है–

1) "उच्चरित ध्वनि-संकेतों की सहायता से भाव या विचार की पूर्ण अभिव्यक्ति भाषा है।"[7]
2) "जिसकी सहायता से मनुष्य परस्पर विचार-विनिमय या सहायता करते हैं, उस यादृच्छिक, रूढ़, ध्वनि-संकेत की प्रणाली को भाषा कहते हैं।"[8]

डॉ. कर्ण सिंह ने भाषा को परिभाषित करते हुए लिखा है, "जिन यादृच्छिक तथा विभिन्न अर्थों में रूढ़ ध्वनि-संकेतों के द्वारा मनुष्य अपने भावों-विचारों को अभिव्यक्त करता है, उन्हें भाषा कहा जाता है।"[9]

प्रसिद्ध वैय्याकरण पं. कामताप्रसाद गुरु ने 'हिंदी व्याकरण' में भाषा को व्यावहारिक रूप में परिभाषित करते हुए लिखा है–

"भाषा वह साधन है, जिसके द्वारा मनुष्य अपने विचार दूसरों पर भली-भाँति प्रकट कर सकता है और दूसरों के विचार आप स्पष्टतया समझ सकता है। मनुष्य के कार्य उसके विचारों से उत्पन्न होते हैं और इन कार्यों में दूसरों की सहायता अथवा सम्मति प्राप्त करने के लिए उसे वे विचार दूसरों पर प्रकट करने पड़ते हैं। जगत का अधिकांश व्यवहार, बोलचाल अथवा लिखा-पढ़ी से चलता है, इसलिए भाषा जगत के व्यवहार का मूल है।"[10]

ब्लॉक एण्ड ट्रेगर ने भाषा को परिभाषित करते हुए लिखा है–"A language is a system of arbitrary vocal symbols by means of which a social group co-operates."[11]

अर्थात् भाषा, मुखोच्चरित यादृच्छिक ध्वनि-प्रतीकों की वह व्यवस्था है, जिसके माध्यम से एक समुदाय के सदस्य परस्पर विचार विनिमय करते हैं।

हेनरी स्वीट का भाषा-संदर्भ में मंतव्य है–"Language may be defined as expression of thought by means of speech-sound"[12]

अर्थात् 'जिन व्यक्त ध्वनियों द्वारा विचारों की अभिव्यक्ति होती है, उसे भाषा कहते हैं।'

विभिन्न विद्वानों की परिभाषाओं के अवलोकन के पश्चात भाषा को इस प्रकार स्पष्ट रूप में परिभाषित किया जा सकता है—

'मानव मुखोच्चरित यादृच्छिक ध्वनि-प्रतीकों की वह व्यवस्था जिसके माध्यम से एक भाषा-समुदाय के सदस्य परस्पर विचार-विनिमय करते हैं, उसे भाषा कहते हैं।'

भाषा की वैज्ञानिक परिभाषा में पाँच तत्त्व की भूमिका सामने आती है। इस परिभाषा में उन पाँचों तत्त्वों को समुचित स्थान मिला है—

क) **मानव मुखोच्चरित :** भाषाविज्ञान में मानवेतर प्राणियों—पशु, पक्षी, कीड़े, मकोड़े और जलचर आदि प्राणियों की भाषा का अध्ययन न करके मनुष्य की भाषा का अध्ययन किया जाता है। मनुष्य सांकेतिक, स्पर्श, मौखिक और यंत्रादि आधारित भाषाओं का प्रयोग करता है। भाषाविज्ञान में मुख्यतः मनुष्य की मुखोच्चरित भाषा का अध्ययन किया जाता है। मनुष्य अपने मुख के विभिन्न अवयवों के माध्यम से विविध ध्वनियों का उच्चारण करता है; यथा—ओष्ठ्य ध्वनि 'प्' के उच्चारण में पहले दोनों ओष्ठ आपस में मिलकर मुख मार्ग बंद करते हैं फिर 'प्' ध्वनि के उच्चारण में खुलते हैं, वायु बाहर आती है और 'प्' ध्वनि सुनाई देती है।

ख) **यादृच्छिक ध्वनि प्रतीक :** मनुष्य की भाषा की ध्वनि आदि इकाइयाँ समाज से स्वीकृति पाकर उनकी इच्छानुसार प्रतीक बन जाती है। मनुष्य की भाषा में प्रत्येक ध्वनि या इकाई के लिए प्रतीक का निर्धारण उस भाषा समाज द्वारा किया जाता है। भाषा की लघुतम इकाई ध्वनि-प्रतीक रूप स्वतंत्र या क्रमशः प्रयुक्त होकर अर्थ प्रकट करती है। अर्थ अभिव्यक्ति की संकल्पना पूर्ण यादृच्छिक होती है। इस भाषा की ध्वनि और उनके प्रयोग का क्रम दूसरी भाषा में भिन्न होता है; यथा—

हिंदी	**संस्कृत**	**अंग्रेजी**
गाय	गो	Cow
कपड़ा	वस्त्र	Cloth
घर	गृह	House

भाषा की ध्वनि का निर्धारण व्यक्ति विशेष के द्वारा न होकर विशेष भाषा-भाषी समाज से होता है।

ग) **व्यवस्था :** भाषा की रचना एक भाषाभाषी समाज की यादृच्छिकता पर आधारित होती है, साथ ही उसमें विभिन्न दृष्टियों से व्यवस्था होती है। प्रत्येक भाषा में संरचना आधार पर ध्वनि, शब्द, पद, वाक्य और अर्थ की व्यवस्था होती है,

तो व्याकरण में लिंग, वचन, कारक, काल, वचन और पुरुष की अपनी-अपनी व्यवस्था है। हिंदी में पुल्लिंग और स्त्रीलिंग हैं, तो संस्कृत में पुल्लिंग, स्त्रीलिंग और नपुंसक लिंग हैं।[13]

घ) **सामाजिक आधार :** भाषा और समाज एक-दूसरे से अभिन्न हैं। भाषा का जन्म समाज में हुआ और इसका प्रयोग प्रादेशिक, राष्ट्रीय और अंतरराष्ट्रीय समाज में हो सकता है।

ङ) **विचार-विनिमय :** भाव आदान-प्रदान भाषा का मुख्य उद्‌देश्य है। भाषा के ही माध्यम से चिंतन और मनन होता है और फिर स्पष्ट अभिव्यक्ति होती है। उच्चरित भाषा मानवीय भाषा का प्रमुख और मूलरूप है। इसे जब लिपि का आधार मिल जाता है, तो उसमें समय और स्थान पार करने की शक्ति आ जाती है। लेखन में भी उच्चरित सूक्ष्म रूप गतिशील रहता है।

1.2 मानवीय भाषा के अभिलक्षण

मनुष्य सर्वाधिक चैतन्यशील प्राणी है। इसलिए मानवीय भाषा अन्य प्राणियों की भाषा से बहुत भिन्न है। मानवीय भाषा की संप्रेषणीयता कहीं अधिक प्रबल और प्रभावी होती है।

मानवीय भाषा के प्रमुख अभिलक्षण इस प्रकार हैं–

1. मौखिक श्रव्य सरणि (Vocal Auditory Channel) : मनुष्य की भाषा का मुख्य रूप मौखिक है। इसमें वक्ता भाव प्रकट करता है और श्रोता भाव ग्रहण करता है। इसलिए इन्हें ध्वनि-उत्पादक और ध्वनि-संग्राहक कह सकते हैं; यथा–

वक्ता / ध्वनि-उत्पादक > श्रोता / ध्वनि-संग्राहक

भाषा को लिपिबद्ध करने के बाद उसका लिखित रूप सामने आता है, किंतु लिखित भाषा के साथ उसका उच्चरित रूप विद्यमान रहता है। आज भी ऐसे अनगिनत लोग मिल जाएँगे, जो भाषा का लिखित रूप नहीं जानते, किंतु पर्याप्त मधुर और प्रभावी भाषा का प्रयोग करते हैं।

2. पारस्परिकता (Interchangebility) : भाषा सामाजिक संपत्ति है। भाषा मनुष्य की पैतृक संपत्ति नहीं है। पारस्परिकता या अर्जन से सीखी जाती है। यदि बंगला भाषी छोटे बच्चे का हिंदी भाषी परिवार में लालन-पालन हो, तो वह हिंदी ही बोलेगा। इसी प्रकार यदि हिंदी भाषी परिवार के बच्चे का लालन-पालन बंगला भाषी परिवार में हो, तो वह बंगला ही बोलेगा। इसके विपरीत यदि कुत्ते का पिल्ला शुरु से ही भेड़ों की झुंड में या मनुष्य के साथ पले, तो वह बोलने योग्य होने पर कुत्ते के वंश की ही बोली बोलेगा।

3. यादृच्छिकता (Arbitrariness) : प्रत्येक भाषा, समाज के एक भाषायी समुदाय से जुड़ी होती है। उनकी भाषा की ध्वनि आदि इकाइयाँ उनकी इच्छा और व्यवस्था पर निर्धारित होती हैं। यदि हिंदी के वर्णों की व्यवस्था में स्वर- व्यंजन अलग-अलग रखे गए हैं, तो रोमन के वर्ण सम्मिलित रूप में हैं। इनके नाम और लिपि चिह्न भी पूर्ण भिन्न हैं–

हिंदी	–	स्वर –	अ, आ, इ, ई, उ, ऊ, ऋ, ए, ऐ, ओ, औ।
		व्यंजन –	क, ख, ग, घ...श ष स ह।
रोमन	–	A B C D E F G H I J K L M N O... Z	

इसी प्रकार शब्द संरचना और ध्वनि-स्वरूप और ध्वनिक्रम में पूर्ण भेद है–

कुत्ता (हिंदी)
कुक्कुरः (संस्कृत)
DOG (अंग्रेजी)

वाक्य संरचना में भी प्रत्येक भाषा की अपनी व्यवस्था है। उनके पदों के क्रम में यह भिन्नता स्पष्ट रूप से देख सकते हैं–

मैं आम खाता हूँ।	कर्ता + कर्म + क्रिया	(हिंदी)
I eat mango.	कर्ता + क्रिया+ कर्म	(अंग्रेजी)
अहं रसालं खदामि।	कर्ता + कर्म + क्रिया	(संस्कृत)
रसालं अहं खादामि।	कर्म + कर्ता + क्रिया	
खादामि अहं रसालम्।	क्रिया + कर्ता + कर्म	
अहं खादामि रसालम्।	कर्ता + क्रिया + कर्म	
रसालं खादामि अहम्।	कर्म + क्रिया + कर्ता	
खादामि रसालमं अहम्।	क्रिया + कर्म + कर्ता	

4. सृजनात्मकता (Creativity) : भाषा का संबंध मानव मन से है। मनुष्य अपने व्यवहार के अनुसार भाषा का सृजन करता है। एक ही भाव के लिए मनुष्य अपने मन और व्यवहार आधार पर भाषा के विविध रूपों का प्रयोग करता है; यथा–जाना के लिए हिंदी के विविध रूप हैं–

जा, जाओ, जाइए, चले जाओ, चले जाइए, भाग जाओ, हट जाओ आदि।

सृजनात्मकता भाषा की विशेष शक्ति है। इसके माध्यम से विविध भाव भंगिमाओं की अभिव्यक्ति संभव होती है।

5. द्वित्व अभिरचना (Quality of Patterns) : मानवीय भाषा का प्रयोग एक साथ दो रूपों में होता है। प्रथम ध्वन्यात्मक रूप है, जो वक्ता के माध्यम से सामने आता है। यह ध्वनि-रूप श्रोता तक पहुँचता है। दूसरा रूप अर्थ से संबंधित होता

है, जो वक्ता के मन से निकल कर श्रोता को बोध होता है। प्रथम रूप ध्वनि है। इसे स्वनिम भी कहते हैं, यथा–

तन को ध्वन्यात्मक रूप में त् अ न् अ लिख सकते हैं।

मन को ध्वन्यात्मक रूप में म् अ न् अ लिख सकते हैं।

'तन' और 'मन' की 'त् अ न् अ' और 'म् अ न् अ' अलग-अलग चारों 'त् न् म् अ' ध्वनियाँ अर्थ विहीन हैं, किंतु जब ये आपसे में व्यवस्थित क्रम में 'तन' और 'मन' रूप में उच्चरित होती हैं, तो विशेष अर्थ का बोध होता है। इस प्रकार भाषा में ध्वन्यात्मक रूप के साथ अर्थबोध की प्रक्रिया साथ-साथ चलती है।

6. दक्षता (Specialization) : मनुष्य भाषा का प्रयोग करते-करते उसमें दक्षता प्राप्त कर लेता है। ऐसे में वह साइकल, स्कूटर और कार आदि चलाते हुए बात करता रहता है। यह भाषा की दक्षता है कि किसी कार्य को करते हुए संवाद करता रहता है। भाषा के सतत प्रयोग से बढ़ते अनुभव के साथ भाषा दक्षता बढ़ती जाती है। यदि अपने किसी आत्मीय व्यक्ति को अपने घर बुलाना हो, तो भाषा-दक्षता का रूप इस प्रकार होगा–

1) आप मेरे घर आएँ।
2) आप मेरे घर आइए।
3) आप मेरे घर आएँगे न!
4) आप मेरे घर पधारेंगे न!
5) आप मेरी कुटिया को धन्य करेंगे न!

7. स्थायित्त्व : मनुष्य की उच्चरित भाषा को जब लिपि का आधार मिल जाता है, तो उसे लिखित भाषा की संज्ञा दी जाती है। लिपिबद्ध भाषा में स्थान और समय पार करने की शक्ति आ जाती है। एक समय की लिखित भाषा आनेवाले समय की शताब्दियों के बाद भी पढ़ी जा सकती है। वाल्मीकि रामायण और तुलसीकृत रामचरितमानस आदि की रचनाएँ एक लंबे समय पूर्व में हुई थीं, जो आज उपलब्ध है और भविष्य में उपलब्ध रहेंगी। ये रचनाएँ एक स्थान पर या कुछ स्थानों पर रची गई, किंतु आज विश्व के कोने-कोन में पहुँच चुकी हैं।

वर्तमान वैज्ञानिक, तकनीकी और कंप्यूटर युग में भाषा-यंत्रों का आधार पाकर भाषा स्थायित्व और अत्यंत सीमित समय में वैश्विक धरातल के एक कोने से दूसरे कोने तक पहुँच जाने की शक्ति सजो चुकी है। वेबसाइट, ई-मेल, फेस-बुक विशेष उल्लेखनीय हैं। इस संदर्भ में इलेक्ट्रानिक मीडिया का अपना विशेष स्थान है।

इस प्रकार मानवीय भाषा के लिखित रूप में स्थान और समय पार करने की अनुप्रेरक शक्ति है।

8. अधिगमता (Learnability) : मानवीय भाषा अर्जन प्रक्रिया से प्राप्त धरोहर है। भाषायी शक्ति अभ्यास से विकसित होती है। मनुष्य मातृभाषा को व्यवहार से सहज रूप में सीख लेता है। जब किसी व्यक्ति को मातृभाषा पर अधिकार प्राप्त हो जाता है, तो अन्य किसी भी भाषा का सीखना और प्रयोग करना सरल हो जाता है। भाषा अधिगम के विषय में यह स्पष्ट तथ्य है कि जब किसी व्यक्ति को एक भाषा का आधिकारिक ज्ञान हो जाता है, तो अन्य किसी भाषा का सीखना सरल हो जाता है। इस प्रकार दो या दो से अधिक भाषाओं का ज्ञान मनुष्य के लिए सरल है।

1.3 भाषा और मानक भाषा

भाव अभिव्यक्ति के साधन को भाषा की संज्ञा दी जाती है। भाषा के विविध रूप में बोल-चाल की भाषा या बोली को जब समाज-स्वीकृति, समृद्ध साहित्य-सृजन, व्याकरण सम्मत रूप के साथ शासन की स्वीकृति मिल जाती है, तो उसे भाषा की संज्ञा दी जाती है। भारतीय संविधान में वर्तमान समय तक 22 भारतीय भाषाओं को मान्यता मिल चुकी है।

मानक भाषा का सामान्य अर्थ है—शुद्ध, आदर्श, परिनिष्ठित या प्रामाणिक भाषा अंग्रेजी में इसके लिए Standard Language शब्द का प्रयोग किया जाता है।

डॉ. भोलानाथ तिवारी ने मानक भाषा को परिभाषित करते हुए लिखा है—"सभ्यता के विकसित होने पर यह आवश्यक हो जाता है कि एक भाषा क्षेत्र (जिसमें कई बोलियाँ हों) की कोई एक बोली मानक मान ली जाए और पूरे क्षेत्र से संबंधित कार्यों के लिए उसका प्रयोग हो । उसको मानक या परिनिष्ठित भाषा कहा जाता है और वह पूरे क्षेत्र के प्रमुखतः शिक्षित वर्ग के लोगों की शिक्षा, पत्र व्यवहार या समाचार-पत्रादि की भाषा हो जाती है। साहित्य आदि में भी प्रायः उसी का प्रयोग होता है।"[14]

हिंदी भारतवर्ष के विस्तृत क्षेत्र में प्रयुक्त होती है। हिंदी भाषी क्षेत्र में उत्तर प्रदेश, हरियाणा, मध्यप्रदेश, हिमाचल प्रदेश, उत्तराखंड, झारखंड, बिहार ओर छत्तीसगढ़ आदि प्रदेश आते हैं। इन प्रदेशों के अतिरिक्त हिंदीतर प्रदेशों में भी हिंदी का प्रयोग होता है। इस पर विविध क्षेत्रों की विभिन्न बोलियों और भाषाओं का प्रभाव होना स्वाभाविक है। हिंदी भाषा में एकरूपता लाने के लिए जो व्यवस्था की गई उसे मानकीकरण कहते हैं। ऐसी हिंदी को 'मानक हिंदी' संज्ञा दी गई है। हिंदी के मानकीकरण पर मानव संसाधन विकास मंत्रालय का केंद्रीय हिंदी निदेशालय गुरुतर रूप में गतिशील है।

हिंदी के मानकीकरण में ध्वनि, वर्णादि (लिपि चिह्न) अक्षर, शब्द, पद और वाक्य की संरचना, प्रयोग और इनके अतःसंबंधों को व्यवस्थित करने का प्रयास किया गया है।

सृष्टि की समस्त रचना परिवर्तनशील है। प्रकृति के साथ मनुष्य का सतत परिवर्तन सुस्पष्ट है। वैश्वीकरण के युग में परिवेश और भाषा के परिवर्तन में गतिशीलता आना स्वाभाविक है। हिंदी भारतीय संस्कृति की तरह लचीली भाषा है अर्थात् अन्य भाषाओं के प्रभाव को सरलता से पचा लेती है। इस प्रकार ध्यान रखना आवश्यक है कि हिंदी ही नहीं किसी भी भाषा को सभी दृष्टियों से 'पूर्ण मानक भाषा' मानना उचित नहीं है।

1.4 हिंदी भाषा : प्रयोग के विविध रूप

जिस व्यक्ति, वस्तु, भाव और भाषा आदि का जितना विस्तृत और महत्त्वपूर्ण स्वरूप होता है, उसके उतने ही विस्तृत आयाम और प्रायोगिक भूमिका होती है।

हिंदी भारतवर्ष की मातृभाषा, राजभाषा, राष्ट्रभाषा, जनभाषा, संचार भाषा, माध्यम भाषा और संपर्क भाषा है। यह हिंदी भाषा की व्यावहारिक गरिमा है। इसे इन संदर्भों में रेखांकित कर सकते हैं–

1.4.1 मातृभाषा (Mother Language)

बच्चा जन्म के बाद माता-पिता आदि परिवार के सदस्यों और निकटस्थ व्यक्तियों से जिस भाषा का सहज व्यावहारिक रूप में ज्ञान प्राप्त करता है, उसे मातृभाषा कहते हैं। ऐसी भाषा का प्रयोग बचपन के प्रारंभिक काल से शुरु हो जाता है और सहज रूप में क्रमशः प्रयोग करते-करते संवाद की शक्ति विकसित हो जाती है। दूसरे शब्दों में कह सकते हैं कि बच्चे का अपरिपक्व मस्तिष्क जैसे-जैसे परिपक्व होता है, वैसे-वैसे मातृभाषा सीखता जाता है। मस्तिष्क की परिपक्वता पर मातृ भाषा का पूर्ण व्यावहारिक ज्ञान हो जाता है। मातृभाषा के इस प्रकार सहज रूप में प्राप्त व्यावहारिक भाषा-ज्ञान में किसी प्रकार के श्रम का आभास नहीं है। इस आधार पर मातृभाषा की परिभाषा इस प्रकार कर सकते हैं–

'माता के दूध पीते-पीते जिस भाषा का सहज व्यावहारिक और बिना श्रम आभास के ज्ञान प्राप्त होता है, उसे मातृभाषा की संज्ञा दी जाती है।'

मातृभाषा के महत्त्व को रेखांकित करते हुए डॉ. हरदेव बाहरी ने लिखा है–

"कोई राष्ट्र अपनी मातृभाषा को छोड़कर राष्ट्र नहीं कहला सकता। मातृभाषा की रक्षा सीमाओं की रक्षा से भी जरूरी है, क्योंकि वह विदेशी आक्रमण को रोकने में पर्वतों और नदियों से भी अधिक समर्थ है।"[15]

मातृभाषा के विषम में एक विचारणीय तथ्य यह है कि जो भाषा सीमित क्षेत्र या एक प्रदेश सीमा में प्रयुक्त होती हैं; यथा–पंजाबी, गुजराती, मराठी, बंगला, तमिल, तेलुगु, कन्नड़ और मलमालम आदि का स्वरूप विवादरहित और इसमें कई बोलियाँ का प्रभावी रूप सामने आते हैं। इनमें पर्याप्त लोक साहित्य और सामान्य

साहित्य मिलता है। इन बोलियों के कुछ लोगों से उनकी मातृभाषा जानना चाहें, तो वे अपनी संबंधित—व्रज, हरियाणवी, छत्तीसगढ़ी, अवधी और भोजपुरी को मातृभाषा बताते हैं। माना प्रत्येक व्यक्ति को अपनी व्यावहारिक बोल-चाल की भाषा (बोली) पर गर्व होना चाहिए, किंतु मातृभाषा तो हिंदी है। यदि बोलियों को मातृभाषा मान लें, तो हिंदी किसी की भी मातृभाषा होगी ही नहीं।

1.4.2 राष्ट्रभाषा (National Language)

किसी राष्ट्र या देश में सर्वाधिक लोगों द्वारा प्रयुक्त भाषा को राष्ट्रभाषा होने का गौरव मिलता है। जब कोई भाषा मानक स्वरूप प्राप्त कर राष्ट्रीय भाषाओं में स्थान प्राप्त कर राष्ट्र के अधिकांश लोगों द्वारा प्रयोग की जाए और समझी जाए, तो वह राष्ट्रभाषा के योग्य मानी जाती है।

डॉ. हरदेव बाहरी ने हिंदी के राष्ट्र भाषा-संदर्भ को रेखांकित करते हुए अपना विचार इस प्रकार व्यक्त किया है—

"यह बात मानी जा चुकी है कि स्वतंत्र और जनतंत्रात्मक देश की एक राष्ट्रभाषा होनी चाहिए। वह भाषा जन-जन की भाषा ही हो सकती है, क्योंकि वही उनके संस्कारों, भावों और विचारों की निजी भाषा है। ...यह तो हमारे राष्ट्रीय सम्मान का प्रश्न है।"[16]

डॉ. बाहरी ने एक स्थान पर यह भी विचार व्यक्त किया है—

"जो भाषा थोड़ी-बहुत सारे राष्ट्र में बोली और समझी जाती है, वह अपने इसी गुण से राष्ट्रभाषा होती है। भारत में युग-युग से मध्यदेश की भाषा सारे देश का माध्यम बन जाती रही है। ...एक भाषा का विस्तार भारतीय संस्कृति के विस्तार के साथ होता ही रहा है।"[17]

डॉ. भोलानाथ तिवारी ने लगभग 50 वर्ष पूर्व हिंदी के विकसनशील राष्ट्रभाषा के स्वरूप के विषय में अपना विचार इस प्रकार व्यक्त किया है—

"जब कोई बोली आदर्श भाषा बनने के बाद भी उन्नत होकर और भी महत्त्वपूर्ण बन जाती है तथा पूरे राष्ट्र या देश में अन्य भाषा क्षेत्र तथा अन्य भाषा क्षेत्र में भी उसका प्रयोग सार्वजनिक कामों आदि में होने लगता है, तो वह राष्ट्रभाषा का पद पा जाती है। हिंदी को धीरे-धीरे भारतवर्ष में लगभग यही स्थान प्राप्त हो रहा है।"[18]

डॉ. कर्ण सिंह ने राष्ट्रभाषा की लोकप्रियता और महत्त्व को रेखांकित करते हुए लिखा है—

"आदर्श या परिनिष्ठित भाषा का जो महत्त्वपूर्ण स्थान अपने क्षेत्र की बोलियों में होता है, वही स्थान राष्ट्रभाषा का संपूर्ण राष्ट्र की बोलियों और भाषाओं में होता है। उपक्षेत्रों और क्षेत्रों तथा प्रांतों में अपनी-अपनी बोलियों तथा भाषाओं का प्रयोग करते रहने पर भी राष्ट्र की एकता को ध्यान में रखते

हुए, सभी राष्ट्रवासी जिस भाषा का प्रयोग सार्वजनिक कार्यों के लिए करते हैं, उसे राष्ट्रभाषा कहा जाता है।[19]

निश्चय ही हिंदी भारतवर्ष की राष्ट्रभाषा है। भारतीय संविधान में कहीं भी हिंदी को राष्ट्रभाषा के रूप में उल्लेख नहीं किया गया है। देश के विभिन्न भागों में विविध स्वरूपों में प्रयुक्त हिंदी राष्ट्रभाषा ही है। हिंदी क्षेत्र की समस्त बोलियों का व्यावहारिक रूप राष्ट्रभाषा हिंदी ही है, तो हिंदीतर क्षेत्रों मुंबई की मुंबइया हिंदी, कलकत्ता की कलकतिया हिंदी आदि सभी राष्ट्रभाषा हिंदी के रूप हैं। राष्ट्रभाषा हिंदी के लिए व्याकरण सम्मत रूप होना अनिवार्य नहीं है। इसमें अभिव्यक्ति को महत्त्व दिया जाता है।

इसके साथ ही मानक हिंदी में लिखा समस्त साहित्य भी राष्ट्रभाषा हिंदी का अंग है। इस प्रकार स्पष्ट है कि राष्ट्रभाषा के मुख्य दो रूप हैं—प्रथम विविध क्षेत्रों में व्यवहार संदर्भ से जन सामान्य में प्रयुक्त स्वरूप और द्वितीय हिंदी साहित्य में प्रयुक्त व्याकरण सम्मत रूप।

भारतीय संविधान में भारत राष्ट्र को एक सूत्र में बांधने वाली हिंदी को 'राष्ट्रभाषा' का पद दिया जाना था, किंतु दुर्भाग्य मात्र राजभाषा पद दिया गया।

1.4.3 राजभाषा (Official Language)

प्रदेश एवं देश के राजकाज की आधार भाषा को राजभाषा की संज्ञा दी जाती है। डॉ. भोलानाथ तिवारी ने राजभाषा के स्वरूप को स्पष्ट करते हुए लिखा है—

"जिसका प्रयोग राज्य के कामों में होता है। संविधान के अनुसार हिंदी भारत की राष्ट्रभाषा न होकर राजभाषा (Official Language) है।"[20]

डॉ. तिवारी ने अन्यत्र एक विचार इस प्रकार किया है—

"राजभाषा, भाषा के उस रूप को कहते हैं, जो राजकाज में प्रयुक्त होता है। भारत की आजादी के बाद एक 'राजभाषा आयोग' की स्थापना की गई थी। उसी आयोग ने निर्णय लिया कि हिंदी को भारत की राजभाषा बनाया जाए।"[21]

डॉ. हरदेव बाहरी ने राजभाषा को राजा या शासक की भाषा कहते हुए लिखा है—

"राजभाषा को राज्य की भाषा कहा जाए या राजा (अथवा शासक) की भाषा, इसमें विशेष अंतर नहीं है। निश्चय ही राजकाज चलाने के लिए किसी न किसी भाषा की आवश्यकता पड़ती है।"[22]

15 अगस्त, 1947 ई. को भारत स्वतंत्र हुआ और 14 सितंबर, 1949 ई. को भारतीय संविधान में हिंदी को राजभाषा का पद मिला। राजभाषा के प्रयोग के मुख्य चार क्षेत्र हैं—शासन, विधि, न्यायपालिका और कार्यपालिका।

भारतवर्ष के संविधान के अनुच्छेद 343 से 351 तक राजभाषा हिंदी के प्रयोग के प्रावधान दिए गए हैं।

अनुच्छेद 343 में स्पष्ट किया गया है कि भारत गणतंत्र की राजभाषा हिंदी और लिपि देवनागरी होगी। यहाँ यह भी स्पष्ट किया गया है कि देवनागरी के अंतरराष्ट्रीय अंकों का प्रयोग किया जाएगा, मूल अंकों का उपयोग नहीं होगा। इसी अनुच्छेद में 15 वर्षों तक हिंदी के साथ अंग्रेजी प्रयोग का प्रावधान रखा गया है।

अनुच्छेद 344 में हिंदी प्रयोग पर बल देने की बात कही गई है। संघ के साथ प्रदेश के पत्र व्यवहार में हिंदी उपयोग का संकेत किया गया है।

अनुच्छेद 345, 346 और 347 में विभिन्न प्रादेशिक भाषाओं के विकास पर विचार किया गया है। अनुच्छेद 348 में कहा गया है कि जब तक संसद विधि द्वारा उपबंध न करें तब तक उच्च और उच्चतम न्यायालय का काम अंग्रेजी में होगा।

अनुच्छेद 349 में स्पष्ट किया गया है कि संसद के किसी सदन का पारित राजभाषा विधेयक तब तक मान्य नहीं जब तक राष्ट्रपति की स्वीकृति न हो। अनुच्छेद 350 में किसी भी व्यक्ति को संघ अथवा राज्य के अधिकारी को अधिकृत भाषा में निवेदन का अवसर है, तो अनुच्छेद 351 में संविधान की अष्टम सूची में स्थान प्राप्त राष्ट्रीय भाषाओं के प्रयोग और विकास की चर्चा की गई है।[23]

1.4.4 संपर्क भाषा

जब दो भिन्न भाषाभाषी आपस में संवाद करना चाहें और उनमें से दोनों एक-दूसरे की भाषा से अनभिज्ञ हों, तो एक ऐसी भाषा को अपनाते हैं, जिसमें उनका संवाद संभव हो, तो उसे संपर्क भाषा कहते हैं; यथा—पंजाबी भाषी और मलयालम भाषा व्यक्ति कुछ संवाद करना चाहें और दोनों एक-दूसरे की भाषा नहीं जानते हैं। ऐसे में दोनों अपनी सामान्य हिंदी में बात कर भाव आदन-प्रदान कर सकते हैं। ऐसे में हिंदी संपर्क भाषा की भूमिका निभाती है।

इस संदर्भ में यह भी उल्लेखनीय है कि दो भिन्न भाषाभाषी आपस में संवाद करना चाहें और उनमें से एक को अपनी भाषा के अतिरिक्त दूसरे की भाषा का ज्ञान हो, तो वह उस भाषा का प्रयोग कर संवाद कर लेता है। ऐसे में वह संपर्क भाषा होती हैं; यथा—एक हिंदी भाषी और एक मराठी व्यक्ति आपस में संवाद करना चाहते हैं। हिंदी भाषी व्यक्ति को मराठी नहीं आती, किंतु मराठी भाषी को हिंदी का ज्ञान है। ऐसे में वह मराठी भाषी हिंदी को संपर्क भाषा के रूप में अपना कर संवाद कर लेता है।

इस प्रकार कह सकते हैं कि भिन्न-भिन्न भाषा भाषियों के मध्य भाव आदान-प्रदान करने वाली सेतु-भाषा को 'संपर्क भाषा' की संज्ञा दी जाती है।

भारतवर्ष बहुभाषी देश हैं। यहाँ के संविधान में अब तक 22 राष्ट्रीय भाषाओं को मान्यताएँ मिल चुकी है। प्राचीन समय से भारतवर्ष के एक प्रदेश अथवा क्षेत्र के व्यक्ति दूसरे प्रदेश अथवा क्षेत्र में पर्यटन या धार्मिक संदर्भ से आते-जाते रहे हैं।

वर्तमान वैज्ञानिक और यातायात सुलभ समय में देश के एक कोने से दूसरे कोने तक का आवागमन तेजी से बढ़ा है।

हिंदी का प्रयोग भारतवर्ष के बहुल क्षेत्र में बहुसंख्यक लोगों द्वारा किया जाता है। हिंदी देश की राजभाषा, राष्ट्रभाषा, जनभाषा और संचारभाषा है। इसलिए भारत में अन्य भाषाओं की अपेक्षा हिंदी का प्रचार-प्रसार तेजी से बढ़ रहा है। इसलिए देश के हिंदीतर भाषाभाषियों के लिए यत्र-तत्र सर्वत्र संपर्क के लिए हिंदी संपर्क भाषा सिद्ध होती है।

पर्यटन संदर्भ से जब उत्तरभारत का कोई व्यक्ति दक्षिण में कन्याकुमारी या अन्यत्र पहुँचता है, तो वहाँ का दुकानदार अपने सामान को बेचने के लिए हिंदी भाषा को संपर्क भाषा के रूप में अपना कर कहता है, ‘‘बहुत सस्ती है, ले लो।’’ इसी प्रकार जब दक्षिण का हिंदीतर भाषीव्यक्ति अयोध्या, मथुरा, केदारनाथ, बद्रीनाथ, हरिद्वार आदि स्थानों पर पहुँचता है, तो वह भाव आदान-प्रदान के लिए हिंदी को संपर्क भाषा के रूप में प्रयुक्त करता है।

वर्तमान वैश्वीकरण के युग में बहुराष्ट्रीय कंपनियाँ भारत पहुँच चुकी हैं। उनके लिए भारत सर्वश्रेष्ठ विक्रय क्षेत्र सिद्ध हो रहा है। बाजारवाद के युग में विदेशी कंपनियों को यह पता है कि यहाँ मात्र अंग्रेजी के माध्यम से वस्तुओं का प्रचार नहीं हो सकता है। इसलिए अंग्रेजी के साथ हिंदी को सादर मिला कर संपर्क भाषा बनाने का प्रयास गतिशील है। यह हिंदी के संपर्क भाषा का गरिमामय रूप है कि अंग्रेजी को हिंदी का साथ लेना पड़ रहा है। विज्ञापन पर दृष्टि डालें, तो यह तथ्य स्पष्ट हो जाएगा–

‘ठंडा का मतलब कोकाकोला।’

‘Hiro Honda Dhak Dhak Go’

‘दाग का The End’

‘Big Bazar Sabse Sasta Tin Din’ आदि-आदि।

इस प्रकार स्पष्ट रूप से कहा जा सकता है कि भारत के बहुसंख्यक लोगों के द्वारा हिंदी को संपर्क भाषा के रूप में अपनाकर भाव आदान-प्रदान किया जाता है। भारत को एकसूत्र में बाँधने का कार्य राष्ट्रभाषा हिंदी का संपर्कभाषारूप परम गरिमामय और महत्त्वपूर्ण है।

1.4.5 संचार भाषा

वर्तमान युग को मीडिया का युग कहा गया है। वर्तमान संचार माध्यमों को तकनीकी और कंप्यूटर का सबल आधार मिल गया है। इसके आधार पर आकाशवाणी, दूरदर्शन और इंटरनेट आदि के चमत्कारिक रूप सामने आए हैं।

देश से विदेश तक जनसामान्य में हिंदी के प्रति बढ़ रहे रुझान से संचार

माध्यमों में हिंदी के प्रयोग में लगातार वृद्धि हो रही है। माना कि पाश्चात्य आँधी और उत्तमता के दिखावे के विचार में अंग्रेजी का आकर्षण बढ़ रहा है, किंतु बहुसंख्यक जन-समुदाय की अभिरुचि पर विचार करें, तो संचार माध्यमों में हिंदी पर्याप्त तेजी से बढ़ रही है।

लगभग दो-तीन दशक पूर्व विभिन्न प्रदेशों में एकाध दैनिक समाचार पत्र छपते थे, वे ही राष्ट्रीय स्तर तक पहुँच कर अपने को नियमित बनाए रखते थे। वर्तमान समय में हिंदी दैनिक पत्रों की होड़ लगी हुई है। अधिकांश हिंदी दैनिक समाचार पत्र अधिक से अधिक लोगों तक पहुँचने के लिए क्षेत्रों और जनपदों के परिशिष्ट निकाल रहे हैं। दूरदर्शन पर दिन-प्रति-दिन नए-नए हिंदी चैनलों का आगमन हो रहा है। हिंदी कार्यक्रमों के चौबीसों घंटे प्रसारण से हिंदी की लोकप्रियता स्वतः सिद्ध है।

संचार माध्यमों की हिंदी भाषा को उनकी प्रवृत्तियों के आधार पर निम्नलिखित वर्गों में विभक्त कर अध्ययन कर सकते हैं—प्रिंट मीडिया या दृश्य माध्यम (समाचार-पत्र), श्रव्य माध्यम (आकाशवाणी), दृश्य-श्रव्य माध्यम (दूरदर्शन) आदि।

(क) समाचार पत्रों की भाषा

दैनिक समाचार पत्रों में रोज विविध संदर्भों के समाचार होते हैं। विविध क्षेत्रों के विविध विषयों के समाचार विविध संवाददाताओं द्वारा सृजित होते हैं। इसलिए उसमें विविधता होना स्वाभाविक है। समाचार पत्र की भाषा सरल और बोधगम्य रखी जाती है, तो खेल-कूद, चलचित्र, व्यवसाय और साहित्य आदि की भाषा उनके ही अनुरूप होती है। पाठक को अपनी ओर खींचने के लिए शीर्षक की भाषा चमत्कारिक रखी जाती हैं; यथा—"लालू की याचिका खारिज, जेल में ही मनाएँगे दीवाली" दैनिक भास्कर, 1 नवंबर, 2013, पृ. 1

"सियासी दलों में छिड़ी 'रैली वॉर"—दैनिक भास्कर, 1 नवंबर, 2013, पृ. 10

समाचार पत्र में अब समाचार ही नहीं खान-पान, सिलाई-कढ़ाई, कृषि-व्यवसाय, धार्मिक-दार्शनिक, साहित्यिक-सांस्कृतिक आदि विषयों की ज्ञानवर्द्धक और उपयोगी सामग्री प्रकाशित होती है। उनकी भाषा भी विषयानुसार होती है। स्वास्थ्य, आर्थिक और आध्यात्मिक संदर्भ का एक उदाहरण प्रस्तुत है—

"सबसे बड़ी दौलत निरोगी काया है। लोगों ने निरोगी शब्द भुला दिया है और देह सबसे बड़ी संपत्ति बन गई। जिंदगी देह और दौलत के आस-पास मंडराने लगी। जैसे शरीर की संपत्ति उसके निरोगी होने में है। ऐसे ही मन का महत्त्व उसे सदाचार से कमाने और खर्च करने में है। आज संयोग से दोनों का ही दिन है। धनवंतरि देवताओं के वैद्य हैं। इस समय धरती पर हर किस्म के धनवंतरि हैं। पहले एक चिकित्सक अनेक बीमारियों का इलाज कर देता था और अब एक बीमारी पर अनेक चिकित्सक लगते हैं। पहले डॉक्टर पर भगवान जैसा भरोसा किया जाता था,

अब दोनों संदेह के घेरे में हैं। जब आप अपना इलाज करा रहे होते हैं, तो हर सांस के साथ यह विचार चल रहा होता है कि आप ठीक हो रहे हैं या ठगे जा रहे हैं। मनुष्य का शरीर चिकित्सकों के लिए एटीएम जैसा हो गया है।''

—दैनिक भास्कर, 1 नवंबर, 2013

(ख) आकाशवाणी की भाषा

आकाशवाणी को 'श्रव्य संचार माध्यम' कहा जाता है, क्योंकि इसके माध्यम से समाचार आदि सुनकर ग्रहण किया जाता है। आकाशवाणी की भाषा ध्वन्यात्मक प्रवृत्ति पर आधारित होती है।

आकाशवाणी की भाषा की सर्वप्रमुख विशेषता यह है कि इसमें विषयानुसार भाषा के साथ साँस-सीमा में सहज उच्चरित लघुवाक्यों का प्रयोग किया जाता है। रूपचंद गौतम ने आकाशवाणी की भाषा के विषय में लिखा है, ''वाचक की आवाज ही सब कुछ होती है। इसलिए उसे अपनी आवाज का सदैव ध्यान रखना चाहिए। ...अतः वाचक को मानक उच्चारण पर ध्यान देना चाहिए। प्रादेशिक भाषा का प्रयोग कदापि नहीं करना चाहिए।''[24]

यह कथन बहुत उपयोगी नहीं है। चिकित्सा, साहित्य आदि के साथ कृषि ग्रामीण आदि के विषय में भाषा विविधता अवश्यंभावी है।

स्पष्ट रूप से कह सकते हैं कि आकाशवाणी की भाषा सुगम, स्पष्ट विषयानुसार छोटे-छोटे कलात्मक वाक्यों पर आधारित होनी चाहिए।

(ग) दूरदर्शन की भाषा

दूरदर्शन का शाब्दिक अर्थ है—दूर के संदर्भ या विवरण को देखना। दूरदर्शन की दृश्य और श्रव्य प्रवृत्ति के आधार पर इसे दृश्य-श्रव्य संचार माध्यम की संज्ञा दी जाती है। दूरदर्शन पर पर्याप्त संयत, विषयानुकूल और प्रभावोत्पादक भाषा का प्रयोग करना चाहिए। डॉ. सूर्यप्रसाद दीक्षित ने दूरदर्शन की भाषा के विषय में लिखा है, ''दृश्य-श्रव्य माध्यम होने के कारण टी.वी. की भाषा अपेक्षाकृत अधिक संचरणशील है और कुछ ज्यादा ही संवेदनशील भी है। इसलिए टी.वी. के विभिन्न चैनलों का भाषा स्वरूप निर्धारण बड़ी सतर्कता के साथ किया जाना चाहिए।''[25]

दूरदर्शन पर समाचार, समसामयिक चर्चा, फीचर, साक्षात्कार, वाद-विवाद, खेल-कूद, नृत्य-संगीत, हास्य-व्यंग्य, नाटक, धर्म-संस्कृति, आविष्कार और कृषि आदि से संबंधित प्रसारण होते हैं। इन सब विषयों की भाषा में विविधता होना निश्चित है, किंतु दृश्य-श्रव्य माध्यम होने के कारण प्रस्तुतकर्ता को विषयानुसार निर्धारित या मानक भाषा का प्रभावी प्रयोग करना चाहिए। हिंदी विज्ञापन की भाषा मानक न होकर चमत्कारिक और अंग्रेजी-हिंदी मिश्रित रूप में बहुलता में सामने आती है; यथा—"Hiro Honda Dhak Dhak Go."

1.4.6 माध्यम भाषा

शिक्षा के क्षेत्र में अध्ययन-अध्यापन के लिए किसी न किसी माध्यम भाषा को आधार बनाना होता है। भारतवर्ष एक लंबे समय से परतंत्र होकर विदेशी शासन में साँस ले रहा था। पहले मुसलमानों का शासन रहा फिर अंग्रेजी शासन का साम्राज्य रहा। अंग्रेजी शासन में अंग्रेजी प्रभुत्त्व हुआ। अंग्रेजी शिक्षा का माध्यम बन गई। ज्ञान-विज्ञान ही नहीं हिंदी का अध्ययन भी अंग्रेजी में होने लगा। हिंदी में पीएच.डी. उपाधि पाने के लिए अंग्रेजी माध्यम से शोध-ग्रंथ प्रस्तुत करना होता था।

वर्तमान समय में प्रयास किया जा रहा है कि ज्ञान-विज्ञान आदि की शिक्षा-परीक्षा हिंदी में हो। इस दिशा में मानव संसाधन विकास मंत्रालय के वैज्ञानिक तथा तकनीकी शब्दावली आयोग और केंद्रीय हिंदी निदेशालय सतत प्रयत्नशील हैं। विभिन्न वैज्ञानिक और तकनीकी विषयों के अंग्रेजी शब्दों के सुपरीक्षित प्रामाणिक और निर्धारित पारिभाषिक शब्दों का संकलन करवा कर प्रकाशित किए जा चुके हैं। विभिन्न विषयों पर हिंदी माध्यम की पुस्तकें लिखवाने और अंग्रेजी से अनूदित कराने की प्रक्रिया भी चल रही है।

वर्तमान समय में भूगोल, इतिहास, नागरिक शास्त्र, राजनीति शास्त्र, मनोविज्ञान, समाजशास्त्र, भूगर्भ विज्ञान, पर्यावरण विज्ञान और दर्शन आदि की शिक्षा का माध्यम हिंदी बन गया है, किंतु अभी वैज्ञानिक और तकनीकी विषयों में हिंदी माध्यम भाषा के रूप में प्रभावी पहुँच की आशा में है।

भारतवर्ष में जन-जन तक उभरता हिंदी प्रेम वैज्ञानिकों और तकनीकी विशेषज्ञों में भी दिखाई देता है। देखा जाता है कि ऐसे विद्वान वैज्ञानिक और विशेषज्ञ हिंदी में कविता, कहानी, लेख, संस्मरण और वैज्ञानिक आलेख का सृजन कर रहे हैं। आज अपेक्षा है, उनके हिंदी प्रेम की मानसिकता के आधार पर हिंदी को माध्यम भाषा बनाने की प्रभावी प्रेरणा की।

1.5 मानक भाषा : संरचनात्मक स्वरूप

मानक का शाब्दिक अर्थ है–आदर्श प्रामाणिक रूप। किसी वस्तु की आदर्श गुणवत्ता का स्वीकृत रूप मानक होता है। किसी वस्तु या तत्त्व के वैविध्यपूर्ण रूप को नियंत्रित कर एक आदर्श अभिलक्षण या स्वरूप में निर्धारित करना 'मानकीकरण' है।

हिंदी पर्याप्त समय पूर्व से भारतवर्ष की व्यावहारिक रूप में राष्ट्रभाषा है और इसे भारतीय संविधान में 14 सितंबर, 1949 को राजभाषा का गरिमामय पद मिला। कुछ राज्यों ने हिंदी को प्रदेश की राज्य भाषा की मान्यता प्रदान की है। विभिन्न क्षेत्रों में हिंदी के स्वरूप में एक रूपता लाने के लिए मानकीकरण का प्रयास किया गया है।

हिंदी के मानकीकरण के विषय में पुष्पलता तनेजा ने 'देवनागरी लिपि तथा वर्तनी का मानकीकरण' में लिखा है–

"राजभाषा में एकरूपता लाने के लिए तत्कालीन शिक्षा मंत्रालय ने विविध स्तरों पर प्रयास किया।"[26]

डॉ. नरेंद्र व्यास ने मानकीकरण पर विस्तार से विचार करते हुए अपना मंतव्य इस प्रकार दिया है, "मानक का अभिप्राय है, 'किसी वस्तु की गुणवत्ता की वह स्थिति जिसके आधार पर वह वस्तु आदर्श के रूप में स्वीकृत या स्थिर हो (सके)। मानक होने का यही भाव 'मानकता' कहलाता है। अतः किसी वस्तु के मनमाने ढंग से प्रयोग की प्रवृत्ति को रोककर, या कहें नियंत्रित कर अनुकरण योग्य आदर्श स्थिति में लाने के लिए उसके विविध रूपों में आवश्कतानुसार परिवर्तन कर समान अभिलक्षणों से युक्त करना 'मानकीकरण' कहलाएगा।

तद्नुसार भाषा के प्रसंग में मानकीकरण का अभिप्राय है : एक ही प्रकार्य के लिए उपलब्ध विविध भाषायी विकल्पों में से किसी एक को तार्किक आधार पर स्वीकार कर उसे आदर्श के रूप में स्थिर करना। अतः मानकीकरण को यों परिभाषित किया जा सकता है : 'न्यूनतम शक्ति का व्यय करके अधिकतम दक्षता प्राप्त करने के उद्‌देश्य से 'आदर्श' निर्माण के लिए किया गया सचेतन प्रयास।'

हिंदी मानकीकरण को दो संदर्भों में विभक्त कर विवेचन कर सकते हैं–

1) उच्चारणात्मक मानकीकरण
2) लेखन मानकीकरण

1.5.1 उच्चारणात्मक मानकीकरण

भाषा प्रारंभिक आधार और प्रभावी रूप उच्चारणात्मक या मौखिक होता है। मानक उच्चारण के लिए भाषायी दक्षता, मानसिक एकाग्रता और अपेक्षित अभ्यास की आवश्यकता होती है। हिंदी की विभिन्न इकाइयों–ध्वनि, अक्षर, शब्द, पद और वाक्य के उच्चारण में उनके स्वरूप का ज्ञान होना आवश्यक है।

ध्वनि भाषा की लघुतम और महत्त्वपूर्ण इकाई है। मानक उच्चारण के लिए सर्वप्रथम ध्वनि का मानक उच्चारण अनिवार्य है। हिंदी भारतीय संस्कृति की तरह लचीली अर्थात् पर्याप्त परिवर्तनशील है। इसलिए हिंदी के स्वरों-व्यंजनों की संख्या और उनके स्वरूप का ज्ञान अनिवार्य है–

हिंदी ध्वनियाँ

स्वर	:	अ आ इ ई उ ऊ ऋ ए ऐ ओ औ	
व्यंजन	:	क् ख् ग् घ् ङ्	च् छ् ज् झ् ञ्
		ट् ठ् ड् ढ् ण्	त् थ् द् ध् न्
		प् फ् ब् भ् म्	य् र् ल् व्
		श् ष् स् ह्।	

अंक : 0 1 2 3 4 5 6 7 8 9 (अंतरराष्ट्रीय नागरी अंग)

: ० १ २ ३ ४ ५ ६ ७ ८ ९ (मूल नागरी अंक)

शून्य एक दो तीन चार पाँच छह सात आठ नौ (उच्चारण)

उच्चारण मानकीकरण में सर्वाधिक महत्त्व शब्दों का होता है। कहा जाता है, वैसे पढ़ा या उच्चारण किया जाता है। ऐसे में हमें आधार ध्वनियों को ध्यान में रख कर उच्चारण करना चाहिए, किंतु जहाँ विशेष नियम लागू होते हैं, वहाँ मानकीकृत उच्चारण पर दृष्टि रखना चाहिए; यथा–

(1) यदि अंतस्थ वर्ण य, र, ल, व के पूर्व कोई अर्ध वर्ण आए, तो लिखा आधा, किंतु उच्चारण दो अर्ध रूप का होता है; यथा–

लेखन	**उच्चारण**
अन्य	अन्न्य
उपन्यास	उपन्न्यास
अन्वय	अन्न्वय

(2) जब किसी शब्द में कोई मात्रा ऐसी लगी हो, जो शिरोरेखा के ऊपर हो; यथा–े, ै, ो, ौ और उसके साथ अनुनासिक चिह्न लगा हो, तो उसका रूप अनुस्वार '-ं' की तरह होने पर भी उच्चारण अनुनासिक ही किया जाएगा; यथा–

लेखन	**उच्चारण**
में	मेँ
मैं	मैँ
घोड़ों	घोड़ोँ
धौंस	धौँस

(3) मानक हिंदी में शब्द के मध्य में अर्धनासिक्य ङ्, ञ्, ण्, न् और म् के आने पर उनके स्थान पर अनुस्वार '-ं' का प्रयोग किया जाता है। शब्दों में अनुस्वार '-ं' चिह्न को देखकर उसके आगे अर्थात् दाहिनी ओर के व्यंजन के आधार उस वर्ग के नासिक्य व्यंजन का उच्चारण करना चाहिए; यथा–

लेखन	**उच्चारण**
अंक	अङ्क
मंजुल	मञ्जुल
घंटी	घण्टी
पंत	पन्त
पंप	पम्प

(4) हिंदी के कुछ संयुक्त वर्णों की संरचना दृश्य रूप में भी स्पष्ट होती है; यथा–

क्त	>	रक्त	ग्य	>	भाग्य
च्य	>	पाच्य	ज्य	>	पूज्य
त्य	>	त्याज्य आदि			

कुछ संयुक्त व्यंजन विशेष रचना में होने से उनके अर्ध और पूर्ण वर्ण की पहचान अपेक्षाकृत कठिन होती है। उनका उच्चारण ध्यान से करना होता है; यथा–

त्त (क्त)	रत्त (रक्त)
प्र (प्‌र)	प्रकाश (प्‌रकाश)
ट्र (ट्‌र)	ट्रक (ट्‌रक)
र्म (र्‌म)	कर्म (कर्‌म)
ह्र (ह्‌र)	ह्रास (ह्‌रास) आदि।

(5) नासिक्य व्यंजन के पूर्व आने वाले निरअनुनासिक व्यंजन का उच्चारण अनुनासिक रूप में होना मानक है, जबकि लेखन निर्‌अनुनासिक ही रहता है; यथा–

लेखन	**उच्चारण**
तन	तँन
रण	रँण
राम	राँम
श्याम	श्याँम

इस प्रकार विभिन्न संदर्भों में मानक उच्चारण अपेक्षित होता है।

1.5.2 मानकीकृत लेखन

भाषा को जब लिपि का आधार मिल जाता है, तो उसमें स्थायित्त्व शक्ति आ जाती है। लिपिबद्ध भाषा के मानकीकरण पर विशेष ध्यान देना चाहिए। इस संदर्भ में सर्वप्रथम नागरी लिपि के मानकीकरण पर चिंतन करना होगा, क्योंकि लिपि लेखन का आधार है। इस चिंतन को छह मुख्य वर्गों में विभक्त कर सकते हैं–

1) ध्वनि मानकीकरण
2) शब्द मानकीकरण (वर्तनी)
3) पद मानकीकरण
4) वाक्य मानकीकरण
5) अर्थ मानकीकरण
6) लिपि मानकीकरण

1. ध्वनि मानकीकरण

भाषा की लघुतम, स्वतंत्र और महत्त्वपूर्ण इकाई ध्वनि है। इसका सार्थक होना अनिवार्य

नहीं है; यथा—'ग्' का अर्थ गमन करना है, तो 'ज्' का अर्थ जन्म है, किंतु 'ङ्' और 'ण्' आदि ध्वनियाँ अर्थविहीन है। प्रत्येक भाषा की ध्वनियों की संख्या और स्वरूप में भिन्नता होना स्वाभाविक है।

हिंदी भाषा भारतीय संस्कार में जन्मी और विकसित हुई भाषा है। इसके स्वरूप में भारतीय संस्कृति स्पष्ट रूप से दिखाई देती है। जिस प्रकार भारतीय संस्कृति में माता को प्रधानता दी जाती है। कहा जाता सीता-राम, राधा-कृष्ण आदि-आदि। इसी प्रकार स्वरों को प्रारंभ में और बाद में व्यंजनों को स्थान दिया गया है; यथा—

स्वर—	अ, आ, इ, इ, उ, ऊ, ऋ, ए, ऐ, ओ, औ		
व्यंजन—	कंठ्य	—	क् ख् ग् घ् ङ्
	तालव्य	—	च् छ् ज् झ् ञ्
	मूर्द्धन्य	—	ट् ठ् ड् ढ् ण् ड़् ढ़्
	दंत्य	—	त् थ् द् ध् न्
	ओष्ठ्य	—	प् फ् ब् भ् म्
	अंतस्थ	—	य् र् ल् व् ळ्
	ऊष्म	—	श ष स ह

हिंदी की मानक ध्वनियों—ह्रस्व और दीर्घ तथा अन्य रूपों के शुद्ध लेखन और उच्चारण से भाषा का मानक रूप सामने आता है और अभिव्यक्ति स्पष्ट और प्रभावी होने से अनुकूल बोधगम्यता होती है।

2. शब्द मानकीकरण (वर्तनी)

शब्द भाषा की सार्थक इकाई है। एक ध्वनि अथवा एकाधिक ध्वनि, एक वर्ण या एकाधिक अक्षरों की योजना से शब्द-सृजन होता है; यथा—

आ एक ध्वनि / एक वर्ण / एक अक्षर = एक शब्द (आ आना)

आना आ + न् + आ (तीन ध्वनि) / दो अक्षर = एक शब्द

स्वास्थ्य् (उच्चरित) स् + व् + आ + स् + थ् + य् 6 ध्वनि = एक अक्षर = एक शब्द

- वर्तनी विश्लेषण में तीन तथ्यों पर ध्यान रखते हैं—
  (i) कितने वर्णों और मात्राओं का प्रयोग होगा?
  (ii) किन-किन वर्णों और मात्राओं का प्रयोग होगा?
  (iii) उनके क्रमिक प्रयोग की व्यवस्था क्या होगी?
- मानक हिंदी के लेखन में अर्ध नासिक्य व्यंजन के लिए अनुस्वार प्रयोग की व्यवस्था की गई है; यथा—
  अङ्क > अंक, मञ्जुल > मंजुल, घण्टी > घंटी, हिंदी > हिंदी, पम्प > पंप
- यहाँ यह ध्यातव्य है कि यदि अर्ध नासिक्य व्यंजन के बाद वही व्यंजन प्रयुक्त

हो, तो वह अर्ध नासिक व्यंजन मूल रूप में ही प्रयुक्त होगा; यथा—
उन्नति, सम्मान, सम्मेलन, सम्मिलन आदि।

- यदि अर्ध नासिक्य व्यंजन के पश्चात् अर्ध व्यंजन प्रयुक्त हो, तो अर्ध नासिक्य व्यंजन निश्चय ही अनुस्वार के रूप में प्रयुक्त होगा; यथा—
कंप्यूटर, कंप्योत्तर, स्वतंत्र (स्वतंत्र)
- हिंदी में सरलीकरण के कारण '·' अनुस्वार और अनुनासिक 'ँ' चिह्नों को अनुस्वार '·' के रूप में कर दिया जाता है। यह उचित नहीं है। स्पष्ट अभिव्यक्ति के लिए दोनों चिह्नों को अपना चाहिए; यथा—
हंस (पक्षी विशेष)- हँस (हँसना), अंधकार - अँधेरा आदि।
- रकार के लिए प्रयुक्त र, ्र, , र्‍ चार रूपों को समय, शक्ति, खर्च के सीमित प्रयोग के साथ परंपरा और प्रचलन को दृष्टि में रखकर प्रयोग करना उचित है; यथा—रमेश, क्रम (क्रम), ट्रक (ट्रक), कर्म (कर्‍म)।
- यश्रुति को आधार बनाकर नई-नयी, लिए-लिये आदि में स्वर रूप नई और लिए ही अपनाया गया है; यथा—नई दिल्ली, आपके लिए।
- जब अंतस्थ वर्ण य, र, ल, व के पूर्व अर्ध व्यंजन लिखित रूप में आए, तो लिखा एक ही आधा, जबकि दो आधा बोला जाता है; यथा—

लिखित	**उच्चरित**
अन्य	अन्न्य
उपन्यास	उपन्न्यास
अन्वय	अन्न्वय

- हिंदी की विशेष प्रवृत्ति है, जब शब्दांत में ह्रस्व व्यंजन हो, तो उच्चारण व्यंजनांत हो जाता है, किंतु लिखा अक्षर के रूप में अर्थात् स्वरांत होता है। ऐसे शब्द लेखन में हलंत नहीं लगाते हैं; यथा—

उच्चारण	**लेखन**
रमन्	रमन
श्याम्	श्याम

- यदि किसी शब्द के अंत में दीर्घ अक्षर हो और उसके पूर्व ह्रस्व व्यंजन हो, तो उच्चारण में ह्रस्व व्यंजन आधा हो जाता है, किंतु मानक लेखन में उसे पूर्ण ही लिखा जाएगा; यथा—

उच्चारण	**लेखन**
मिल्ता	मिलता
जिल्ना	जितना

मानकीकृत वर्तनी से उच्चारण और लेखन को दिशा मिलती है।

3. पद मानकीकरण

- हिंदी वियोगात्मक भाषा है। संज्ञा पदों के साथ विभक्ति चिह्न को अलग लिखते है; यथा–
  मनोज ने, वरुण को, विजय से, अरविंद पर आदि
- सर्वनाम के साथ यदि विभक्ति चिह्न एक है, तो एक शिरोरेखा में, यदि दो हैं, तो पहला चिह्न साथ और दूसरा अलग लिखते हैं; यथा–
  उसने, मैंने, तुमने; उसके लिए, इनमें से आदि।
- क्रिया पद की मूल, सहायक और समापिका क्रियाएँ अलग-अलग लिखी जाती हैं; यथा–
  जाता है, जा रहा था, चलता चला जा रहा है आदि।

वाक्य मानकीकरण

हिंदी वाक्य रचना में मानक रूप अपनाया जाता है। सामान्य वाक्य में कर्ता, कर्म और क्रिया का क्रमशः प्रयोग किया जाता है। हिंदी के सामान्य वाक्य की यह व्याकरणिक व्यवस्था है; यथा–

वह	आम	खाता है।
कर्ता	कर्म	क्रिया

हिंदी वाक्यों का मानकीकरण पद-व्यवस्था-अन्विताभिधानवाद-अभिहितान्वयवाद और अर्थ-व्यवस्था- अंतस्तलीय और बहिस्तलीय आधार पर की जाती है।

इस प्रकार मानकीकरण के विविध आधारों पर हिंदी को व्यवस्थित और उपयोगी रूप प्रदान किया गया है।

1.6. हिंदी और उनकी बोलियाँ

हिंदी का प्रयोग भारत के विस्तृत भू भाग में होता है। इसकी संरचना विविधता के आधार पर इसे निम्नलिखित वर्गों में विभक्त किया जाता है–

1) पश्चिमी हिंदी
2) पूर्वी हिंदी
3) बिहारी हिंदी
4) राजस्थानी हिंदी
5) पहाड़ी हिंदी

1.6.1 पश्चिमी हिंदी

इसका उद्‌भव शौरसेनी अपभ्रंश से हुआ है। इसमें हरियाणवी, कौरवी, व्रज, कन्नौजी और बुंदेली पाँच मुख्य बोलियाँ मिलती हैं।

(क) हरियाणवी

इसे पहले 'बाँगरू' नाम भी दिया जाता था। इसे 'जाटू' और 'हरियाणी' नाम से भी संबोधित किया जाता रहा है, किंतु वर्तमान समय में 'हरियाणवी' नाम लोकप्रिय हो गया है। हरियाणा प्रदेश की सीमा में प्रयुक्त होने के आधार पर यह नाम तर्कसंगत और वैज्ञानिक लगता है। हरियाणवी का क्षेत्र हरियाणा के चारों ओर की बोलियों और भाषाओं से प्रभावी रूप में प्रभावित है। व्रज क्षेत्र की व्रज बोली, मेरठ-मुजफ्फर नगर आदि जिलों की कौरवी बोली से प्रभावित है, तो राजस्थानी और पंजाबी से भी गंभीरता से प्रभावित है। केंद्रीय हरियाणवी में 'है' का 'सै' और 'न' का 'ण' होना विशेष उल्लेखनीय है। व्रज हरियाणवी में 'गया' का 'गयौ' और 'खाया' का 'खायौ' हो जाता है। अहीरवाटी में 'था' का 'थो' होना रेखांकन योग्य है। बागड़ी और कौरवी में लोप की प्रबलता है; यथा–

बागड़ी - अहीर > हीर, अनाज > नाज

कौरवी - अनार > नार, उतार > तार

अंबाला, पंजाबी क्षेत्र पंजाब से जुड़ा है। इसलिए इस क्षेत्र की हरियाणवी पर पंजाबी का प्रभाव स्पष्ट है–

साथ > सात हाथ > हात

(ख) कौरवी

प्राचीनकालीन 'कुरु' क्षेत्र में संबंधित होने के कारण इसे कौरवी बोली नामकरण किया गया है। इसका प्रयोग पश्चिमी उत्तरप्रदेश में होता है। इसके शहरी क्षेत्र में खड़ी बोली का प्रयोग होता है, किंतु ग्रामीण क्षेत्र में कौरवी का प्रयोग होता है। इसमें खड़ी पाई की प्रधानता होती है; हँसना, खेलना, चलना आदि।

(ग) व्रज

हिंदी साहित्य के भक्तिकाल के अष्टछाप कवियों ने इस भाषा को अपनाया है। रीतिकाल में तो व्रज भाषा रचना का आधार बनी है। आगरा और मथुरा इसका केंद्र है।

(घ) बुंदेली

बुंदेलखंड क्षेत्र में प्रयुक्त होने के आधार पर इसे बुंदेली नाम दिया गया है। झांसी, ग्वालियर और भोपाल आदि बुंदेलखंड की सीमा में आते हैं। यहाँ बुंदेली का प्रयोग होता है।

(ङ) कन्नौजी

कन्नौजी क्षेत्र में प्रयुक्त होने के आधार पर इसे कन्नौजी बोली नाम दिया गया है।

इसका प्रयोग उत्तर प्रदेश के हरदोई, शाहजहाँपुर, पीलीभीत के साथ कानपुर के पश्चिमी भाग में होता है।

1.6.2 पूर्वी हिंदी

पूर्वी हिंदी का उद्भव अर्ध मागधी अपभ्रंश से हुआ है। पश्चिमी हिंदी के पूर्व में प्रयुक्त होने के आधार पर इसे पूर्वी हिंदी नाम दिया गया है। पश्चिमी हिंदी से कुछ समानताएँ हैं, तो कुछ भिन्नताएँ हैं, जो इसकी विशेषताएँ हैं। संरचना के आधार पर पूर्वी हिंदी को तीन भागों में विभक्त करते हैं—अवधी, बघेली और छत्तीसगढ़ी।

(क) अवधी

अवध प्रांत से संबंधित होने के कारण इसे अवधी नाम दिया गया है। अवधी का क्षेत्र पर्याप्त विस्तृत है। इसका प्रयोग फैजाबाद, सुलतानपुर, प्रतापगढ़, इलाहाबाद, रायबरेली, लखनऊ आदि जिलों में किया जाता है।

सूफी संत काव्य के रचयिता, जायसी, कुतुबन, मंझन, मुल्लादाउद आदि ने अवधी में ही रचना की है। तुलसीदास ने रामचरितमानस की रचना साहित्यिक अवधी में की है।

(ख) बघेली

बघेलखंड में प्रयुक्त होने के कारण इसे बघेली बोली की संज्ञा दी जाती है। इसका केंद्र 'रीवाँ' है। इसका प्रयोग रीवाँ, शहडोल और सतना में होता है।

(ग) छत्तीसगढ़ी

छत्तीसगढ़ क्षेत्र में प्रयुक्त होने के कारण इसे छत्तीसगढ़ी बोली की संज्ञा दी गई है। वर्तमान समय में छत्तीसगढ़ को एक राज्य की मान्यता मिल गई है। छत्तीसगढ़ी का प्रयोग रायपुर, विलासपुर और खैरागढ़ आदि क्षेत्र तक होता है। इसमें पर्याप्त लोक साहित्य मिलता है।

1.6.3 बिहारी हिंदी

इसका उद्भव मागधी अपभ्रंश से हुआ है। बिहार प्रांत से संबंधित होने के आधार पर इसे बिहारी हिंदी नाम दिया गया है। इसमें मुख्यतः तीन बोलियों के रूप सामने आते हैं—भोजपुरी, मैथिली और मगही।

(क) भोजपुरी

इसका केंद्र भोजपुर है। इसी आधार पर इसे भोजपुरी बोली नाम दिया गया है। इसका प्रयोग बिहार के भोजपुर, राँची, चंपारन, सारन के साथ उत्तर प्रदेश के बनारस, गाजीपुर

बलिया, गोरखपुर और बस्ती में भी होता है। इसमें समृद्ध साहित्य मिलता है। 'ल' बहुलता है—चलल, खाइल, पाइल आदि। इसमें इकार और उकार बहुलता होती है।

(ख) मैथिली

प्राचीन काल से मिथिला क्षेत्र प्रसिद्ध रहा है। मिथिला क्षेत्र के नाम पर इसे मैथिली नाम दिया गया है। सीता का जन्म इसी क्षेत्र में हुआ था। मैथिल कोकिल विद्यापति की जन्मस्थली भी मिथिला ही है। इसका प्रयोग दरभंगा, सहरसा, मुजफ्फरपुर और भागलपुर में होता है। इस बोली में साहित्य और समृद्ध लोक साहित्य मिलता है। इसे 22 राष्ट्रीय भाषाओं में स्थान भी मिल गया है। इकार और उकार बहुला रूप इसकी पहचान है।

(ग) मगही

मागधी से विकसित होकर मगही शब्द बना है। इसका प्रयोग मगध के अतिरिक्त पटना, भागलपुर, हजारीबाग और मुंगेर में होता है। इस क्षेत्र का अपना लोक साहित्य है। इसमें अनुनासिकता की बहुलता है। कारक अतिरिक्त चिह्न-संपदान में ला, लेन और अधिकरकरण में 'मों' मिलते हैं।

1.6.4 राजस्थानी हिंदी

राजस्थान प्रदेश विशेष में प्रयुक्त होने के आधार पर इसका नाम राजस्थानी हिंदी रखा गया है। इसमें चार प्रमुख बोलियाँ प्रयुक्त होती हैं—मेवाती, जयपुरी, मारवाड़ी और मालवी।

(क) मेवाती

मेव जाति के नाम पर इस बोली का नाम मेवाती रखा गया है। राजस्थान के अलवर और भरतपुर के उत्तर-पश्चिम क्षेत्र में इसका प्रयोग होता है। हरियाणा के गुड़गाँव के आस-पास के क्षेत्र को मेवात कहते हैं। इस क्षेत्र में मेवाती बोली का प्रयोग होता है। ब्रज क्षेत्र की निकटता के कारण इस बोली पर ब्रज का प्रभाव स्पष्ट रूप से दिखाई देता है। इसमें समृद्ध लोक साहित्य है।

(ख) मारवाड़ी

मेवाड़ क्षेत्र के नाम इसे 'मेवाड़ी' बोली कहते थे। अब वह 'मेवाड़ी' से बदलकर मारवाड़ी प्रचलित हो गया है। इस बोली का केंद्र राजस्थान का जोधपुर है। पश्चिमी राजस्थान में प्रयुक्त होने के कारण इसे पश्चिमी राजस्थानी भी कहते हैं। पुरानी मारवाड़ी को डिंगल कहते हैं। डिंगल में समृद्ध साहित्य मिलता है। हिंदी साहित्य के वीरगाथा काल के चंदबरदाई और नरपति नाल्ह आदि डिंगल के प्रसिद्ध कवि हैं।

इसमें 'स' ध्वनि 'श' हो जाती है। अनुनासिक और तद्भव शब्द बहुलता विशेष रूप में उल्लेखनीय है।

(ग) जयपुरी

इस बोली का केंद्र जयपुर है। इसलिए इसको जयपुरी नाम दिया गया है। इसका प्रयोग राजस्थान के पूर्वी क्षेत्र के जयपुर, कोटा और बूंदी आदि में होता है। इस बोली पर ब्रज का प्रभाव स्पष्ट रूप से दिखाई देता है। परसर्गों में नवीन रूप दिखाई देते हैं—कर्म – संपदान—नै, कै

करण – अपादन—सूं, सै, अधिकरण—मैं, पालैं

जयपुरी में समृद्ध लोक साहित्य मिलता है।

(घ) मालवी

राजस्थान के मालवा क्षेत्र में बोली जाने के कारण इसे मालवी बोली कहा जाता है। राजस्थान के दक्षिणी भाग में स्थित होने के कारण इसे दक्षिणी राजस्थानी भी कहते हैं। इसके क्षेत्र के अंतर्गत इंदौर, रतलाम और उज्जैन आते हैं।

इसमें अनुनासिक बहुलता है। 'ण' ध्वनि का प्रभावी प्रयोग मिलता है। इसमें समृद्ध लोक साहित्य है।

1.6.5 पहाड़ी हिंदी

पहाड़ी हिंदी का उद्भव 'खस' अपभ्रंश से हुआ है। पहाड़ी क्षेत्र की विरल आबादी, दुर्गम क्षेत्र और आवागमन की कठिनाई के कारण इस भाषा में वैविध्य होना स्वाभाविक है। अध्ययन की सुविधा और व्यवस्था के लिए इसे तीन वर्गों में विभक्त किया जाता है—पश्चिमी पहाड़ी, मध्य पहाड़ी, पूर्वी पहाड़ी।

(क) पश्चिमी पहाड़ी

शिमला के आस-पास के क्षेत्र को पश्चिमी पहाड़ी क्षेत्र माना जाता है। इसी आधार पर इस क्षेत्र की भाषा की पश्चिमी पहाड़ी हिंदी की संज्ञा देते हैं। इस भाषा का केंद्र शिमला है। इसमें चंबाली, कुल्लुई, क्योंथली आदि मुख्य बोलियों के रूप मिलते हैं। बोली की विविधता के कारण बोलियों की संख्या तीस है।

(ख) मध्य पहाड़ी

भारतवर्ष की उत्तरी पहाड़ी क्षेत्र के मध्यवर्ती क्षेत्र में बोली जानेवाली भाषा को मध्य पहाड़ी हिंदी कहते हैं। इसके अंतर्गत कुमाऊँ गढ़वाल और नैनीताल आते हैं। इसमें इन क्षेत्रों कुमाउँनी, अल्मोड़ा और नैनीताल की बोलियाँ सामने आती हैं। इस क्षेत्र की साहित्यिक भाषा हिंदी है।

(ग) पूर्वी पहाड़ी

पहाड़ी हिंदी के पूर्वी रूप का केंद्र नेपाल है। इस क्षेत्र की मुख्य भाषा नेपाली है। इसे गुरखाली, पर्वतिया और खसपुरा नाम भी दिया गया है। इसमें समृद्ध लोक साहित्य मिलता है। नेपाल सरकार का संरक्षण मिलने से इसे विकास का सुंदर अवसर मिला है। इसकी लिपि भी देवनगरी है।

1.7 हरियाणवी : नामकरण और स्वरूप

भारत की राजभाषा, राष्ट्रभाषा और संचार भाषा हिंदी का एक प्रमुख अंश पश्चिमी हिंदी है। पश्चिमी हिंदी की प्रमुख बोलियों में हरियाणा प्रदेश में प्रयुक्त होनेवाली हरियाणवी विशेष उल्लेखनीय है।

1.7.1 हरियाणवी : नामकरण

हरियाणा प्रदेश कभी पंजाब प्रदेश का ही भाग था। को पंजाब से कुछ क्षेत्र (हिंदी भाषी के आधार पर) अलग कर हरियाणा प्रदेश का निर्माण किया गया। उस समय इस क्षेत्र को बाँगर या ऊँची भूमि के आधार पर 'बाँगरू' बोली नाम दिया गया है। इस क्षेत्र की जाट बहुलता को देखते हुए जाटू और देसी प्रवृत्ति की प्रभावगंभीरता के आधार पर देसाड़ी नाम भी दिया जाता रहा है। हरियाणा के प्रदेश बनने पर 'हरियाणी' और 'हरियाणवी' दो नामों को बल मिला। एक लंबे समय तक विद्वानों में 'हरियाणी' और 'हरियाणवी' के शुद्ध एवं वैज्ञानिक होने पर विचार-विमर्श चलता रहा है। चर्चित साहित्यकार राजाराम शास्त्री 'हरियाणी' नाम के समर्थक थे। वर्तमान समय में हरियाणवी सर्वाधिक प्रचलित होकर सर्वमान्य नाम सिद्ध हुआ है।

हरियाणा प्रदेश के ग्रामीण परिवेश में हरियाणवी ही बोल-चाल की भाषा है। हरियाणा का अस्तित्व भी हिंदी (हरियाणवी बोली) के आधार पर हुआ है। हरियाणा और पंजाब सीमा का निर्धारण भी हिंदी (हरियाणवी बोली) के आधार पर किया गया है।

इस बोली के उद्‌भव में पंजाबी, व्रज और राजस्थानी की विशेष भूमिका रही है। आज भी हरियाणवी के विभिन्न क्षेत्रों पर इन भाषाओं के प्रभाव को स्पष्ट रूप से देख सकते हैं। हरियाणवी बोली की लिपि नागरी है। हरियाणवी बोली में समृद्ध लोक साहित्य है। हरियाणवी साँग और रंगमंच भी विशेष लोकप्रिय और चर्चित है।

हरियाणवी भाषी क्षेत्र चारों ओर उत्तर प्रदेश, हिमाचल प्रदेश, पंजाब और राजस्थान से लगा हुआ है। निकट संपर्कता और व्यावहारिक दृष्टि से हरियाणवी पर इन प्रदेशों की निकटवर्ती भाषाओं या उनकी बोलियों का प्रभाव होना स्वाभाविक है।

1.7.2 हरियाणवी : स्वरूप

हरियाणवी बोली के भाषा वैज्ञानिक अध्ययन के लिए सात प्रमुख वर्गों में विभक्त किया जा सकता है—

1.7.2.1 केंद्रीय हरियाणवी

हरियाणा राज्य के अस्तित्व में आने के पूर्व हरियाणवी को 'बाँगरू' नाम से जाना जाता था। वर्तमान समय में कुछ लोग हरियाणवी के केंद्र रोहतक की बोली को बाँगरू नाम से संबोधित करते हैं। हरियाणवी और बाँगरू के समानार्थक होने से कोई भ्रम न हो, इसलिए इस बोली के केंद्र क्षेत्र की बोली को केंद्रीय हरियाणवी नाम दिया गया है। अब यह नाम सैद्धांतिक ही नहीं व्यावहारिक रूप में भी सर्वाधिक प्रचलित हो गया है। केंद्रीय हरियाणवी का केंद्र रोहतक है।

क्रेंद्रीय हरियाणवी की प्रमुख विशेषताएँ इस प्रकार हैं—

क्रिया में हूँ का 'सूँ' प्रयोग होता है—	नाई धोरे बाळ कटवाण जा रा सूँ।
है का 'सै' प्रयोग होता है—	आदमी करम तै बड़ा बण्य सै।
'न' ध्वनि 'ण' हो जाती है—	राजा अपणे दरबार मैं आग्या।
'श' ध्वनि 'स' हो जाती है—	आज ते आकास साफ सै।
'ष' ध्वनि 'स' हो जाती है—	सृष्टि > सिरस्टी, कृषक > किसान
'ल' ध्वनि प्रायः 'ळ' हो जाती है—	बालक > बाळक, कनक > कळक

1.7.2.2 व्रज हरियाणवी

व्रज भाषी उत्तर प्रदेश से लगे हुए हरियाणा के क्षेत्र को व्रज क्षेत्र माना जाता है। इसका कारण है कि यहाँ की हरियाणवी पर व्रज का गहरा रंग है। उत्तर प्रदेश के व्रज का केंद्र आगरा-मथुरा है, तो व्रज हरियाणवी का केंद्र पलवल है। व्रज हरियाणवी की कुछ रेखांकन योग्य विशेषताएँ इस प्रकार हैं—

सरलीकरण और सहजीकरण की प्रक्रिया में 'ड़' और 'ल' ध्वनियाँ 'र' हो जाती हैं—

ड़ > र	:	कीड़ी	>	कीरी,	चिड़िया	>	चिरिया
ल > र	:	काला	>	कारा,	काली	>	कारी

इस बोली की सर्व प्रमुख विशेषता औकार बहुला रूप है। जिस प्रकार मनुष्य के कर्म (क्रिया) से उसकी पहचान होती है, उसी प्रकार भाषा की पहचान उसकी क्रिया से होती है। व्रज हरियाणवी में उसकी औकार बहुला प्रवृत्ति को देख सकते हैं; यथा—

हिंदी	**व्रज हरियाणवी**
प्रवीण गया।	प्रवीन गयौ।
वह चला।	वो चल्यौ।
वह गायों के पीछे गया।	वो गैयन के पाछे गयौ।

1.7.2.3 मेवाती हरियाणवी

हरियाणा के एक क्षेत्र को 'मेव' नाम से जाना जाता है। इस क्षेत्र के नाम आधार पर यहाँ प्रयुक्त होने वाली बोली को मेवाती संज्ञा दी जाती है। इसका केंद्र रेवाड़ी है। इस बोली क्षेत्रों में गुड़गाँव, झज्जर, नूँह और बावल भी आते हैं। इस पर राजस्थानी, व्रज और केंद्रीय हरियाणवी का स्पष्ट प्रभाव दिखाई देता है। इस बोली में 'ण' ध्वनि 'ल' हो जाती है।

1.7.2.4 अहीरवाटी हरियाणवी

हरियाणा के रेवाड़ी और महेंद्रगढ़ को अहीरवाल क्षेत्र कहा जाता है। इसी क्षेत्र के नाम पर अहीरवाटी उपबोली नामकरण किया गया है। इसका क्षेत्र नारनौल से कोसली तक माना गया है।

इस बोली में केंद्रीय हरियाणवी की तरह कुछ संदर्भों में 'न' ध्वनि 'ण' और 'ल' ध्वनि 'ळ' हो जाती है; यथा–

न	>	ण	-	चना	चणा
				खाना	खाणा
ल	>	ळ	-	बालक	बाळक
				खेली	खेळी (पानी का हौज)

दीर्घीकरण की प्रक्रिया - अ > आ -	ककड़ी	>	काकड़ी
क्षतिपूकर दीर्घीकरण -	चद्दर	>	चादर

अहीरवाटी वाक्य रचना में भाषायी प्रवृत्ति स्पष्ट रूप में देख सकते हैं–

मुझे घर नहीं जाना है	–	मन्नै घर ना जाणु।
विद्यालय में सौ से अधिक बालक हैं	–	स्कूल म्हं सौ सीं ज्यादा बाळक सीं।
जब मैं पहुँचा तब वह नहीं था।	–	जब मैं पुँहच्यों तब वो ना थो।
वह कहा जा रहा है?	–	वो कित जा रूह्यो सै।

1.7.2.5 बागड़ी हरियाणवी

बागड़ी का शाब्दिक अर्थ हैं–रेतीला प्रदेश या रेतीला क्षेत्र। इसी क्षेत्र विशेष के आधार पर इसका नाम 'बागड़ी' पड़ा है। राजस्थानी की बोली बागड़ी के निकट होने के कारण इस पर इसका प्रभाव स्पष्ट रूप से दिखाई देता है। इस प्रभाव के विषय में डॉ. जयनारायण कौशिक ने लिखा है, "इसे राजस्थानी का प्रभाव न कह कर बागड़ी का प्रभाव कहना अधिक उपयुक्त है।"[28]

इसके प्रयोग का क्षेत्र में सिरसा, हिसार, भिवानी और महेंद्रगढ़ का अंश हैं।

बागड़ी की ध्वनियों में पर्याप्त विविधता है। ह्रस्व 'अ' के तीन रूप हैं, तो

'आ' के दो रूप हैं; यथा—आ > गाय, ऑ > गॉल। इ, ए और ओ ध्वनियों के भी दो-दो रूप हैं। व्यंजन में तालव्य च् छ् ज् झ् का सीमित प्रयोग होता है।

बागड़ी में तद्भव शब्दों की बहुलता है; यथा—

आँगुली (अंगुलि), हात्थी (हस्ती), पुन्न (पुण्य), सुभाव (स्वभाव), हाथ (हस्त)

वाक्य रचना में भाषायी संरचना स्पष्ट हो जाती है—

'वो जब भी बोल्या तब भोत बोल्या।'

1.7.2.6 कौरवी हरियाणवी

कौरवी क्षेत्र से लगे हुए हरियाणा के क्षेत्र पर कौरवी का प्रभाव स्पष्ट रूप में दिखाई देता है। इसी आधार पर इसे 'कौरवी हरियाणवी' नाम से अभिहित किया गया है।

'कौरवी हरियाणवी' का क्षेत्र यमुना नदी के हरियाणा का तटीय भाग है। वास्तव में यमुना नदी हरियाणा और उत्तर प्रदेश की सीमा रेखा के रूप में है। यमुना के एक तरफ उत्तर प्रदेश के भाग में कौरवी का प्रयोग होता है, तो दूसरी तरफ हरियाणा प्रदेश में हरियाणवी है, जिस पर कौरवी का विशेष प्रभाव है। इस क्षेत्र में यमुनानगर, कुरुक्षेत्र, करनाल, पानीपत और सोनीपत के कुछ भाग आते हैं। इसकी क्रिया मुख्यतः आकारांत होती है; रोना, खाना, चलना और सोना आदि।[29]

इसमें नैं, तै, गेल, ताई, पै, री आदि कारक चिह्नों का प्रयोग किया जाता है; यथा—

तै > माधव तै कह दे। (माधव को कह दो।)

पै > पैंट खूट्टी पै लटका दे। (पैंट खूटी पर लटका दो।)

1.7.2.7 पंजाबी हरियाणवी (अंबलवी)

हरियाणा के एक तरफ पंजाब प्रदेश है। पंजाब के निकट के हरियाणा क्षेत्र की भाषा पर पंजाबी का प्रभाव है। इस प्रभाव को दृष्टिगत कर इसे 'पंजाबी हरियाणवी' नाम दिया गया है। इसका केंद्र अंबाला है। अंबाला से नरवाना तक इसका प्रभाव देख सकते हैं।

इसमें ध्वनि परिवर्तन और ध्वनि लोप की प्रवृत्तियाँ प्रभावी रूप से सामने आती हैं; यथा—

ध्वनि परिवर्तन — महाप्राण से अल्पप्राण — हाथ> हात, साथ>सात।

ध्वनि-लोप — कृपया>कृप्या, मिनट>मिन्ट।

इस प्रकार पश्चिमी हिंदी की प्रमुख बोली हरियाणवी की विविध उपबोलियों के स्वरूप की प्रवृत्तियों, उनके क्षेत्र और महत्त्व को रेखांकित किया जा सकता है।

1.8 व्यतिरेकी भाषा अध्ययन

व्यतिरेक : व्युत्पत्ति और अर्थ

व्यतिरेक शब्द √रिच् धातु में उपसर्ग-प्रत्यय का योग इस प्रकार है।

वि-अति + √रिच् + घञ

व्यतिरेक का शाब्दिक अर्थ है–भिन्नता, भेद, अंतर, अलगाव, असमानता, असादृश्य आदि। भाषा-अध्ययन की नवीन और महत्त्वपूर्ण पद्धति है। पहले दो या दो से अधिक भाषाओं का, रचनाकारों अथवा कृतियों की भाषा का तुलनात्मक अध्ययन किया जाता था। इसके अंतर्गत दोनों की समता के साथ विषमता का विवेचन किया जाता है।

व्यतिरेकी अध्ययन में भिन्नता अथवा विषमता का अध्ययन किया जाता है। इससे दो भाषाओं की विशेषताओं का उल्लेख सरल हो जाता है। भाषा-शिक्षण में व्यतिरेकी अध्ययन का विशेष महत्त्व है। यदि किसी व्यक्ति को एक भाषा का ज्ञान हो और वह दूसरी भाषा सीखना चाहे, तो उन दोनों के व्यतिरेकी अध्ययन के बाद उस भाषा का ज्ञान सरल हो जाता है।

यह स्पष्ट तथ्य है कि किन्हीं दो भाषाओं की संरचना समान नहीं हो सकती है। दोनों की भाषायी संरचना के अंतर को जान लेने के बाद द्वितीय भाषा का सीखना सरल हो जाता है। अपनी भाषा की संरचना के ज्ञान के बाद दूसरी भाषा की भिन्नता को जानना सरल हो जाता है। इस प्रकार दो भाषाओं की भिन्नता का रेखांकन ही व्यतिरेकी विश्लेषण है।

डॉ. रमेश चंद शर्मा ने व्यतिरेकी भाषा-अध्ययन की परिभाषा देते हुए लिखा है–

"व्यतिरेकी विश्लेषण एक ऐसा वैज्ञानिक अध्ययन है, जो भाषा में निहित विशेषताओं का अध्ययन करता है, जिन्हें अन्य भाषाओं की तुलना के द्वारा निर्धारित किया जाता है। इसका संबंध वर्गीकरण से नहीं है, बल्कि उनकी भाषाओं में निहित भिन्नताओं से है, जो उसको व्यतिरेक की स्थिति में ले आते हैं। ...यह तो एक ऐसा भाषिक अध्ययन है, जो तुलनात्मक अध्ययन करते हुए भी तुलना नहीं है, बल्कि व्यतिरेक पर आधारित है।"[30]

डॉ. सोमदत्त बंसल ने दो भाषाओं की तुलना में उनकी आपसी भिन्नता को रेखांकित करते हुए व्यतिरेकी भाषा अध्ययन के स्वरूप को इस प्रकार रेखांकित किया है–

"किन्हीं ही भाषाओं या बोलियों की सारी संरचना एक सी नहीं होती। दोनों के अंतर का विश्लेषण कर लेने से द्वितीय भाषा सीखने में आसानी हो जाती है। इस अंतर के विश्लेषण को ही व्यतिरेकी विश्लेषण कहते हैं। दूसरी भाषा की अपनी जानी पहचानी भाषा से तुलना करके ही जाना जा सकता है। वास्तव में दो भाषाओं की भिन्नता या असमानता को उभारना ही व्यतिरेकी विश्लेषण का प्रयोजन है।"

व्यतिरेकी भाषाविज्ञान को सरल रूप में इस प्रकार परिभाषित कर सकते हैं–'किन्हीं दो भाषाओं या बोलियों की आपसी भिन्नता को रेखांकित करते हुए उनकी विशेषताएँ स्पष्ट करना व्यतिरेकी भाषाविज्ञान है।'

भारतीय भाषाओं के साथ हिंदी के व्यतिरेकी अध्ययन की प्रक्रिया चलती रही है। इनमें कुछ प्रमुख उल्लेखनीय कार्य इस प्रकार हैं–भक्तप्रिय ने हिंदी और कन्नड़ के निषेधात्मक वाक्यों का व्यतिरेकी अध्ययन किया है। भारतभूषण ने हिंदी और पंजाबी भाषा के प्रेरणार्थक क्रियाओं के आधार पर वाक्य-विन्यास का व्यतिरेकी अध्ययन किया है। शशि मेहता के द्वारा हिंदी और पंजाबी स्वनिम व्यवस्था का व्यतिरेकी अध्ययन किया है। मंजु गुप्ता ने हिंदी और भोजपुरी सर्वनामों का और प्रकाश ने हिंदी और मराठी के क्रियापदों का व्यतिरेकी अध्ययन किया है।

हिंदी और विदेशी भाषाओं–अंग्रेजी, रूसी, जर्मन, जापानी और फ्रांसीसी भाषाओं के व्यतिरेकी अध्ययन हो चुके हैं। विदेशी भाषा-शिक्षण में इसकी विशेष उपयोगिता है।

भारत में संस्कृत काल से भाषा की भिन्नता का अध्ययन होता रहा है, किंतु व्यतिरेकी भाषा अध्ययन को सैद्धांतिक स्वरूप प्रदान करने का श्रेय राबर्ट लाडो को जाता है। उन्होंने अपनी पुस्तक 'लिंग्विस्टिक्स एक्रास कल्चर' में व्यतिरेकी भाषा अध्ययन के सैद्धांतिक और व्यावहारिक रूपों को प्रतिपादित किया है।

1.9 व्यतिरेकी भाषा अध्ययन प्रविधि

सर्वप्रथम किसी एक भाषा का चयन किया जाता है। यदि अध्ययन कर्ता की अपनी आधार भाषा हो, तो विशेष उपयोगी होता है, क्योंकि उस भाषा में अनुकूल पैठ होना संभावित होता है। इसके साथ किसी एक अन्य भाषा का चयन किया जाता है। इसके पश्चात् दोनों की भिन्नता का अध्ययन किया जाता है।

यह निश्चित तथ्य है कि किसी भी भाषा का सर्वांगीण और पूर्ण अध्ययन कर निष्कर्ष निकलना संभव नहीं है। इसी प्रकार दो भाषाओं की भिन्नता या असमानता का सर्वांगीण विश्लेषण संभव नहीं है।

दो भाषाओं के व्यतिरेकी अध्ययन में उनके कुछ संदर्भों के आधार पर भिन्नता रेखांकित की जाती है।

व्यतिरेकी अध्ययन में मुख्यतः तीन चरणों से गुजरना होता है। सर्वप्रथम व्यतिरेकी अध्ययन की इस प्रक्रिया को हृदयंगम करना होगा–

(क) व्यतिरेकी अध्ययन प्रविधि

(ख) दोनों भाषाओं की संरचना

(ग) दोनों भाषाओं की भेदक संरचना और प्रवृत्तियाँ

व्यतिरेकी अध्ययन प्रविधि

भाषा अध्ययन की इस पद्धति में दो भाषाओं की विभिन्न इकाइयों की प्रवृत्तियों की तुलना की जाती है। यह तुलना दो भाषाओं, एक भाषा की दो बोलियों अथवा दो भाषा प्रयोक्ताओं की भाषा की की जा सकती है। व्यतिरेकी अध्ययन को निम्नलिखित वर्गों में विभक्त कर सकते हैं–

1.9.1 ध्वनि व्यतिरेक

भाषा की लघुतम महत्त्वपूर्ण इकाई ध्वनि है। इसे 'स्वन' नाम भी दिया गया है। जब दो भाषा या दो बोली या एक भाषा और उसकी बोली की ध्वनियों के आधार पर दोनों की भिन्नता रेखांकित की जाती है, तो उसे ध्वनि व्यतिरेकी अध्ययन की संज्ञा दी जाती है।

(i) *संस्कृत हिंदी ध्वनि व्यतिरेक*

यदि हिंदी और संस्कृत की ध्वनियों का व्यतिरेक स्पष्ट करना चाहें, तो संस्कृत में ऋ के साथ ॠ दीर्घ स्वर मिलता है। हिंदी में इस स्वर नहीं प्रयुक्त होता है।

संस्कृत एवं हिंदी दोनों में ङ्, ञ्, ण्, न् और म् नासिक्य ध्वनियाँ समान रूप से विद्यमान हैं। संस्कृत और हिंदी के लेखन में इन ध्वनियों का स्पष्ट व्यतिरेक देख सकते हैं–

नासिक्य व्यंजन	**संस्कृत में प्रयोग**	**मानक हिंदी में प्रयोग**
ङ्	अङ्क	अंक
ञ्	मञ्जुल	मंजुल
ण्	पाण्डेय	पांडेय
न्	सन्तुष्ट	संतुष्ट
म्	सम्प्रति	संप्रति

(ii) *अवधी-ब्रज ध्वनि व्यतिरेक*

प्रत्येक बोली की अपनी भाषायी संरचना होती है। इसलिए दोनों में भिन्नता भी होना स्वाभाविक है। अवधी और ब्रज दोनों हिंदी की प्रमुख बोलियाँ हैं। हिंदी साहित्य के इतिहास के मध्ययुग में इन दोनों में समृद्ध साहित्य-सृजन हुआ है। इन दोनों बोलियों में यदि पर्याप्त समानताएँ हैं, तो भाषायी भिन्नताएँ भी हैं। अवधी और ब्रज की रेखांकन योग्य कुछ ध्वनि-व्यतिरेक इस प्रकार रेखांकित कर सकते हैं–

अवधी की ह्रस्व स्वर प्रधानता ब्रज से व्यतिरेक के रूप में सामने आती है; यथा–

मानक हिंदी				**अवधी**
सूर्य	>	सूरज	>	सुरुजु

यह विशेष रूप में उल्लेखनीय है कि स, र और ज तीनों व्यंजनों के साथ 'उ' की मात्रा का प्रयोग किया गया है, किंतु तीनों मात्राओं के ह्रस्व रूप में पर्याप्त भिन्नता है। 'सु' का 'उ' ह्रस्व, रु का 'उ' ह्रस्वतर और जु का 'उ' ह्रस्वतम रूप में उच्चरित होता है। अवधी की इ और 'उ' की मात्रा (उच्चारण) बहुलता अपनी पहचान है।

जायसी कृत पद्मावत की पंक्तियों इकार बहुला रूप के लिए उदाहरणार्थ प्रस्तुत हैं–

बरिसहिं नैंन चुअहिं घर माँहाँ।
तुम्ह बिनु कंत न छाजन छाँहाँ।।

मलिक मुहम्मद जायसी, पद्मावत (नागमती वियोग खंड), पृ. 356

यहाँ 'बरसे' शब्द के दीर्घ स्वर 'ए' के स्थान पर 'इ' का प्रयोग करते हुए और 'चुए' शब्द के दीर्घ 'ए' को 'इ' में परिवर्तित करते हुए इकार प्रभाव से 'बरिसहिं' और 'चुअहिं' प्रकट किया गया है।

व्रज की औकार स्वर प्रधानता अवधी से स्पष्ट व्यतिरेक का बोध होता है।

अवधी	**व्रज**	**मानक हिंदी**
उ (वु) गइ।	वो गयौ।	वह गया।

सूरदास के साहित्य का आधार व्रज है। इसमें व्रज की प्रमुख ध्वन्यात्मक प्रवृत्ति ओकार और औकार बहुला रूप सर्वत्र दिखाई देता है; यथा–

मैया मैं नहिं माखन खायौ।
भोर भये गैयन के पाछे, मधुवन मोहि पठायौ।
चार पहर वंशीवट भटक्यो, सांझ परे घर आयौ।।

यहाँ पर 'खाया' की 'आ' ध्वनि 'औ' में बदल गई। इसी प्रकार 'पठाया' और 'आया' की 'आ' ध्वनि भी 'औ' में बदलने से 'पठायौ' और 'आयौ' बन गया है।

1.9.2 शब्द व्यतिरेक

भाषा की स्वतंत्र, लघुतम, सार्थक और महत्त्वपूर्ण इकाई शब्द है। शब्द संरचना की विशिष्टता या भिन्नता के आधार पर प्रत्येक भाषा में अभिव्यक्ति की विशेष शक्ति होती है। दो भाषाओं के शब्द के व्यतिरेक आधार पर भाषा-शिक्षण भी सहज हो जाता है। दो भाषाओं के समान शब्दों से भाषा- शिक्षण की सरलता होती है; यथा– हिंदी और संस्कृत में बालक शब्द समान रूप में प्रयुक्त होते हैं। इसलिए शिक्षण और प्रयोग सरल है–

हिंदी	**संस्कृत**
बालक	बालक

• **संस्कृत–हरियाणवी शब्द व्यतिरेक :** बालक शब्द संस्कृत का मूल शब्द है। हरियाणवी यह रूप न प्रयुक्त होकर 'बाळक' का प्रयोग किया जाता है। यह संस्कृत भाषाभाषी को शब्द अंतर्गत भिन्न ध्वनि अर्थात् व्यतिरेक का ज्ञान करा दिया जाए, तो उसके लिए उच्चारण सरल हो जाएगा।

संस्कृत	**हरियाणवी**
बालक	बाळक

• **मानक हिंदी-अवधी शब्द व्यतिरेक :** मानक हिंदी के शब्दों में 'श' और 'स' ध्वनियों का प्रयोग (उच्चारण और लेखन दोनों में) स्पष्ट रूप में होता हैं; यथा–शंकर, शुद्ध–सामान, सात। अवधी में प्रारंभ के दोनों शब्द दंत्य 'स' के रूप में ही प्रयुक्त होते हैं। यदि एक भाषा और एक बोली के इस व्यतिरेक को समझ लिया जाए, तो मानक हिंदी का व्यक्ति अवधी बोली और अवधी बोली का व्यक्ति मानक हिंदी का स्पष्ट प्रयोग (उच्चारण-लेखन) कर सकता है–

मानक हिंदी	**अवधी**
शंकर	संकर
शुद्ध	सुद्ध
शासन	सासन
निर्देशक	निर्देसक

1.9.3 पद व्यतिरेक

व्याकरणिक योग्यता प्राप्त भाषा की इकाई को पद की संज्ञा दी जाती है। दूसरे शब्दों में कह सकते हैं कि जब शब्द में वाक्य संरचना की शक्ति आ जाती है, तो उसे पद कहते हैं; यथा–

शब्द	**पद**
लड़की	लड़की ने
लड़का	लड़के से
घोड़ा	घोड़े पर

जब दो भाषाओं या भाषा और बोली या दो बोलियों की पद रचना की भिन्नता को रेखांकित किया जाता है, तो उसे पद-व्यतिरेक की संज्ञा दी जाती है।

पद व्याकरणिक योग्यता प्राप्त इकाई है। प्रत्येक भाषा का अपना व्याकरण होता है। जिनकी व्याकरणिक कोटियाँ और उनका स्वरूप अन्य भाषा के व्याकरण से भिन्न होना स्वाभाविक है। इस प्रकार भाषा-भिन्नता में पद के व्यतिरेक का स्वरूप विशेष महत्त्वपूर्ण होना अवश्यंभावी है।

● **संस्कृत–हिंदी पद व्यतिरेक :** संस्कृत और हिंदी दोनों भारतीय आर्य भाषाएँ हैं। संस्कृत प्राचीन भारतीय आर्य भाषा है, तो हिंदी आधुनिक भारतीय आर्य भाषा है। संस्कृत संयोगात्मक भाषा है। इसलिए इसके पद निर्माण में कारक तत्त्व संयुक्त रूप में प्रयुक्त होते हैं। हिंदी वियोगात्मक भाषा है। इसलिए कारक चिह्न प्रायः अलग ही रहकर पद निर्माण होता है; यथा–

संस्कृत पद योजन	**हिंदी पद योजना**
बालकेषु	बालकों में
वृक्षात्	वृक्ष से
पठति	पढ़ता है
गछन्ति	जाते हैं

● **अवधी-हरियाणवी (अहीरवाटी) पद व्यतिरेक :** अवधी और हरियाणवी हिंदी को बोलियाँ हैं। अवधी यदि पूर्वी हिंदी की बोली है, तो हरियाणवी पश्चिमी हिंदी की बोली है। हरियाणवी बोली की भी उपबोलियाँ हैं; यथा–कौरवी, ब्रज, बागड़ी, अहीरवाटी, अंबालवी और केंद्रीय हरियाणवी आदि। अहीरवाटी हरियाणवी से अवधी की पद-रचना का व्यतिरेकी विश्लेषण इस प्रकार स्पष्ट कर सकते है–

अवधी पद रचना	**हरियाणवी (अहीरवाटी) पद रचना**
जातहइ (जाता है)	जार्‌यो सै।
उ (उसने)	उण
उ पै (उस पर)	उँ पै
गिर पड़ें (गिर पड़ें)	गिर पड़्यो

1.9.4 वाक्य व्यतिरेक

भाषा की पूर्ण सार्थक महत्त्वपूर्ण इकाई वाक्य है। इससे भाव की पूर्ण अभिव्यक्ति के कारण इसके अंत में पूर्ण विराम का प्रयोग किया जाता है। व्याकरण में वाक्य-संरचना और पूर्ण विराम की व्यवस्था होती है। प्रत्येक भाषा का अपना व्याकरण होता है और उसकी व्याकरणिक कोटियों की व्यवस्था भी अन्य भाषाओं की व्याकरणिक कोटियों से बहुत कुछ भिन्न होती हैं। इस आधार पर दो भाषाओं, दो बोलियों या भाषा और बोली की वाक्य-संरचना और प्रयोग के अध्ययन को वाक्य-व्यतिरेकी अध्ययन कहते हैं।

जिस प्रकार भावाभिव्यक्ति में वाक्य की विशेष भूमिका होती है, उसी प्रकार व्यतिरेकी भाषाविज्ञान में वाक्य व्यतिरेक का अपना महत्त्व है।

वाक्य-व्यतिरेक के संदर्भ में कुछ संदर्भ रेखांकन योग्य हैं–

● **हिंदी-अंग्रेजी वाक्य-व्यतिरेक** : हिंदी और अंग्रेजी के वाक्यों की रचना उनके व्याकरण के अनुसार होती है। वाक्य में कर्ता, कर्म और क्रिया पदों का योग होता है। इन दोनों भाषाओं में कर्ता, कर्म और क्रिया के प्रयोग स्थान के आधार पर व्यतिरेकी विवेचन इस प्रकार कर सकते हैं–

हिंदी वाक्य			**अंग्रेजी वाक्य**		
कर्ता	कर्म	क्रिया	कर्ता	क्रिया	कर्म
मैं	आम	खाता हूँ।	I	eat	mango.
वह	पत्र	लिख रहा है।	He	is writing	letter.
मैं	घर	जा रहा हूँ।	I	amgoing	home.

हिंदी वाक्य रचना में कर्ता, कर्म और क्रिया को क्रमशः रखा जाता है, जबकि अंग्रेजी में इसके विपरीत कर्ता के बाद क्रिया और कर्म को अंत में प्रयोग किया जाता है। इसी प्रकार अन्य व्यतिरेकी विश्लेषण संभव है।

● **हिंदी-संस्कृत वाक्य व्यतिरेक** : हिंदी आधुनिक और वियोगात्मक भाषा है। संस्कृत प्राचीन भारतीय आर्य भाषा है। जिसका संरचनात्मक स्वरूप संयोगात्मक है। हिंदी पद रचना में अर्थ तत्त्व और संबंध तत्त्व प्रायः अलग-अलग प्रयुक्त होते हैं; यथा–

श्याम (अर्थ तत्त्व) + ने (संबंध तत्त्व) = श्याम ने
गुरु जी (अर्थ तत्त्व) + से (संबंध तत्त्व) = गुरु जी से
छत (अर्थ तत्त्व) + पर (संबंध तत्त्व) = छत पर

संस्कृत में अर्थ तत्त्व और संबंध तत्त्व संयुक्त रूप में प्रयुक्त होते है; यथा– श्यामस्य, वृक्षात्, बालकाय आदि।

वाक्य रचना में पदों की विशेष भूमिका होती है। इसलिए वाक्य-व्यतिरेकी विश्लेषण में पद रचना आधार बन कर सामने आती है। हिंदी के सामान्य वाक्य में पदक्रम कर्ता, कर्म और क्रिया के क्रमशः प्रयोग की व्यवस्था है, जबकि संस्कृत के पद संयागोत्मक रूप में होते हैं। इससे संस्कृत में पदक्रम परिवर्तन से अर्थ भेद की संभावना नहीं होती है।

हिंदी संस्कृत वाक्य-व्यतिरेक इस प्रकार स्पष्ट किया जा सकता है–

हिंदी वाक्य पदक्रम	**संस्कृत वाक्य पदक्रम**
मैं घर जाता हूँ।	अहं गृहं गच्छामि।
	गृहं अहं गच्छामि।
	गच्छामि गृहं अहम्।
	गृहं गच्छामि अहम्।
	गच्छामि अहं गृहम्।
	अहं गच्छामि गृहम्।

1.9.5 अर्थ व्यतिरेक

ध्वनि, वर्ण, शब्द, पद और वाक्य भाषा की शारीरिक इकाइयाँ हैं, तो अर्थ आत्मा है। जिस प्रकार प्रकार मानव शरीर का अस्तित्त्व आत्मा पर निर्भर हैं, उसी प्रकार भाषा का अस्तित्त्व अर्थ रूपी आत्मा पर निर्भर है। भाषा की शारीरिक इकाइयाँ श्रव्य और दृश्य होती है, किंतु अर्थ की अनुभूति होती है।

अर्थ के महत्त्व को प्रतिपादित करते हुए लेखक ने स्वयं कहा हैं, "जिस प्रकार आत्मा के अभाव में मानव शरीर निष्प्राण बन जाता है, उसी प्रकार अर्थ विहीन भाषा अस्तित्त्वहीन हो जाएगी। निश्चय ही भाषा सर्वाधिक महत्त्वपूर्ण तत्त्व अर्थ अर्थात् प्राण तत्त्व है।"[33]

डॉ. भोलानाथ तिवारी ने अर्थ-प्रतीति के विषय में लिखा है, "किसी भी भाषिक इकाई (वाक्य, वाक्यांश, रूप, शब्द, मुहावरा आदि) के किसी भी इंद्रिय (प्रमुखतः कान, आँख) से ग्रहण करने पर जो मानसिक प्रतीति होती है, वही अर्थ है।"[34]

भाषा की विभिन्न शारीरिक इकाइयों के साथ अर्थ में भी सतत परिवर्तन होता रहता है। विभिन्न भाषाओं और बोलियों के एक साथ प्रयोग से एक भाषा या बोली के शब्द दूसरी भाषा में भी प्रायः प्रयुक्त होते हैं, किंतु उनके अर्थ में यदा-कदा भिन्नता आ जाती है। अर्थात् एक ही शब्द एक भाषा या बोली में एक अर्थ में प्रयुक्त होता है, तो वही शब्द दूसरी भाषा या बोली में भिन्न अर्थ में प्रयुक्त होता है। इस अध्ययन को अर्थ-व्यतिरेकी अध्ययन की संज्ञा दी जाती है; यथा–

शब्द	**एक भाषा / बोली अर्थ**	**द्वितीय भाषा / बोली अर्थ**
पेठा	(अवधी) मिठाई बनाने का सफेद कद्दू	(हरियाणवी) सामान्य सब्जी का कद्दू
सुथनी	(भोजपुरी) एक प्रकार का जेमीकंद	(हिंदी) ढीला-ढाला विशेष पाजामा

इस प्रकार दो भाषाओं की विभिन्न इकाइयों की संरचना और प्रयोग आधार पर उनकी भिन्नता को स्पष्ट करते हुए व्यतिरेकी अध्ययन किया जाता है। व्यतिरेकी अध्ययन भाषा की विशिष्ट प्रवृत्तियों को गंभीरता से हृदयंगम करने और भाषा-शिक्षण में विशेष उपयोगी होता है।

वर्तमान वैश्वीकरण के युग में देश-विदेश के विभिन्न भाषा भाषियों से संपर्क करना पड़ता है। बहुभाषी भारतवर्ष में एकाधिक भाषा का ज्ञान अनिवार्य हो गया है। ऐसे में व्यतिरेकी भाषा-अध्ययन का महत्त्व स्वतः स्पष्ट हो जाता है।

डॉ. हरदेव बाहरी ने व्यतिरेकी भाषा-अध्ययन के महत्त्व को रेखांकित करते हुए अपना विचार इस प्रकार व्यक्त किया है, "किन्हीं दो भाषाओं या बोलियों

की सारी संरचना एक सी नहीं होती। दोनों के अंतर का विश्लेषण कर लेने से द्वितीय भाषा सीखने में आसानी हो जाती है...वास्तव में दो भाषाओं की भिन्नता या असमानता को उभारना ही व्यतिरेकी विश्लेषण का प्रयोजन है।"

यहाँ यह कहना उपयुक्त है कि यदि कोई व्यक्ति अपनी भाषा या मातृभाषा पर प्रवीणता प्राप्त कर ले और द्वितीय भाषा सीखना चाहे, तो उस भाषा के व्यतिरेकी (भिन्नता) ज्ञान के आधार पर सरलता और गंभीरता से सीख सकता है। इस प्रकार स्पष्ट रूप से कहा जा सकता है कि व्यतिरेकी भाषा-ज्ञान के आधार पर द्वितीय भाषा-शिक्षण सरल हो जाता है।

संदर्भ

1. डॉ. भोलानाथ तिवारी, भाषाविज्ञान (50वाँ संस्करण 2006 ई.) पृ. 1
2. वही, पृ. 4
3. डॉ. भोलानाथ तिवारी, भाषाविज्ञान (50वाँ संस्करण 2006 ई.), पृ. 5
4. डॉ. बाबूराम सक्सेना, सामान्य भााविज्ञान (सं. 1983 ई.), पृ. 6
5. वही, पृ. 14
6. वही, पृ. 15
7. प्रो. देवेंद्रनाथ शर्मा, भाषाविज्ञान की भूमिका (सं. 1966 ई.), पृ. 19
8. वही, पृ. 20
9. डॉ. कर्ण सिंह, भाषाविज्ञान (सं. 1978 ई.), पृ. 24
10. पं. कामताप्रसाद गुरु, हिंदी व्याकरण (लोक भारती प्रकाशन, सं. 2012 ई.), पृ. 17
11. डॉ. नरेश मिश्र, भाषाविज्ञान और मानक हिंदी (सं. 2011 ई.), पृ. 7
12. वही, पृ. 7
13. नरेश मिश्र, भाषाविज्ञान और हिंदी भाषा, पृ. 10
14. डॉ. भोलानाथ तिवारी, भाषाविज्ञान, पृ. 5
15. डॉ. हरदेव बाहरी, हिंदी : उद्‌भव, विकास और रूप (सं. 1980 ई.), पृ. 222
16. डॉ. हरदेव बाहरी, हिंदी : उद्‌भव, विकास और रूप (सं. 1980 ई), पृ. 231
17. वही, पृ. 224
18. डॉ. भोलानाथ तिवारी, भाषाविज्ञान (सं. 2006 ई.) पृ. 87
19. डॉ. कर्ण सिंह, भाषाविज्ञान (सं. 1978 ई.), पृ. 31
20. डॉ. भोलानाथ तिवारी, भाषाविज्ञान (सं. 2006 ई), पृ. 9
21. डॉ. भोलानाथ तिवारी, हिंदी भाषा (सं. 2005 ई), पृ. 312
22. डॉ. हरदेव बाहरी, हिंदी : उद्‌भव, विकास और रूप (सं. 1980 ई.), पृ. 234
23. डॉ. नरेश मिश्र, भाषाविज्ञान और हिंदी भाषा (सं. 2011 ई.), पृ. 159-161
24. रूपचंद गौतम, इलेक्ट्रानिक मीडिया के सिद्धांत, पृ. 34
25. डॉ. सूर्यप्रसाद दीक्षित, जन पत्रकारिता, जनसंचार एवं जनसंपर्क, पृ. 242
26. डॉ. पुष्पलता तनेजा, देवनागरी तथा हिंदी वर्तनी का मानकीकरण, पृ. 111
27. नरेंद्र व्यास, देवनागरी तथा हिंदी वर्तनी का मानकीकरण, पृ. V-VII

28. डॉ. जयनारायण कौशिक, हरियाणवी-हिंदी कोश, भूमिका, पृ. 28
29. डॉ. नरेश मिश्र, भाषाविज्ञान और हिंदी भाषा, पृ. 90
30. डॉ. रमेशचंद्र शर्मा, हिंदी अंग्रेजी व्याकरणिक संरचना व्यतिरेकी विश्लेषण, पृ. 15
31. डॉ. सोमदत्त बंसल, मानक हिंदी और बागरू का व्यतिरेकी विश्लेषण, पृ. 5
32. डॉ. रमेशचंद्र शर्मा, हिंदी अंग्रेजी व्याकरणिक व्यतिरेकी विश्लेषण, पृ. 16
33. डॉ. नरेश मिश्र, भाषाविज्ञान और हिंदी भाषा, पृ. 308
34. डॉ. भोलानाथ तिवारी, भाषाविज्ञान, पृ. 261

द्वितीय अध्याय

मानक हिंदी और केंद्रीय हरियाणवी : व्यतिरेकी अध्ययन

वर्तमान वैश्वीकरण के युग में हिंदी के प्रयोग का क्षेत्र पर्याप्त विस्तृत हो चुका है। क्षेत्र- विस्तार के कारण हिंदी भाषा के स्वरूप में विविधता आ गई है। इसे सरल, व्यावहारिक बनाने के साथ एकरूपता और व्यवस्थित रूप प्रदान करने के लिए मानकीकरण किया गया है। हरियाणवी हरियाणा प्रदेश की बोली है। इसमें समृद्ध लोक साहित्य है। हरियाणवी के विविध रूपों में 'केंद्रीय हरियाणवी' का विशेष महत्त्व है। इसका केंद्र रोहतक है। इसका प्रयोग निकटवर्ती जींद, भिवानी, झज्जर और सोनीपत तक होता है। हरियाणा से बाहर के लोगों द्वारा प्रायः केंद्रीय हरियाणवी को हरियाणवी का प्रधान, समग्र या प्रभावी रूप माना जाता है। इसका मुख्य कारण है कि 'केंद्रीय हरियाणवी' का प्रभाव हरियाणवी की अन्य सभी उपबोलियों पर अल्पाधिक रूप में अवश्य है। यह उपबोली साथ की अन्य बोलियों को प्रभावित करती है, तो हरियाणवी की अन्य उपबोलियाँ पंजाबी, राजस्थानी (बागड़ी), उत्तर प्रदेश की व्रज और कौरवी से भी प्रभावित हैं।

मानक हिंदी और केंद्रीय हरियाणवी के व्यतिरेकी अध्ययन को भाषायी इकाइयों के आधार पर इस प्रकार रेखांकित कर सकते हैं–

2.1 मानक हिंदी–केंद्रीय हरियाणवी : ध्वनि व्यतिरेक

मानक हिंदी में निर्धारित स्वर एवं व्यंजन ध्वनियाँ हैं। केंद्रीय हरियाणवी हरियाणा की एक प्रमुख बोली है। बोली और उपबोली में कुछ आंचलिक ध्वनियों का होना अवश्यंभावी है। विशेष भावाभिव्यक्ति में ऐसी ध्वनियों की विशेष भूमिका होती है।

मानक हिंदी की कुछ ध्वनियाँ केंद्रीय हरियाण्वी में बदल जाती हैं। इनमें प्रमुख हैं–

मानक हिंदी और केंद्रीय हरियाणवी

स्वर ध्वनि व्यतिरेक

मानक हिंदी स्वर

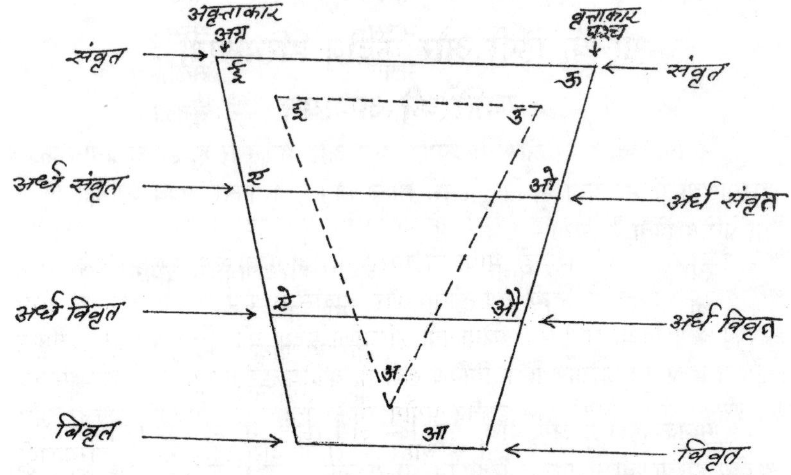

केंद्रीय हरियाणवी

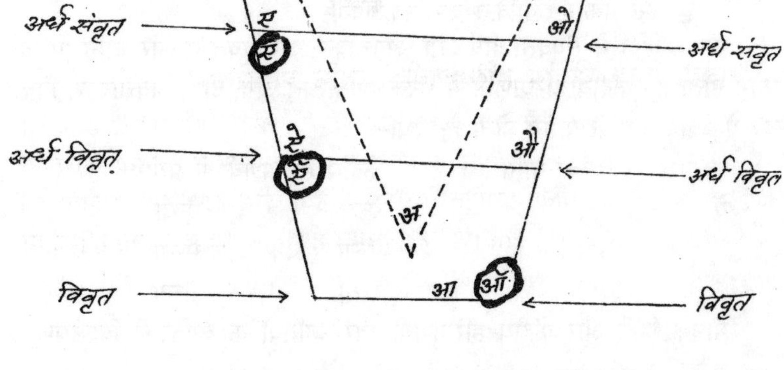

				मानक हिंदी	केंद्रीय हरियाणवी
न	>	ण	–	पानी	पाणी
				गाना	गाणा
				दामन	दाम्मण
				मन	मण
ल	>	ळ	–	बालक	बाळक
				मूसल	सूस्सळ
				सलाई	सळाई
				सुतली	सूँतळी

मानक हिंदी में अ और आ क्रमशः ह्रस्व और दीर्घ स्वर हैं, इनका प्रयोग केंद्रीय हरियाणवी में भी होता है, किंतु इनसे भिन्न विवृत, वृत्ताकार, पश्च ध्वनि 'ऑ' का भी प्रयोग होता है; यथा–

स्वर	स्वर-मात्रा	केंद्रीय हरियाणवी में प्रयोग
ऑ	ॉ	ऑग्गे, ऑद्दर
		खॉग्गड़, गॉद्दर
		चॉद्दर, दॉम्मण

मानक हिंदी में अग्र, दीर्घ, अवृत्ताकर अर्ध संवृत 'ए' स्वर का प्रयोग होता है। केंद्रीय हरियाणवी में मानक हिंदी स्वर ए से कम समय में उच्चरित एक अन्य स्वर 'ऍ' का भी प्रयोग होता है; यथा–

स्वर	स्वर-मात्रा	केंद्रीय हरियाणवी में प्रयोग	
ऍ	ॅ	ऍक्का	खॅड्डा
		तॅल्ली	ठॅल्ला
		धॅल्ला	ठॅक्का
		भॅल्ली	

मानक हिंदी में संयुक्त, दीर्घ अग्र, अवृत्ताकर, अर्धविवृत ऐ स्वर ध्वनि 'ऐ' का प्रयोग होता है। केंद्रीय हरियाणवी में इनके अतिरिक्त अग्र, दीर्घ, अवृत्ताकार, विवृत स्वर ऐं ध्वनि का भी प्रयोग होता है; यथा–

स्वर	स्वर-मात्रा	केंद्रीय हरियाणवी में प्रयोग	
ऐं	ैं	ऐंच्चा	ऐंब्बी
		पैंन्ना	मैंन्ना
		रैंच्चा	सैंन्ना

मानक हिंदी और केंद्रीय हरियाणवी स्वर ध्वनियों के व्यतिरेकी विश्लेषण से

स्पष्ट होता है कि केंद्रीय हरियाणवी में ऑ, ऍ और ऐं अतिरिक्त स्वर ध्वनियों का प्रयोग होता है। इन स्वर ध्वनियों के प्रयोग विवेचन से यह भी स्पष्ट होता है कि इनका प्रयोग द्वित्त व्यंजन ध्वनियों के पूर्व ही होता है; यथा–

ऑ	-	खॉग्गड़, चॉद्दर।
ऍ	-	तॅल्ली, भॅल्ली
ऐं	-	ऐंच्चा, मैंन्ना

इस प्रकार मानक हिंदी और केंद्रीय हरियाणवी को ध्वनियों के व्यतिरेकी अध्ययन से दोनों की ध्वन्यात्मक प्रवृत्तियों का स्पष्ट ज्ञान हो जाता है। भाषा का प्रयोग समाज में किया जाता है। इसलिए उनकी ध्वनियों का स्वतंत्र प्रयोग संभावित नहीं है। ध्वनियों की विशेष प्रवृत्तियाँ–परिवर्तन या विकास, लोप और आगम आदि भाषा की वृहत्तर इकाई शब्द आदि में विश्लेषण किया जाएगा।

2.2 मानक हिंदी–केंद्रीय हरियाणवी : शब्द व्यतिरेक

शब्द भाषा की स्वतंत्र, सार्थक और महत्त्वपूर्ण इकाई है। इसलिए भाषा में शब्द का विशेष महत्त्व है।

केंद्रीय हरियाणवी में मुख्यतः हिंदी के ही प्रचलित शब्दों का प्रयोग होता है, किंतु उनके स्वरूप में अनेकशः परिवर्तन हो जाते हैं। इनमें प्रमुख हैं–ह्रस्वीकरण, दीर्घीकरण, घोषीकरण, अघोषीकरण, ध्वनि-लोप, ध्वनि आगम, अल्पप्राणीकरण, महाप्राणीकरण, समीकरण, विषमीकरण और अकारण अनुनासिकता आदि।

2.2.1 मात्रा प्रयोग व्यतिरेक

2.2.1.1 ह्रस्वीकरण

जब शब्द में प्रयुक्त दीर्घ ध्वनि का रूप ह्रस्व हो जाता है, तो उसे ह्रस्वीकरण कहते हैं। हिंदी के शब्द की दीर्घ ध्वनि केंद्रीय हरियाणवी में यदा-कदा ह्रस्व होकर प्रयुक्त होती है; यथा–

आकाश	>	अकास	ऑफिसर	>	अप्सर
आवाज	>	अवाज	चालाक	>	चलाक
बारात	>	बरात	बीमार	>	बिमार
पाताल	>	पताळ	भूसा	>	भुस
रास्ता	>	रस्ता			

यहाँ शब्द की प्रथम ध्वनि आ, चा और बा आदि के क्रमशः अ, च, ब आदि होने का व्यतिरेकी रूप देख सकते हैं।

2.2.1.2 दीर्घीकरण

जब हिंदी शब्द की ह्रस्व ध्वनि को केंद्रीय हरियाणवी में दीर्घ रूप में प्रयुक्त देखते हैं, तो शब्द का दीर्घीकरण व्यतिरेक पाते हैं; यथा–

अगला	>	आगला	ककड़ी	>	काकड़ी
कठपुतली	>	कठपूतळी	खिचड़ी	>	खीचड़ी
चखना	>	चाखणा	मक्खी	>	माक्खी
मच्छर	>	माँच्छर	लड्डू	>	लाड्डू

2.2.2 ध्वन्यात्मक व्यतिरेक

2.2.2.1 घोषीकरण

हिंदी के शब्दों को अघोष ध्वनि केंद्रीय हरियाणवी में घोषीकरण के कारण व्यतिरेक रूप में सामने आती हैं, व्यंजन के प्रत्येक वर्ग अर्थात् कवर्ग, चवर्ग, टवर्ग, तवर्ग, पवर्ग के प्रारंभिक दो (अघोष) ध्वनियाँ केंद्रीय हरियाणवी में प्रायः अंत की तीन घोष ध्वनियों के रूप में प्रयुक्त होती है; यथा–

पंक्ति	>	पंगत	भक्त	>	भगत
प्रकट	>	प्रगट	भक्ति	>	भगति

2.2.2.2 अघोषीकरण

हिंदी शब्द की घोष ध्वनियाँ केंद्रीय हरियाणवी में अघोष रूप में मिलती हैं, तो अघोषीकरण व्यतिरेक होता है; यथा–

धागा	>	ताग्गा	मदद	>	मदत
शहद	>	सहत			

2.2.3 ध्वनि-लोप

मानक हिंदी और केंद्रीय हरियाणवी के शब्दों की संरचना की भिन्नता पर विचार करते हैं, तो कभी-कभी केंद्रीय हरियाणवी शब्द में किसी न किसी ध्वनि का लोप पाते हैं। इसे ध्वनि-लोप व्यतिरेक कहते हैं। ध्वनि लोप कभी आदि, कभी मध्य और कभी अंत का होता है।

2.2.3.1 आदि ध्वनि लोप

मानक हिंदी	**केंद्रीय हरियाणवी**	**लोप**
अकाल	काळ	...अ
अखाड़ा	खाड़ा	...अ
अगूँठी	गूँठी	...अ
अनाज	नाज	...अ

अफ़साना	फ़साना	...अ
अमावस	मावस	...अ
अहीर	हीर	...अ
स्थल	थल	...स्
स्नेह	नेह	...स्
स्फूर्ति	फुर्ती	...स्

मानक हिंदी और केंद्रीय हरियाणवी के इन शब्दों की संरचना देखने पर आदि स्वर लोप का स्पष्ट व्यतिरेकी लोप दिखाई देता है।

2.2.3.2 मध्य ध्वनि लोप

मानक हिंदी और केंद्रीय हरियाणवी शब्दों की ध्वनि रचना में यदा-कदा मध्यस्वर लोप का व्यतिरेक सामने आता है। केंद्रीय हरियाणवी में मुख सुख के कारण मध्यध्वनि लुप्त कर प्रयोग किया जाता है; यथा–

मानक हिंदी	केंद्रीय हरियाणवी	लोप
कोयल	कोल	-य-
जोहड़	जोड़	-ह-
डायरी	डारी	-य-
डेयरी	डेरी	-य-
जेष्ठ	जैठ	-ष्-
तहसील	तसील	-ह-
फाल्गुन	फागण	-ल्-
मजदूर	मजूर	-द-
सूअर	सूर	-अ-

इस प्रकार शब्दों के ध्वनि लोप के व्यतिरेकी अध्ययन से केंद्रीय हरियाणवी का स्वरूप स्पष्ट हो जाता है।

2.2.3.3 अंत्य ध्वनि लोप

कभी-कभी मानक हिंदी से केंद्रीय हरियाणवी के शब्दों की ध्वनि संरचना के व्यतिरेकी अध्ययन में अंत्य ध्वनि का लोप सामने आता है। यह अंत्य ध्वनि लोप केंद्रीय हरियाणवी शब्दावली की अपनी पहचान है; यथा–

मानक हिंदी	केंद्रीय हरियाणवी	लोप
चाय	चा	...य
चाव	चा	...व
जीव	जी	...व

तिथि	तिथ	...इ
दरगाह	दरगा	...ह
न्याय	न्या	...य
नाव	ना	...व
परवाह	परवा	...ह
पाँच	पाँ	...व
भाग्य	भाग	...य
राय	रा	...य
सिवाय	सिवा	...य
सुझाव	सुझा	...व

इस प्रकार मानक हिंदी और केंद्रीय हरियाणवी के शब्दों के ध्वनि व्यतिरेक में आदि, मध्य और अंत्य ध्वनिलोप से उसके सरलीकरण और त्वरा से प्रयुक्त प्रक्रिया का स्पष्ट बोध होता है।

2.2.4 ध्वनि-आगम व्यतिरेक

मानक हिंदी और केंद्रीय हरियाणवी के शब्दों के संरचनात्मक व्यतिरेक में ध्वनि आगम के रूप सामने आते हैं। ध्वनि आगम के विषय में लेखक ने लिखा है, ''जब किसी शब्द में किसी ध्वनि का नया अतिरिक्त प्रयोग होता है, तो उसे आगम कहते हैं। शब्द के आदि, मध्य और अंत्य स्वर और व्यंजन दोनों ही ध्वनियों का आगम संभव होता है।''[1]

केंद्रीय हरियाणवी के शब्दों की ध्वनियों के आगम व्यतिरेक को इस प्रकार व्यक्त कर सकते हैं, शब्दों में ध्वनि आगम आदि, मध्य और अंत्य रूपों में इस प्रकार प्रकट कर सकते हैं—

2.2.4.1 आदि ध्वनि आगम

मानक हिंदी	**केंद्रीय हरियाणवी**	**आगम**
स्नान	अस्नान	-अ-
जब	जिब	-इ-
लोप	अलोप	-अ-
स्तुति	अस्तुति	अ...
स्पोर्ट	इस्पोर्ट	इ...
सवार	असवार	अ...
सवारी	असवारी	अ...

2.2.4.2 मध्य ध्वनि आगम

मानक हिंदी के शब्दों को उच्चारण में आंचलिक अनुकूलन के लिए कभी-कभी शब्द के मध्य में ध्वनि का आगम हो जाता है; यथा–

मानक हिंदी	**केंद्रीय हरियाणवी**	**आगम**
आधा	आद्धा	-द्-
गर्म	गरम	-अ-
नदी	नद्दी	-द्-
प्रजा	परजा	-अ-
पूर्व	पूरब	-अ-
भंग	भांग	-आ-
भूखा	भूक्खा	-क्-
माथा	मात्था	-त्-
लाठी	लाट्ठी	-ट्-
समुद्र	समुन्दर	- -, अ-
हुक्म	हुकम	-अ-

इस प्रकार व्यतिरेक अध्ययन से केंद्रीय हरियाणवी शब्दों के मध्य में स्वर एवं व्यंजन आगम के रूप सामने आते हैं।

2.2.4.3 अंत्य ध्वनि आगम

केंद्रीय हरियाणवी शब्दों में अंत्य ध्वनि आगम से व्यतिरेकी स्वरूप स्पष्ट होता है; यथा–

मानक हिंदी	**केंद्रीय हरियाणवी**	**आगम**
कल	काल्ह	...ह
चील	चील्ह	...ह
बाप	बाप्पू	...पू
भौं	भौह	...ह
सास	सास्सू	...सू

2.2.5 प्राणत्त्व व्यतिरेक

हिंदी व्यंजनों को प्राणस्व के आधार पर अल्पप्राण और महाप्राण दो वर्गों में विभक्त किया गया है। 'प्राण का शाब्दिक अर्थ 'वायु' है। फेफड़े से सीमित वायु के बाहर आकर ध्वनि उत्पादन होने पर अल्पप्राण ध्वनि होती है, तो अपेक्षाकृत अधिक वायु के माध्यम से उत्पादित ध्वनि को महाप्राण ध्वनि कहते हैं।'

हिंदी की व्यंजन ध्वनियों के प्रत्येक वर्ग-कवर्ग, चवर्ग, टवर्ग, तवर्ग और पवर्ग

की प्रथम, तृतीय और पंचम ध्वनियाँ अल्पप्राण हैं और द्वितीय और चतुर्थ व्यंजन ध्वनियाँ महाप्राण हैं।

मानक हिंदी और केंद्रीय हरियाणवी की व्यंजन ध्वनियों के व्यतिरेकी विश्लेषण में अल्पप्राण और महाप्राण के रेखांकन योग्य रूप सामने आते हैं–

2.2.5.1 अल्पप्राणीकरण

केंद्रीय हरियाणवी के शब्दों की ध्वनियों में मानक हिंदी के शब्दों की व्यंजन ध्वनियों में अल्पप्राणीकृत व्यतिरेकी रूप सामने आता हैं; यथा–

मानक हिंदी	**केंद्रीय हरियाणवी**	**महाप्राण**	**अल्पप्राण**
जीभ	जीब	भ	ब
ढेला	डला	ढ	ड
तख्त	तकत	ख	क
फाड़ना	पाड़ना	फ	प
भाभी	भाब्बी	भ	ब
मेढ़क	मेंडक	ढ़	ड
सीख	सीक	ख	क

2.2.5.2 महाप्राणीकरण

केंद्रीय हरियाणवी में आंचलिक भाषायी परिवेश के अनुसार सरलीकरण करने से कुछ अल्पप्राण ध्वनियाँ महाप्राणीकृत होकर प्रयुक्त होती हैं। इस प्रकार उनकी ध्वनियों में मानक हिंदी के शब्दों की ध्वनियों में व्यतिरेकी रूप सामने आता है। यह व्यतिरेक केंद्रीय हरियाणवी की अपनी पहचान बन गई है; यथा–

मानक हिंदी	**केंद्रीय हरियाणवी**	**अल्पप्राण**	**महाप्राण**
कड़ाही	कढ़ाई	ड़	ढ़
कुर्सी	कुर्शी / खुर्शी	स	श
चलनी	छलनी / छालणी	च	छ
लाइसेंस	ल्हसंस	आइ	ह

2.2.6 समीकरण व्यतिरेक

जब शब्द की एक ध्वनि अपने निकट को भिन्न ध्वनि को प्रभावित कर उसे भी अपने रूप में बदल दे, तो उसे समीकरण की संज्ञा दी जाती है। डॉ. राजकिशोर सिंह ने समीकरण को परिभाषित करते हुए अपना विचार इस प्रकार व्यक्त किया है, "समीपस्थ दो वर्ण जब एक-दूसरे से प्रभावित होकर वर्णों में से एक रूप परिवर्तित कर दूसरे का ही रूप लेता है, तो उसे समीकरण कहते हैं।"[2]

केंद्रीय हरियाणवी में उच्चारण-प्रक्रिया के मुख-सुख में यदा-कदा समीकरण के रूप सामने आते हैं, जो मानक हिंदी के शब्दों के व्यतिरेक रूप में प्रकट होते हैं; यथा–

मानक हिंदी	केंद्रीय हरियाणवी	भिन्न ध्वनि		समीकृत ध्वनि
कलेक्टर	कलट्टर	क्ट	–	ट्ट
नीला	लिल्ला	नल	–	लूल
पत्थर	पथ्थर	तूथ	–	थूथ
शुष्क	सुक्का	षूक	–	क्क

2.2.7 *विषमीकरण व्यतिरेक*

जब किसी शब्द की दो समान ध्वनियाँ सरलीकरण या मुख-सुख के अधार पर भिन्न हो जाएँ अर्थात् एक ध्वनि बदल कर भिन्न हो जाए, तो उसे विषमीकरण कहते हैं। इसकी प्रवृत्ति के विषय में लेखन ने लिखा है, "यह समीकरण की उल्टी प्रक्रिया है।"[3]

केंद्रीय हरियाणवी के शब्दों में ध्वनि के विषमीकरण यत्र-यत्र मिल जाने से मानक हिंदी शब्दों से व्यतिरेक स्पष्ट होता है; यथा–

मानक हिंदी	केंद्रीय हरियाणवी	समरूप		विषम रूप
कीकर	टिक्कर	कक	–	टक
दरिद्र	दलिद्दर	रर्	–	लर
बर्र भिरड	रूड		–	रड

2.2.8 *विपर्यय व्यतिरेक*

भाषा के त्वरित प्रयोग में विपर्यय होना स्वाभाविक है। विपर्यय में शब्द की सभी ध्वनि या वर्ण समान संख्या में प्रयुक्त होते हैं, किंतु उनके प्रयोग क्रम या स्थानों में परिवर्तन हो जाता है। डॉ. भोलानाथ तिवारी ने विपर्यय को परिभाषित करते हुए लिखा है, "इसे 'परस्पर विनिमय', 'वर्ण-व्यत्यय' आदि अन्य नाम भी दिए गए हैं। इसमें शब्द के स्वर, व्यंजन या अक्षर एक स्थान से दूसरे स्थान पर चले जाते हैं, दूसरे स्थान के स्वर या व्यंजन पहले स्थान पर आ जाते हैं; जैसे 'अमरूद' से अरमूद' यहाँ 'म' और 'र' व्यंजनों ने एक-दूसरे का स्थान ले लिया है।"[4]

विपर्यय के स्वरूप हिंदी में भी मिल जाते हैं। यह स्वरूप मुख्यतः त्वरित उच्चारण में मिलता है–

मानक हिंदी	केंद्रीय हरियाणवी	सामान्य रूप		विपर्यय क्रम
अनुमान	उनमान	अनूउ	>	उ नू अ
बगुला	बुगला	बूअगूउ	>	बूउगूअ
ससुर	सुसर	सूअसूउ	>	सूउसूअ

2.2.9 अकारण अनुनासिकता

मानक हिंदी के शब्दों के उच्चारण में नासिक्य व्यंजन के पूर्ववर्ती ध्वनि पर अनुनासिकता उभर आती है; यथा–

मानक हिंदी (लेखन)	मानक हिंदी (उच्चारण)	मूलध्वनि		उच्चरित ध्वनि
आम	आँम	आ	–	आँ
राम	राँम	रा	–	राँ (आँ)
श्याम	श्याँम	या	–	याँ (आँ)
रण	रँण	र	–	रँ
घ्राण	घ्राँण	घ्रा	–	घ्राँ (आँ)
तन	तँन	त	–	तँ
प्रधान	प्रधाँन	धा	–	धाँ (आँ)

केंद्रीय हरियाणवी के शब्दों में अकारण ही अनुनासिकता के प्रयोग से मानक हिंदी से व्यतिरेकी स्वरूप सामने आता है। यह अकारण अनुनासिकता भाषा के आंचलिक प्रयोग की देन है। इस व्यतिरेकी रूप को इस प्रकार प्रकट कर सकते हैं; यथा–

मानक हिंदी	केंद्रीय हरियाणवी	मूल ध्वनि	अनुनासिक ध्वनि
अक्षर	अँखर	अ	अँ
आकाश	अँकास	आ	अँ
मानक हिंदी	**केंद्रीय हरियाणवी**	**मूल ध्वनि**	**अनुनासिक ध्वनि**
ईख	ईंख	ई	ईं
गाय	गाँय	गा	गाँ (आँ)
चूसना	चूँसणा	चू	चूँ (ऊँ)
छाया	छाँ	छा	छाँ (आँ)
तू तूँ	तू	तूँ (ऊँ)	
मौसा	मोंसा	मौ	मों (ओं)

2.2.10 तद्‌भवता व्यतिरेक

मानक हिंदी की शब्दावली को तत्सम, तद्‌भव, विदेशी (आगत), संकर, पारिभाषिक और देशज आदि वर्गों में विभक्त करते हैं। इनमें परंपरागत तत्सम और तद्‌भव शब्दों की प्रधानता होती है, क्योंकि हिंदी का उद्‌भव संस्कृत से हुआ है। हिंदी के तद्‌भव शब्दों को तत्सम की निकटता पर कुछ भाषाविदों ने तत्समाभास और कुछ ने तद्‌भवाभास वर्ग भी बनाने का सुझाव दिया था। इसका मुख्य कारण है कि हिंदी कुछ तद्‌भव शब्द तत्सम के लगभग समान होते हैं; यथा–

अर्थात्—अर्थात, श्रीमन्—श्रीमन आदि में संक्षिप्त परिवर्तन है, तो कुछ पर्याप्त परिवर्तित हो जाते हैं; यथा—

कृष्ण	—	किसन, किसुन, किस्ना, कान्हा, कन्हैया
राजेंद्र	—	राजिंदर, राजिंद्र, राजिंद्रा, राजू, राज

मानक हिंदी में हिंदी के इन रूपों में से मानक रूपों को ही अपनाया जाता है। केंद्रीय हरियाणवी जन-सामान्य द्वारा सहज अभिव्यक्ति के लिए अपनाई जाती है। इसलिए इसमें विविधता के साथ तद्भवता का प्रबल रूप होना स्वाभाविक है। मानक हिंदी के शब्दों से केंद्रीय हरियाणवी की बहुल तद्भवता के व्यतिरेक को इस प्रकार व्यक्त कर सकते हैं—

मानक हिंदी शब्द	**केंद्रीय हरियाणवी शब्द**
आषाढ़	साढ़
आँधी	आँद्धी
आशंका	सक
उजाला	उजाळा
उबलना	उबळना
ऋतु	रुत
ओषधि	ओखध
कंकड़	काँक्कर
करील	कैर
कीचड़	चीक्कड़
कुरुक्षेत्र	कुरुछेत्तर
कोंपल	कूप्पल
गरमाहट	गरमाट
गुठली	गुठळी
चकाचौंध	चकाचूँध
चमकना	चिमकणा
जगह	जघाँ
धुआँ	धूँम्आँ
फाल्गुन	फाग्गण
भूचाल	भोंचाळ
माटी	माँट्टी
मेघ	मीह (वर्षा)
मेढ़क	मींड्डक

मानक हिंदी शब्द	केंद्रीय हरियाणवी शब्द
लहसुन	लहस्सण
समुद्र	समंदर
हरियाली	हरयाल्ली
हिलोर	हलोर

2.2.11 विशेष शब्दावली का व्यतिरेक

जब भाषा की तत्सम, तद्‌भव आदि सामान्य शब्दावली से भाषाभिव्यक्ति संभव नहीं होती तब अनुकरण आधार पर शब्द-निर्माण किया जाता है। अनुकरण आधार पर बने शब्द प्रायः आंचलिक या क्षेत्रीय रंग लिए होते हैं। केंद्रीय हरियाणवी की शब्दावली में ऐसे शब्दों का विशेष महत्त्व होना स्वाभाविक है। इन शब्दों से मानक हिंदी शब्दावली भिन्नता होना भी स्वाभाविक है। इस संदर्भ की शब्दावली को मुख्यतः तीन वर्गों में विभक्त कर व्यतिरेकी अध्ययन कर सकते हैं–ध्वन्यात्मक शब्द प्रतिध्वन्यात्मक शब्द और विशेष भावानुकरणात्मक शब्द।

2.2.11.1 ध्वन्यात्मक शब्द

अनुकरणात्मक शब्द वर्ग के वे शब्द जो ध्वनि अनुकरण पर निर्मित होते हैं, उन्हें ध्वन्यात्मक शब्द कहते हैं। केंद्रीय हरियाणवी में विभिन्न ध्वनियों के अनुकरण पर शब्द निर्माण होते हैं। उनकी विशेष ध्वन्यात्मकता के कारण मानक हिंदी के शब्दों से व्यतिरेकी रूप सामने आता है; यथा–

- गुर्रावै-प्रयोग–"चैत गुरावै, तो कुनबा घबरावै।" –डॉ. विद्या सिवाच, कृषि एवं पशुपालन संबंधी हरियाणवी लोकोक्तियां, पृ. 44
- ठा-ठा–प्रयोग–"सभी लाठी ठा-ठा भाजे रै झूठा–साचा टोरा हो।" –डॉ. राममेहर सिंह, हरियाणवी संगीत उद्‌भव और विकास, पृ. 72
- ठणकाते–प्रयोग–"चणे ठणकाते बढ़िया, जई फूल्ला नाल।" –डॉ. प्रेम पातंजली, हरियाणा की कृषि संबंधी शब्दावली, पृ. 58
- डंघे डघे–प्रयोग–"ऊँचै-ऊँचै डोलें, डूघै-डूघै क्यार।" –डॉ. प्रेम पातंजली, हरियाणा की कृषि संबंधी शब्दावली, पृ. 51
- पच-पच–प्रयोग–"काल्लर की खेती में, पच-पच मरै गवार।" –डॉ. प्रेम पातंजली, हरियाणा की कृषि संबंधी शब्दावली, पृ. 143
- रड़ावै–प्रयोग–"टिल्ले ऊपर भैंस रड़ावै।" –डॉ. जगदीश नारायण–भोलानाथ शर्मा, हरियाणा के लोकगीतों का सामाजिक पक्ष, पृ. 46

2.2.11.2 प्रतिध्वन्यात्मक शब्द

जब मूल शब्द के सादृश्य प्रतिध्वनि रूप में किसी शब्द का निर्माण किया जाता है, तो उसे प्रतिध्वन्यात्मक शब्द कहते हैं। डॉ. भोलानाथ तिवारी ने प्रतिध्वन्यात्मक शब्द का उदाहरण देते हुए उसके स्वरूप की विवेचना इस प्रकार की है, "घोड़ा-वोड़ा, चाय-चूय, पान-शान। इनमें वोड़ा, चूय और शान क्रमशः घोड़ा, चाय और पान की अभिव्यक्ति के आधार पर बने हैं। प्रतिध्वन्यात्मक शब्द का प्रयोग 'वगैरह' का भाव व्यक्त करने के लिए होता है।"[5]

लेखक का कथन है, "बोलचाल में इनका प्रयोग अपेक्षाकृत अधिक होता है। हिंदी में प्रयुक्त तत्सम, तद्भव और विदेशी आदि सभी प्रकार के शब्दों की प्रतिध्वनि पर ऐसे शब्द बनते हैं।"[6]

इस प्रकार केंद्रीय हरियाणवी जो बोल-चाल की भाषा में प्रतिध्वन्यात्मक, शब्दों के पर्याप्त रूप में प्रयोग की बात सिद्ध होती है। आंचलिकता के प्रभाव से मानक हिंदी के शब्दों से व्यतिरेक होना भी स्वाभाविक है; यथा–

कसौण–प्रयोग–"हो गया सोण-कसौण सेर जुआन।" –डॉ. जयभगवान गोयल, हरियाणवी लोक साहित्य, पृ. 31

कोले–प्रयोग–"ओले-कोले पड़ी जंजीर, जियो एसीया तेरे वीर।" –डॉ. जयभगवान गोयल, हरियाणवी लोक साहित्य, पृ. 32

टुच्चे–प्रयोग–"हमने बुलाये काना आले बुच्चे-टुच्चे आए री पसेरे।" –डॉ. जयभगवान गोयल, हरियाणवी लोक साहित्य, पृ. 29

ढोल्ली–प्रयोग–"दयौरानी जेठानी मेरी बोल्ली-ढोल्ली मारे।" –डॉ. राजबीर धनखड़, हरियाणवी साहित्य का इतिहास, पृ. 10

धज–प्रयोग–"क्या इसका नहीं ख्याल, लाल मेरे सज-धज के।" –डॉ. जयभगवान गोयल, हरियाणवी लोक साहित्य, पृ. 35

2.2.11.3 विशेष भावात्मक शब्द व्यतिरेक

भावाभिव्यक्ति के लिए बोल-चाल की भाषा में ऐसे शब्दों का विशेष प्रयोग होता है। आंचलिकता के रंग के कारण मानक हिंदी के शब्दों से व्यतिरेक होना स्वाभाविक है। व्यतिरेकी संदर्भ से कुछ शब्द उद्धरणीय हैं–

- कचकची–प्रयोग–"कड़वी कचरीठे माँ मेरी कचकची जी।" –डॉ. रेखा शर्मा, हरियाणा के लोक गीतों में भक्ति भावना, पृ. 69
- चसकण–प्रयोग–"इश्क रूप की चोट लगी मेरी चसकण लागी छाती।" –राममेहर सिंह, हरियाणवी संगीत : उद्भव और विकास, पृ. 180
- झक्कत–प्रयोग–"झक्कत विद्या, पच्चत खेती।" –डॉ. प्रेम पातंजली, हरियाणा की कृषि संबंधी शब्दावली, पृ. 5

- भोंड़ी–प्रयोग–"भोंड़ी सूरत सै।" –डॉ. पूर्णचंद्र शर्मा, माटी के स्वर, पृ. 87
- लथपथ–प्रयोग–"या तो खड़ी लथपथ सै।" –डॉ. संतराम देशवाल, हरियाणा की लोक संस्कृति, पृ. 48

इस प्रकार केंद्रीय हरियाणवी में ध्वन्यात्मक, प्रतिध्वन्यात्मक और विशेष भावात्मक शब्दों के आधार पर मानक हिंदी के शब्दों से व्यतिरेकी रूप सामने आता है।

2.2.12 संयुक्त शब्द व्यतिरेक

मानक हिंदी और केंद्रीय हरियाणवी के मूल और संयुक्त शब्दों में यदि कुछ समानता दिखाई देती है, तो विविध रूपों के व्यतिरेक सामने आते हैं। संयुक्त शब्दों के कुछ व्यतिरेक अवलोकनीय हैं–

मानक हिंदी	केंद्रीय हरियाणवी	
धर्मराज	धरमराज	(अ स्वरागम)
निर्गुण	निरगुन	(अ स्वरागम, ण न)
सगुण	सरगुन	(र आगम, ण न)
झलकदार	झणकदार	ल > ण
जिंदगानी	जिंदगाणी	न > ण
कड़ाई	करणाई	(र आगम, ड़ > ण)

2.2.12.1 संयुक्त शब्द में उपसर्ग व्यतिरेक

उपसर्ग	मानक हिंदी	केंद्रीय हरियाणवी
अन-अण	अनहोनी, अनबोल	अणहोणी, अणबोल
उन-उण	उन्तीस, उन्सठ	उणतीस, उण्सठ
बे-बै	बेनाम बेइज्जत	बैनाम, बैइज्जत

2.2.12.2 संयुक्त शब्द में प्रत्यय व्यतिरेक

प्रत्यय	मानक हिंदी	केंद्रीय हरियाणवी
न > ण	छालनी	छालणी
न > ण	ओढ़नी	ओढ़णी
न > ण	बच्चा > बचपना	बचपणा

इस प्रकार मानक हिंदी और केंद्रीय हरियाणवी के शब्दों में बहुकोणीय व्यतिरेक है। शब्द भाषा की महत्त्वपूर्ण इकाई है। इसलिए दोनों के शब्द-व्यतिरेक के आधार पर उनको सीखना सरल हो गया। अर्थात् मानक हिंदी भाषी केंद्रीय हरियाणवी को और केंद्रीय हरियाणवी भाषी को मानक भाषा सीखना सरल हो जाएगा।

2.3 मानक हिंदी और केंद्रीय हरियाणवी : पद व्यतिरेक

व्याकरणिक योग्यता प्राप्त इकाई को पद की संज्ञा दी जाती है। शब्द भाषा की स्वतंत्र इकाई है। पद में वाक्य बनाने की क्षमता आ जाती है। प्रत्येक भाषा के पद निर्माण की अपनी प्रक्रिया या व्यवस्था होती है। प्रत्येक बोली और उपबोली की भी अपनी व्यवस्था होती है। हाँ! इतना अवश्य है कि बोली और उपबोली बोल़-चाल में प्रयुक्त होने के कारण व्यवस्था अपेक्षाकृत शिथिल होती है। केंद्रीय हरियाणवी और मानक हिंदी के पदों की व्यवस्था को दृष्टिगत कर व्यतिरेकी विश्लेषण इस प्रकार प्रस्तुत कर सकते हैं–

2.3.1 कारक व्यतिरेक

केंद्रीय हरियाणवी पद-निर्माण में कारक चिह्नों का प्रयोग अपनी विशेष प्रवृत्ति के साथ सामने आता है। कारक चिह्नों के स्वरूप और प्रयोग को इस प्रकार प्रस्तुत कर सकते हैं–

कारक	कारक चिह्न	प्रयोग
कर्ता	नै	माँ नै रोती देख पूछण लाग्गया।
कर्म	नैं, कै, ते	छौरी नैं पानी प्याद्यो।
करण	सेत्ती, तै, गेल्यां	तम लाठ्ठी तै साँप मार्या?
संप्रदान	नैं, ताई, तैं, तीं	जो किसे नै जलावैगा एक दिन आप
	बी जलैगा।	
अपादान	तै	छौरे तै दूर हटज्या।
संबंध	का, के, की, कै	कमला कै किवाड़ खुल ग्या।
अधिकरण	रै, ओ, पै	खोर्य पै बुलध बँधे पावैंगे।
		दिवाल पै टंगी घड़ी टिक-टिक चलदी रई।

केंद्रीय हरियाणवी में पद-निर्माण के समय कर्ता चिह्न का प्रयोग विरल ही होता है। ऐसा पद निर्माण प्रायः स्वतंत्र रूप में होते हैं; यथा–

"धरमा अगलै दिन भरोटा ले के गया।"[7]

करण और संप्रदान आदि कारक चिह्नों की विविधता भी व्यतिरेक का आधार बन गई है। इनके चिह्नों की विविधता से विविध पदों की संरचना होती है। पद-निर्माण में प्रयुक्त चिह्न हैं–

करण	–	सेत्ती, गेल, गेल्यां, तै आदि
संप्रदान	–	नैं, ताई, तई, तै, तीं
संबोधन	–	रे, री, रै, अरे, अरै, अरी, आहरी, आहरे।

मानक हिंदी के कारक चिह्नों के आधार पर पद निर्माण होता है। इसका स्वरूप और प्रयोग व्यतिरेकी रूप में सामने आता है–

कारक		**कारक चिह्न**
कर्ता	-	ने
कर्म	-	को
करण	-	से (कार्य संपदान आधार)
संप्रदान	-	को, के लिए
अपादन	-	से (अलगाव)
संबंध	-	का, की, के, ना, नी, ने, रा, री, रे
अधिकरण	-	में, पर

कारक चिह्न		**प्रयोग**
ने	-	मधुर ने लेखन का कार्य पूरा कर लिया है।
को	-	सोहन लाल को आज घर अवश्य जाना चाहिए।
से	-	वह बहुत तेज चाकू से खीरा काट रहा है।
के लिए	-	मैं आपके लिए सुंदर उपहार लाया हूँ।
से	-	पतझड़ में पेड़ से पत्ते गिर जाते हैं।
का	-	आपका घोड़ा बहुत तेज दौड़ता है।
की	-	मनोज की पुस्तक नहीं रह गई है।
के	-	उनके हाथों में मेंहदी लगी है क्या?
ना	-	अपना काम करते रहिए, सफलता मिलेगी।
नी	-	अपनी पुस्तक संभाल कर रखिएगा।
ने	-	अपने साथ किसे ले जा रहे हो?
रा	-	हमारा काम पूरा हो गया है।
री	-	तुम्हारी कलम में स्याही नहीं है।
रे	-	तुम्हारे हाथ में ही तुम्हारा ऐनक है।
में	-	घर में उसका दम घुंट रहा है।
पर	-	पेड़ पर दर्जनों मोर बैठे हैं।

2.3.2 सर्वनाम पद व्यतिरेक

मानक हिंदी और केंद्रीय हरियाणवी के सर्वनाम पदों की संरचना में पर्याप्त भिन्नता है। इस व्यतिरेकी स्वरूप को इस प्रकार व्यक्त कर सकते हैं–

सर्वनाम मैं उत्तम पुरुष

पद निर्माण

	मानक हिंदी सर्वनाम पद		केंद्रीय हरियाणवी पद	
	एकवचन	**बहुवचन**	**एकवचन**	**बहुवचन**
कर्ता	मैं	हमने	मन्नै, मन्नैं	हमनैं हामें
कर्म	मैं	हमने	मन्नैं मत्तैं	हमनै हमी हमत्तै
करण	मुझसे	हमसे	मेरैतैं, मेरेती, मेरेसेत्ती	म्हारेतै म्हारे सेत्ती
संप्रदान	मुझको मेरे लिए	हमारे लिए	मेरैतै, मेरैखातिर	म्हारै खात्यर
अपादान	मुझसे	हमसे	मेरैतै, मत्तै	म्हारैतै
संबंध	मेरा, मेरी, मेरे	हमारा, हमारी हमारे	मेरा, मेरी मेरे	म्हारा, म्हारी, म्हारे
अभिकरण	मुझमें मुझ पर	हम पर, हम में	मेरा, मेरी, मेरे	म्हारा, म्हारी, म्हारे

सर्वनाम मध्यम पुरुष तुम

	मानक हिंदी सर्वनाम पद		केंद्रीय हरियाणवी पद	
	एकवचन	**बहुवचन**	**एकवचन**	**बहुवचन**
कर्ता	तुम, तू	तूम सब, तू	तै, तनैं, तन्नै, तोंह	थम थमनैं
कर्म	तुमको	तुम सब को	तैं, तनैं, त्हूम, तन्नै, तेरेतीं	थम थमनै, त्हमनै
करण	तुमसे	(तूसे) तुम सब से	तेरेतै, तेरे सेत्ती	थारै तै, त्हारैतै, त्याहरै सेत्ती
संप्रदान	तेरे लिए, तुम्हारे लिए,	तुम सब के लिए	तन्नै, तैरेतीं, तैरैतै	थारै तै, त्हारैतीं, त्हमनैं
संबंध	तुम्हारा, तुम्हारी, तुम्हारे	तुम सबका,	तुम सबकी तेरा,	तेरी तेरे त्हारा, त्हारी त्हारे, थारे

केंद्रीय हरियाणवी में वर्तमान समय में तुम और तू के स्थान पर कभी-कभी 'आप' के आधार पर भी पद रचना की जाती है। ऐसे पद रचना में भी मानक हिंदी के पद से केंद्रीय हरियाणवी के पद का व्यतिरेकी रूप सामने आता है; यथा—

"हाँ म्हाराज, आपनै बड़ी किरपा करी। ईब मेरी आत्मा नै जो संतोष होया वो बड़ा कीमती खजाना सै।"[8]

यहाँ पर ध्यातव्य है आप शब्द का प्रयोग एकवचन और बहुवचन दोनों में होता है। इसलिए आप आधारित पद भी दोनों वचनों में प्रायः समान रूप में प्रयुक्त होते हैं–

आप (सर्वनाम) एकवचन एवं बहुवचन

कर्ता	–	आपनैं
कर्म	–	आपनैं, आपकै
करण	–	आपणै तै, आपणेसेत्ती, आपसेत्ती
संप्रदान	–	आपणै तै, आपणै तांई
अपादन	–	आपतैं, आपणै तै
संबंध	–	आपणा, आपणी, आपणे (आपका, आपकी, आपके)
अधिकरण	–	आपणै मैं, आप्पै मैं, आपपै, आपणै पै

2.3.3 क्रिया पद व्यतिरेक

भाषा के विभिन्न पदों में क्रिया का सर्वाधिक महत्त्व होता है। जिस प्रकार व्यक्ति की अनुभूति उसके क्रिया से होती है ठीक उसी प्रकार भाषा की स्पष्ट अनुभूति क्रिया पद से होती है। मानक हिंदी के क्रिया पद की अपनी व्याकरणिक व्यवस्था है, तो केंद्रीय हरियाणवी की अपनी व्यवस्था है। दोनों संरचनात्मक भिन्नता के आधार पर व्यतिरेकी अध्ययन किया जाता है–

क्रिया पद

मानक हिंदी		**केंद्रीय हरियाणवी**
धातु	प्रयुक्ति	प्रयुक्ति
रो (रोना)	रोता है / (लड़का रोता है)	रोवै से। (छोरा रोवै से)
सो (सोना)	सोता है / (लड़का सोता है)	सोवै से। (छोरा सोवै से)
खा (खाना)	खाता हूँ / (मैं आम खाता हूँ)	खाऊँ सूँ (मैं आम खाऊँ सूँ)

2.3.3.1 सहायक क्रिया पद व्यतिरेक

	मानक हिंदी		**केंद्रीय हरियाणवी**	
	एकवचन	**बहुवचन**	**एकवचन**	**बहुवचन**
उत्तम पुरुष	मैं पढ़ता हूँ।	हम पढ़ते हैं।	मैं पढ़ूं सूँ।	हम पढ़ा सों।
मध्यम पुरुष	तुम पढ़ते हो।	तुम सब पढ़ते हो।	तोह् पढै सै।	त्हाम पढ़ो सो।
अन्य पुरुष	वह पढ़ता है।	वे पढ़ते हैं।	आह पढ़ै सै।	वैं पढ़ैं सैं।

इन वाक्यों में 'पढ़ना' शब्द से कई क्रिया पदों की योजना की गई है। 'पढ़ना' से विकसित सभी रूप मूल क्रिया हैं। मानक हिंदी में 'पढ़ता' और 'पढ़ते' दो रूप हैं, तो केंद्रीय हरियाणवी में 'पढ़ा, पढै, पढैं' रूप सामने आए हैं।

इनके साथ प्रयुक्त सहायक क्रियाएँ हैं। मानक हिंदी के इन वाक्यों में हूँ, है, हैं, हो' सहायक क्रियाएँ हैं, तो केंद्रीय हरियाणवी के वाक्यों में सूँ, सै, सैं, सों सहायक क्रियाएँ हैं।

इन क्रिया पदों में मूल क्रिया के साथ एक ही सहायक क्रिया का प्रयोग किया गया है, जो वाक्य की समाप्ति पर है। इसलिए इन्हें समापिका क्रिया भी कहते हैं।

क्रियापद में लिंग, वचन, पुरुष और काल व्याकरणिक कोटियों की योजना होती है। इसलिए इन संदर्भों का बोध होता है।

कभी-कभी एक पद में एक मूल क्रिया के साथ एकाधिक सहायक क्रियाओं का योग होता है; यथा–

	मानक हिंदी		**केंद्रीय हरियाणवी**	
	एकवचन	**बहुवचन**	**एकवचन**	**बहुवचन**
उत्तम पुरुष	मैं गा रहा हूँ।	हम गा रहे हैं।	मैं गार्‌या सूँ।	हम (हाम) गा रयेसा।
मध्यम पुरुष	तुम गा रहे हो।	तुम सब गा रहे हो।	तोह् गार्‌या सै।	त्हम (त्हाम) गार्‌ये सो।
अन्य पुरुष	वह गा रहा है।	वे गा रहे हैं।	ओह् गार्‌या सै।	वै गार्‌ये सै।

मानक हिंदी के क्रिया पदों में 'गाना' मूल क्रिया के साथ दो सहायक क्रियाओं की योजना कर 'अपूर्ण वर्तमान' की अभिव्यक्ति है। इनमें 'गा' के साथ 'रहा हूँ', 'रहे हैं', 'रहे हो', 'रहा है', 'रहे हैं' की योजना है। वाक्य के अंत में प्रयुक्त हूँ, हैं, हो, है समापिका क्रियाएँ हैं।

केंद्रीय हरियाणवी के क्रिया पद में भाषा का अल्प श्लिष्ट रूप मिलता। हिंदी क्रिया पद अयोगात्मक अश्लिष्ट रूप में प्रयुक्त होता है, अर्थात् क्रियापद की मूल, सहायक क्रियाएँ अलग-अलग शिरोरेखा में लिखी जाती है; यथा–

जा रहा है, जा रहा होगा।

केंद्रीय हरियाणवी के क्रियापद की मूल क्रिया और सहायक क्रिया में अल्प संयोगात्मक रूप दर्शनीय है–

गार्‌या सै (गा रहा है)
गार्‌ये सैं (गा रहे हैं)
गार्‌या सै (गा रहे हो)

क्रिया पद की यह संरचना श्लेष, संयोगात्मक भाषा संस्कृत की प्रवृत्ति के निकट लगती है–

सः गच्छति। (वह जाता है)
ते गच्छतः। (वे दोनों जाती हैं)

2.3.3.2 संयुक्त क्रिया पद व्यतिरेक

विशेष भाव व्यक्त करने के लिए एक साथ एक से अधिक मूल क्रियाओं का प्रयोग किया जाता है। इसे संयुक्त क्रिया आधारित क्रिया पद की संज्ञा दी जाती है। मानक हिंदी और केंद्रीय हरियाणवी दोनों में ऐसी योजना होती है, किंतु संरचना का व्यतिरेक स्पष्ट दिखाई देता है–

मानक हिंदी	**केंद्रीय हरियाणवी**
तुम घर सो जाओ।	त्हम घरां सो जाओ।
तुमने मार डाला?	तन्नैं माड्डाला?
तुम चले जाओ (तू चला जा)	तैं चाल्या जा।

मानक हिंदी में 'सोना-जाना', 'मारना-डालना', 'चलना-जाना' दो क्रियाओं का साथ प्रयोग किया गया है, तो केंद्रीय हरियाणवी में भी इन्हीं क्रियाओं का प्रयोग किया गया है, किंतु दोनों की संरचना में पर्याप्त भिन्नता है। यह ही दोनों के क्रिया पदों का व्यतिरेकी स्वरूप है।

2.4 मानक हिंदी और केंद्रीय हरियाणवी : वाक्य व्यतिरेक

भाषा की पूर्ण सार्थक इकाई वाक्य है। वाक्य संरचना में एक क्रिया का प्रत्यक्ष या परोक्ष रूप में होना अनिवार्य है। वाक्य रचना में उद्‌देश्य और विधेय दो अंगों की योजना होती है। वाक्य के कर्ता को उद्‌देश्य और कर्ता के विषय में जो कहा जाता है, उसे विधेय कहते हैं।

हिंदी और उसकी बोलियों की वाक्य संरचना में कर्ता, कर्म और क्रिया पदों का क्रमशः प्रयोग किया जाता है; यथा–

वह	आम	खाता है।
कर्ता	कर्म	क्रिया

वाक्य के संरचनात्मक भेद के आधार पर दोनों का व्यतिरेकी अध्ययन प्रस्तुत किया जा सकता है।

2.4.1 सरल वाक्य संरचनात्मक व्यतिरेक

उद्‌देश्य और विधेय के आधार पर दोनों का व्यतिरेक देखा जा सकता है–

मानक हिंदी		**केंद्रीय हरियाणवी**	
उद्‌देश्य (कर्ता)	**विधेय**	**उद्‌देश्य**	**विधेय**
बुढ़िया	सूत कातती है।	बूढ़ढी	सूत कात्तै सें।

उसके	सूट के लिए चार मीटर पकड़ा लगेगा।	उसकै	सूट कै च्यार मीटर कपड़ा लागैगा
मैं	किसे-किसे समझाऊँ?	मैं	किस-किस नै समझाऊँ?
हमने	साग के साथ रोटी खाई।	हमनैं	साग गेल्यां रोटी खाई।
लड़का	कुत्ते से डर गया।	छोरा	कुत्ते तै उरग्या।

मानक हिंदी और केंद्रीय हरियाणवी के इन वाक्यों में उद्‌देश्य और विधेय ही नहीं कर्ता, कर्म और क्रिया के क्रमिक प्रयोग में समानता है, किंतु विभिन्न पदों की रचना में पर्याप्त भिन्नता है।

उद्‌देश्य के व्यतिरेक को इस प्रकार व्यक्त कर सकते हैं–

बुढ़िया – बूढ्ढी	उसके – उसकै
हमने – हमनैं	लड़का – छोरा

भाषा की महत्त्वपूर्ण इकाई वाक्य है। दोनों के व्यतिरेक को रेखांकित करने के लिए विधेय के क्रिया पद पर दृष्टिपात करना आवश्यक है।

मानक हिंदी	**केंद्रीय हरियाणवी**	**मानक हिंदी**	**केंद्रीय हरियाणवी**
कातती है	कात्तै से	लगेगा	लागैगा
डर गया	डरग्या		

इस प्रकार उद्‌देश्य और विधेय के पदों की भाषायी संरचना के आधार पर व्यतिरेकी स्वरूप सामने आता है।

सरल वाक्य को साधारण वाक्य भी कहा जाता है। इसे आधार वाक्य भी कह सकते हैं, क्योंकि इस प्रकार के वाक्यों के आधार पर संयुक्त और मिश्र वाक्य की संरचना होती है। सरल वाक्य में एक मुख्य क्रिया की योजना होती है; यथा–

रमेश यहाँ है।

इस वाक्य में एक मूल क्रिया 'होना' से निर्मित 'है' का प्रयोग हुआ है। एक मूल क्रिया के साथ एक या एकाधिक सहायक क्रियाओं की योजना हो सकती है; यथा–

यह घर जाता है।

वह घर जा रहा है।

यहाँ प्रथम वाक्य के क्रिया पद में 'जाना' किया से बना 'जाता' का प्रयोग है, तो 'होना' से 'है' सहायक समापिका का प्रयोग किया गया है। दूसरे वाक्य का क्रिया पद 'जा रह है' है। इसका विश्लेषण इस प्रकार कर सकते हैं–

क्रिया पद	>	मूल क्रिया	सहायक क्रिया	> समापिका सहायक क्रिया
जा रहा है	>	जा (जाना)	रहा (रहना)	है (होना)

मानक हिंदी और केंद्रीय हरियाणवी के सरल वाक्यों के पदक्रम में समानता मिलती है, किंतु उनके पदों की संरचनात्मक भिन्नता से व्यतिरेक सामने आता है; यथा–

मानक हिंदी	**केंद्रीय हरियाणवी**
मैं अपनी देहली पर हिम्मत करके बैठा रहा।	मैं आपणी देहली पै हिम्मत करकै बैठ्या रह्या।
तुमने आलीशान बंगला बनाया है।	तनै आलिसान बंगला बणाया सै।
वकील तुझे देवता नज़र आते हैं?	वकील तनै देवता नजर आवै सै?
दुनिया में सब को खुश रहना चाहिए।	दुनिया म्हं सब खुश रहणे चाहिए।
उन्हें राह में एक लकड़हारा मिला।	उन्नै राह म्हं एक लकड़हारा मिल्या।

इस प्रकार मानक हिंदी और केंद्रीय हरियाणवी के सरल वाक्यों में उद्देश्य–विधेय के साथ पदक्रम की योजना लगभग समान है। विभिन्न पदों की संरचना में उमरी भिन्नता उनका व्यतिरेक है।

2.4.2 संयुक्त वाक्य संरचनात्मक व्यतिरेक

जब दो सरल वाक्य संयुक्त रूप से प्रयुक्त होते हैं, तो उन्हें संयुक्त वाक्य की संज्ञा दी जाती है।

दो सरल वाक्यों के मध्य और वा, या, अथवा तथा आदि योजक चिह्नों का प्रयोग किया जाता है। संयुक्त वाक्य के मध्य से योजक चिह्न और, तथा आदि के हटा देने से दो सरल वाक्य की रचना हो जाती है; यथा–

संयुक्त वाक्य	सरल वाक्य
वह पढ़ रहा है और रतन सो रहा है।	वह पढ़ रहा है। रतन सो रहा है।

मानक हिंदी और हरियाणवी के संयुक्त वाक्यों की संरचना लगभग समान है, किंतु पदों की ध्वन्यात्मक रचना मुख्य व्यतिरेक है–

मानक हिंदी

अमित ने गाना गाया और माधुरी ने नाच दिखाया।

रमेश अपना बच्चा है और बहुत प्यारा बालक है।

उसको कहने की जरूरत है और तुम्हारे पैसे मिल जाएँगे।

केंद्रीय हरियाणवी

अमित नै गाणा गाया अर माधुरी नै नाच दिखाया।

रमेश अपणा बच्चा सै अर भोत प्यारा बाळक सै।

उस तहीं कहण की जरूरत सै अरु तेरे पइसे मिलज्यागें।

केंद्रीय हरियाणवी के संयुक्त वाक्य में मानक हिंदी वाक्यों की तरह योजना होती है। वाक्य के विभिन्न पदों और योजक शब्द की संरचना से व्यतिरेक का स्पष्ट आभास होता है–

योजक शब्द – और > अर

संज्ञा पद – गाना > गाणा, बालक > बाळक

– पैसे > पइसे

क्रिया पद – है > सै मिल जाएँगे > मिल ज्यागें

संयुक्त वाक्य के समग्र रूप में उच्चारण अर्थात् ध्वन्यात्मकता का स्पष्ट व्यतिरेक सामने आता है।

2.4.3 मिश्र वाक्य संरचनात्मक व्यतिरेक

जब वाक्य रचना में एक प्रधान उपवाक्य और एक या एक से अधिक आश्रित उपवाक्यों की योजना होती है, तो उसे मिश्र वाक्य कहते है। मिश्र वाक्य को जटिल वाक्य भी कहते है। 'जटिल' का शाब्दिक अर्थ है जटाधारी साधु। साधु की जटाएँ एक-दूसरे में उलझी होती हैं। इनको सुलझाने के प्रयास में बाल टूट कर हाथ में आ सकते हैं। इसी प्रकार मिश्र वाक्य के उपवाक्य एक-दूसरे में उलझे होते है; यथा–

जैसे ही वह स्टेशन पहुँचा वैसे ही गाड़ी छूट गई।

यहाँ 'जैसे ही...वैसे ही...।' योजक शब्दों की योजना वाक्य के पूर्व और मध्य में होने से उसकी जटिलता स्पष्ट होती है।

1) **मानक हिंदी :** मुझे क्या पता था कि ऐसी बन जाएगी।
   केंद्रीय हरियाणवी : मन्नै के बेरा था अक् न्यूँ बन ज्यागी।
2) **मानक हिंदी :** जो यह बात है तो आज से हम भी यह तरीका अपना लेंगे।
   केंद्रीय हरियाणवी : जै ए बात सै तो आज तैं हाम भी योए तरीका अपनाल्यां सां।
3) **मानक हिंदी :** यह गाँव में रह गया तो, थोड़े दिनों में सारे मोर मार देगा।
   केंद्रीय हरियाणवी : जै यो गाय म्हं रहग्या तो थोड़े दिन्या म्हं सारे मोर मार देगा।[10]
4) **मानक हिंदी :** वह बोली कि राजा भोज से विवाह करवा ले।
   केंद्रीय हरियाणवी : वा बोली अक् राजा भोज तै ब्याह करवा ले।[11]
5) **मानक हिंदी :** यह गंगा वही तो है जो सबकी टीस मिटाती है और सबके पाप धोती है।
   केंद्रीय हरियाणवी : या गंगा ए तो सै जो सबकी तिस मिटावै सै अर सबके पाप धोवै से।[12]

इस प्रकार स्पष्ट रूप से कह सकते हैं कि मानक हिंदी के स्वरूप को मानकीकरण की प्रक्रिया से व्यवस्थित किया गया है, जबकि केंद्रीय हरियाणवी पश्चिमी

हिंदी (उपभाषा) की बोली हरियाणवी की उपबोली है। इसमें कुछ समानताएँ है, तो विविध संदर्भो से व्यतिरेकी स्वरूप है।

2.5 केंद्रीय हरियाणवी संदर्भ

रागनी

पं. चन्द की रामनी

भूल ज्यागा अपणा जिला घर और गाम तक।
आँख्या खुलज्यां जब देखैगा म्हारे भी नगर नै।। टेक।।
मिलै रसोई जब तबियत चाही, झट मिलज्या बणी बणाई।
जिसमैं काया रहै छिपाई जरा देख बिस्तर नै।। 1 ।।
देख मेरी तरफ गिणै नै झाल, जचा कै एक जगह पै ख्याल।
हंस खेल बोलचाल दूर करदे डर नै।। 2 ।।
तेरा जी चाहवै सो खाइए, राज कर किले मैं मौज उडाइए।
म्हारे केसी बीर चाहिए थारे केसे नर नै।। 3 ।।
लखमीचन्द उमर गई सारी, या दुनिया लूटले बणकै प्यारी।
वै नर मुक्ति के अधिकारी जुणसे जाणै पद पर नै।। 4 ।।

रणबीर पद्मावत से क्या पूछता है–

तूं बेटी सै किस बाप की रै गोरी, तेरे कौण कर्या करै लाड,
बता दिए प्यारी रै तू किसकी सै।। टेक।।
मनै था तेरे मिलण का चाव, कदे मेरा खो दे ना आदर भाव।
कदे नाव डूबज्या ना पाप की रै गोरी, ना मिलै लगण नै आड
मरण की बारी रै तूं किसकी सै।। 1 ।।
तान्ने राह चलत्यां नै दे थी, तूं म्हारे तै सौ सौ मुजरे ले थी।
तूं तै खेती थी इन्साफ की रै गोरी, मैं जाणू था खाली बाढ,
हरी भरी क्यारी रै तू किसकी सै।। 2 ।।
तूं तै बात करण लगी रूखी, मारी चोट कालजै दुखी।
जै भूखी सै मेल मिलाप की रै गोरी, लिए मन तन की काढ,
अदा तेरी न्यारी रै तू किसकी सै।। 3 ।।
कहै लखमीचन्द तू बिन नाथी सै, बाप के घरां बन्ध्या हाथी सै।
जै साथ सै तीनों ताप की रै गोरी, तेरे फंस फंस आवैंगी टाड,
ओड़ बड़ी कवारी रै तूं किसकी सै।। 4 ।।

इस रागनी में पद्मावत रणबीर को क्या बताती है—

येें सोज्यां जब मैं जागूँ म्हारी एक मन जोत कला सै।
मैं सोज्यां जब येें जागैं म्हारी सब की एक सला सै।। टेक ।।
दसों से मिलकै चार जणी हम चारों एक जणां सै
दस ग्यारा और चौदाह पन्दरा मिल म्हारा प्रेम घणा सै।
पांच-पांच दस और मिलैं म्हारा जब चौबीस पणा सै।
एक लगी तेरे तैं डोर भरम का परदा सहम तण्यां सै।
तू मिल मेरे तै हो इज्जत तेरी इस मैं तेरा भला सै।। 1 ।।
एक पांच छः सात मिले जब पुरुष रूप दरसाया
दसों से मिल कै अहंकार मन बुद्ध चित्त रूप कहाया।
पचास संकल्प पचास विकल्प सौ का जोड़ मिलाया।
म्हारै एक सखी संग सौ नौकर जब पद्मावत पद पाया।
भजन करण नै सिव मन्दिर की जड़ में ग्यान तला सै।। 2 ।।
देख तै सही इस मेरे बदन पै के के कहर पुया सै।
मै जीतूँ कै मेरा दुस्मन जीतै न्यूँ लेणा बैर पुया सै।
जैसे जीव बिना तत्त्वों का पुतला एक माटी जिसा डला सै।। 3 ।।
एक तेरे केसे मरद बिना यो सून्ना गाम पुया सै।
करमा करकै मेरी नजर मैं तूं सच्चा धाम पुया सै।
तोड़ मोड़ चाहे कुछ भी करले दिल कती मुलाम पुया सै।
कहै लखमीचन्द भगतां नै राम का रटणा नाम पुया सै।
भगतां की नैयूया पार करणियां खुद भगवान मल्ला सै।। 4 ।।

....

काढ—निकाल, बिन नाथी—बिना नाथ की, क्वारी

टाड—औरतों द्वारा भुजाओं पर पहना जाने वाला आभूषण

ये सोज्यां जब मैं जागूँ—दसों इन्द्रियों के सो जाने पर, प्राण वायु, अपान वायु, व्यान वायु, उदान वायु और समान वायु क्रियाशील रहती है। अर्थात् जागती रहती हैं। प्रकृति के चौबीस गुणों को पहले ही स्पष्ट किया जा चुका है।

डला—ढेला, **मल्ला**—मलाह, नाव खेने वाला, मछली पकड़ने वाला

शिवजी बोल्या (डॉ. पूर्णचंद शर्मा)

शिवजी बोल्या गणपत की मां बात सुणैं नै मेरी।
टूम-ठेकरी पहर सिंगर ले क्यूं ला राखी देरी।।
हरियाणा मैं घूंमागे ओड़ै भगत देखिए मेरे
मन्दर ओर शिवालयां मैं लगरे सन्ता के डेरे

सन्ध्या-तर्पण यज्ञ-हवन करे सैं शाम सवेरे
ज्यब देखैगी ठाट-बाट आए हो ज्यांगे तेरे
अपणे मन की खोल सुणांदी आगे मर्जी तेरी।
टूम-ठेकरी पहर सिंगर ले क्यूं ला राखी देरी।।
ओड़ै गऊ चराई बंसी बजाई रास रची गोपाल नै
मक्खनी खाई हूर रिझाई नन्द के नटखट लाल नै
चीर बढ़ा के लाज बचाई धन-धन इसे कमाल नै
कैरू मारे पाण्डु तारे कोए समझ सक्या नां चाल नै
गीता गाई बणे सारथी राखी परीत घनेरी।
टूम-ठेकरी पहर सिंगर ले क्यूं ला राखी देरी।।
ओड़े सरस्वती के कंठारे पै वेद-मन्त्र गूंजारे
कुरुक्षेत्र की धर्म-धरा पै लगे धर्म के नारे
महाभारत का खाण्डा बाज्या गुल खिलग्ये थे न्यारे
पाप हारग्या धर्म जीतग्या गूंज उठे जयकारे
सच-सच कहर्‌या पार्वती मैं ना कोए हेराफेरी।
टूम-ठेकरी पहर सिंगर ले क्यूं ला राखी देरी।।
दूध बिलौवें मन नै मोहैं हरियाणा की नारी
पनघट जावैं मंगल गावैं मीठी बोली प्यारी
प्यार लुटावैं हस बतलावैं खिलरी केसर क्यारी
छोटे-बड़े की आण राखती बात समझती सारी
लाड लडावैं लखण लावैं घर की बड़ी बडेरी।
टूम-ठेकरी पहर सिंगर ले क्यूं ला राखी देरी।।
मर्द मुछैले छैल छबीले रण मैं हाथ दिखावैं
बैरी की घिग्घी बन्दज्या ज्यब कड़वे त्यौर लखावैं
भारत-मां की इज्जत नै वैं मां तै बड़ी बतावैं
शीश कटो सौ बार चाहे ना सिर नै कदे झुकावैं
हर-हर बोलैं धरती तोलैं करदें दुश्मन की ढेरी।
टूम-ठेकरी पहर सिंगर ले क्यूं ला राखी देरी।।
खुशियाँ का बुम्बा पाटै ज्यब होली-तीज मनावैं
ढोल मंजीरे बजैं सरंगी मिलके नाचैं-गावैं
बात-बात पै करैं ठिठोली हाँसैं खूब हसावैं
धरती के बेटे घणे ढेठे दिन और रात कमावैं
जी-सा लावैं मन परचावैं संग मैं नार कमेरी।
टूम-ठेकरी पहर सिंगर ले क्यूं ला राखी देरी।।

बाल्मीकि

बाल्मीकि सारी दुनिया मैं कविकुल गुरु कहाया।
रामायण की रचना करदी होग्या जी-सा आया।।
प्रचेत वंशे मैं जन्म ले लिया भरणी पड़ी तबाई
रत्नाकर निज नाम धराके दर-दर ठोकर खाई
मात-पिता की बचपन मैं फिर सहणी पड़ी जुदाई
रत्नाकर के जाणै था याके हो सै करड़ाई।
बाल भील बण रत्नाकर नै बचपन बेमोल बिताया।
रामायण की रचना करदी होग्या जी-सा आया।।
भीलराज के सारे लखण बालक सिखण लाग्या
गया भूल पाछली बात सभी ज्यब जोबन का रंग छाग्या
जौवन का भर्‌या ताल देख के कंठारे पै आग्या
सुथरी सी एक देख भीलणी उसका मन परचाग्या
ईश्वर की किरपा होग्यी फिर उस तै ब्याह रचाया।
रामायण की रचना करदी होग्या जी-सा आया।।
धीरे-धीरे साथ बखत कै कुणबा बढ़ग्या भारा
डाकू बणके बणखण्ड मैं वो लाग्या करण गुजारा
नारद जी को रस्ते मैं वो एक बै न्यूं ललकारा
जो कुछ लंर्‌या धन दौलत पायां मैं धर दे सारा
वीणा और कमण्डल ले ले या मेरी धन-माया।
रामायण की रचना करदी होग्या जी-सा आया।।
गरीब सतावै पाप कमावै या आच्छी नहीं कमाई
बख्त पड़े पै धोरा धरज्यां बेटा मां बाप लुगाई
पाप कर्म खुद पड़ैं भोगणे दिल मैं राख समाई
के कुणबा लेगा बाँट रात दिन करर्‌या घोर हंगाई
ना ज़ुचती जै मेरी बात तू अपणे घर तक जाया।
रामायण की रचना करदी होग्या जी-सा आया।
कुणबा बोल्या पाप तेरे ना जांगे हम तै बाँटे
तनै काट-काट लोगाँ के सिर बो लिए अगल मैं काँटे
ओड़ै धर्मराज की लगै कचहड़ी जांगे कुकर्म छाँटे
जैसी करणी वैसी भरणी पड़ैं काल बली के साँटे।
इतनी सुणके रत्नाकर फिर ब्होत घणां पच्छताया।
रामायण की रचना करदी होग्या जी-सा आया।।

मार चौंकड़ी उल्टा आग्या ना पल भर की देरी
नारद जी के पैर पकड़ लिए खता बक्स दो मेरी
नाथ आज तै छोड़ देई मनै करणी हेराफेरी
लकड़ी गेल्यां पात्थर तिरज्या जै किरपा हो तेरी
राम-राम दिन-रात रटूया कर यो हे भेद बताया।
रामायण की रचना करदी होग्या जी-सा आया।।
भगति मैं हो मगन भील फिर दाग जिगर के धोग्या
राम-राम गया भूल बेचारा 'मरा-मरा' मुख होग्या
सच्ची लौ ला ईश्वर तै मुकति का मारग टोहग्या
रामायण का गायन करके बीज धर्म के बोग्या
करी तपस्या बाम्बी बणग्या धूप गिणी ना, छाया।
रामायण की रचना कर दी होग्या जी-सा आया।।

हे ईश्वर तनै कौण करी!

चतर सुजान सजन पाणे नै मैं मल़मल़ कातक न्हाई!
हे ईश्वर तनै कौण करी मैं किसकै पल्लै लाई!!
नित उठ पील़ी-पाटी मैं न्हाण तला पै जाया करती।
छोटी-बड़ी नार मिलके गीत सुरीले गाया करती।
सखी-सहेली कटूठी होके आपस मैं बतलाया करती।
जोड़ी जोगम-जोग मिलै न्यूँ मन के मैं चाहूया करती।
दौड़-धूम कर बाबल नै फेर करदी मेरी सगाई!
हे ईश्वर तनै कौण करी मैं किसके पल्लै लाई!!
पाधे पै पतरा दिखवाकै दिन शादी का धरूया गया।
हद से ज्यादा टूटकै नै सब इन्तजाम करूया गया।
दान देण के चक्कर मैं म्हारा पिस्सा-पिस्सा हरूया गया।
म्हारी धरती तक पढ़ण बैठग्यी उनका भोभा भरूया गया।
मेरी माता टप-टप आंसू गेरै बाज रही सहनाई!
हे ईश्वर तनै कौण करी मैं किसकै पल्लै लाई!!
तील़ तागा देखके नै सासु जी का मन परचाया।
अगली-पछली कूदण लागी सब के जी मैं सा आया।
सारे गाम मैं चरचा होग्या बोतलबाज पटाका ल्याया।
'लाल परी का प्यारा परणु' सुणकै दिल मेरा घबराया।
छोड़ण की शराब कही तै करदी मेरी पिटाई!

हे ईश्वर तनै कौण करी मैं किसकै पल्लै लाई!!
रोज लड़दू राखै खड़दू जी नै खाड़ा होग्या।
चौबीस घण्टे रहै टूलता इसा पुआड़ा होग्या।
लिहाज शरम का खोज रहा ना कती उघाड़ा होग्या।
रंज-फिकर मैं सूख-सूख कै कुणबा माड़ा होग्या।
खून मेरा न्यूँ जलै रोज जणु जलता तेल कढ़ाई।
हे ईश्वर तनै कौण करी मैं किसकै पल्लै लाई!!
नित नशे बीच गलतान रहै घर नहीं खाण नै दाणे।
इब जूती होक्के ठाण लागग्या ल्यावै रोज उल्हाणे।
आँसू पी-पी दिन काटैं मेरे बालक याणे-याणे।
भला क्यूकर भेजूं पठण मन्दरसै नंगे और उभाणे।
यों घर सै तो नरक कड़े मेरै नहीं समझ मैं आई!
हे ईश्वर तनै कौण करी मैं किसकै पल्लै लाई!!

लोक गीत

सास बहू की जकड़ी

तूं तो री सासू चाल खेत म्हे
घीलड़ी मैं ता ल्यूं री घीलड़ी मैं ता ल्यूं री
ओळे सोळे फेर तारिये
जोटा मत ना लाइये री जोटा मत ना लाइये री
दिन छिपज्यै जिब गादड़ बोलै
जिब घर न डिगर आइए री जिब घर न डिगर आइए री
आण के न न्यूं करिये
बळदा की स्यानी भेइये री बळदा की स्यानी भेइये री
कासण बासण मांज के
बाळकां की खाट बिछाइए री बाळकां की खाट बिछाइए री
रोटी तो मनै पोई कोन्या
बासी धरी दस बारहा री बासी धरी दस बारहा री
भरया बरोला धरया सीत का
तूं पी लेइए भर सारा री तूं पी लेइए भर सारा री
पी के बरोला सीत का
तूं खूब सटरके लाइए री तूं खूब सटरके लाइए री

वक्त तै उठके न्यूं करिये
भैंसा की स्यानी भेइये री भैंसा की स्यानी भेइये री
तेरी बहू कमजोर घणी
पीसण का जोटा लाइए री पीसण का जोटा लाइए री
दूध तो मैं आप बलो ल्यूं
गोबर भी गेर आइए री गोबर भी गेर आइए री
बुढियां आगै बैठ के
बहुअड़ नै खूब सराहिये री बहुअड़ नै खूब सराहिये री
घर नै जिब तेरा बेटा आज्यै
मनै मत बिसराइए री मनै मत बिसराइए री

लघु कथा

हिंदी प्रेमी (ओमप्रकाश कादयान)

हिंदी के जाने-माने लेखक, प्रो. मिश्रा एक विस्वविद्यालय म्हं हिंदी पढावैं थे। हिंदी का उत्थान खात्तर कई समारोह आयोजित करवा चुके थे। मैं सोच्चूं था अक ये तो हिंदी के सच्चे भगत सैं। देस नै हिसे हिंदी प्रेमियाँ की जरूत सै। पर मेरा भ्रम ज्यब टुट्ट्या तब मन्नैं बेरा पाट्या अक मिश्रा जी कै घरनै दो अखबार आवैं सैं, दोन्नू अंग्रेजी। इतना ए नहीं ज्यब मन्नैं उनकै घर फोन कर्या तो प्रो. साहब घर नहीं थे। फोन पै बात कर रह्या उनका लड़का तहीं मै अपणा फोन लिखवाण लाग्या तो वो बोल्या "अकंल प्लीज़ आप अंग्रेजी में बोलकर फोन नम्बर लिखवायें मुझे हिंदी नहीं आती।"

ट्यूसन

अनुराग! यार तूं एक बात बता, अक जो अंगरेजी आले मास्टर सैं वो सतेंन्द्र नै कदे भी ना पीटते, वो अलबाद भी घणी करै सै। हर टैस्ट म्हं मेरा तै लिखे भी कम सै। फेर भी उसके नम्बर भी घणे आवैं सैं, जबके वो पढ़ता भी नहीं। क्लास म्हं आच्छी तरहां सुणाता भी नहीं। मैं सारी बार सुणाऊं सूँ अर उसतैं पड्ढू भी फ़ालतू सूं। सांईस आल़े मास्टर मेरी पिटाई तो कुछ ना कुछ बाहन्ना ले कैं करैदें सैं।

"यार तूं घणा पड्ढ़े जरूर सै, पर मन्नै आध्धा बावल़ा लाग्गै सै...।"

"न्यूं क्याहूतें?"

"या राज की बात सै, राज की...।"

"मैं कुछ समझ्या नहीं...।"

"अरै! सतेन्द्र सांईस आले मास्टर धोरै ट्यूसन पड्ढै से ट्यूसन...।"

स्वयं प्रकाश (डॉ. श्याम सखा 'श्याम')

ट्रिन-ट्रिन

एस.पी. आफिस, "सर! इन्सपैक्टर राम सिंह स्पीकिंग।"

"एस.पी. साहब तै बात करवा दे भाई, मैं उनका चचेरा भाई, चन्द्रप्रकाश बोलूँ सूँ।"

"होल्ड ऑन।"

इन्सपैक्टर इन्टर कॉम पै घंटी दे सै। एस.पी. दफ्तर मै उसका पी.ए. फोन ठावै सै।

"नमस्कार सर! इंसपैक्टर राम सिंह सर, साहब के चचेरे भाई, चन्द्रप्रकाश बात करणा चाहवैं सै।"

पी.ए. ने एस.पी. के कान धौरे मुँह ल्या कै कह्या "सर! आपके चचेर भाई, चन्द्रप्रकाश।"

"बात करवाओ, राम सिंह", एस.पी. बोल्याँ।

"यस सर!" राम सिंह लाइन मिला दे सै।

"हाँ, चन्द्रप्रकाश तावळा बोल। मनैं, मीटिंग मै जाणा सै।" एस.पी. ने कह्या। पाछै, खड़े पी.ए. के चेहरे पै एक मुस्कान खेलकै खत्म होग्यी, वो जाणै था अक एस.पी. नै कितै कोनी, जाणा आज।

चन्द्र—"भाई ताऊजी की तबीयत और खराब होरी सै, अस्पताल मै भरती करवाणा पड़ैगा।"

"कितणे रपइयाँ चाहियें, बोल भेज द्यूँगा।" "ना भाई रपइयाँ की बात कोन्या, मैं तै न्यूँ कहूँ था अक आप आ जात तै..."

एस.पी. बीच मै बात काट के बोल्या, "चन्द्रप्रकाश! तनै अखबार तै पढ़येअे होंगे। आजकाल कानून की व्यवस्था घणी खराब चाल्यरी सै। आणा तै मुसकल सै। पीसे, जितणे तू कहवै भेज द्यूँगा।"

चन्द्र—"भाई, ताऊजी की तबीयत खराब हो रही सै आप आ जाते तै आच्छा रहता। रपइयाँ की कमी कोन्या।"

एस.पी.—"आच्छा कोशिश करूँगा।" कह कै फोन धर दे सै। मेज पर ढक्या धरा पाणी का गिलास ठा कै पाणी की दो घूँट भर के उल्टाए धर दे सै। फेर, एक लाम्बी साँस ले कै, उठ खड्या हो सै। पी.ए. पाछै ने सरक जा सै। आफिस का एक दरवाजा भीतर कोठी मै खुलै सै, न्यून जाता-जाता पी.ए. नै कहवै सै, "धर्मबीर, जिब तायीं कोए घणा जरूरी आदमी ना हो, तै कह देणा साहब दौरे पै गए सैं।" अर पाछले दरवाजे तै भीतर चल्या जा सै। भीतर जा कै, अपणे बैड रूप मै चल्या जा सै। कमरा जितणा बड़ा सै उतणाए भारी-भरकम डबल बैड, बीचम-बीच धर्या

सैं कमरे के फर्श पै, मोटा कालीन बिछा होड़ सै। एक कूण मैं दो कुरसी अर, एक स्टडी टेबल धरी सै। दूसरी कूण मै, एक बहुत बड़ी डरावणी सी ड्रेसिंग टेबल धरी सै। ड्रेसिंग टेबल की स्यामी धरे, स्टूल पै एस.पी. की मुटल्ली बीबी बैठी सिंगार करण लाग्यरी सै। एस.पी. आ कै एक कुरसी पै पसरग्या। अर, अपणे जूते का फीता खोलण लाग्या। बेगम नै, कणखी तै देख्या। उसनै महसूस होया, अक किमै ना किमै बात सै, साहब का चेहरा बुझ सा रह्या सै। वा अपणी नेल पालश खुरचती-खुरचती बोल्यी, ''के हो ग्या?'' पर एस.पी. चुपचाप फीता खोलै ग्या। वा फेर बोल्यी ''इस्सा के होग्या?''

एस.पी. बोल्या, ''चन्द्रप्रकाश का फोन था, न्यू कहवै था के पिताजी सख्त बीमार सैं। अस्पताल मै दाखिल सैं।'' बेगम नै मुँह बिचका दिया, पर कह्या कुछ नहीं। एस.पी. नै आच्छा तो कोनी लाग्या पर चुप रह्या।

बेगम बोली, ''पाछले हफ़्ते आप गये थे, बताओ थे के आच्छे-बीछे सैं, आठ-दस किलो मीटर की सैर करैं सैं रोज?''

एस.पी. चुप रह्या, उसनै पाछले हफ़्ते की बात याद आयी। पिता मानी चन्द्रप्रकाश के ताऊजी ''उसके अपणे स्वयं प्रकाश एस.पी. के अपणे पिता मुख्याध्यापक सत्यप्रकाश जिन्होंने सन् उन्नीस सौ ब्यालीस के सत्याग्रह मैं हिस्सा लिया था। जेल गये थे। प्रदेश के सारे नेताओं में वरिष्ठ रह्ये थे। गांधी जी के साथ सदाकत आश्रम मै भी रह्ये थे। नेहरू, पटेल अर देश के और बड़े-बड़े नेताओं से ढब रह्या सै उनका। मगर आजादी मिलण पाछै बस अध्यापक पद बहाली हो ग्यी थी। और नेताओं के हाल देख के पिताजी ने दुःखी हो के राजनीति छोड़दी थी। प्रदेश का वर्तमान मुख्यमंत्री उनके खास उलखास चेल्याँ मै तै एक था। एस.पी. स्वयं प्रकाश मेधावी छात्र था। अर अपणी लियाकत के बलबूते पै, आई.पी.एस. मे चुणा ग्या था। याह एक अलग बात सै के अक उसके साक्षात्कार मै, उसकी शक्ल देख कै (उसकी शक्ल पिताजी तै भौत घणी मिलैसे), यू.पी.एस.सी. के अध्यक्ष नै पूछ लिया था, ''के आप सत्यप्रकाश के पुत्र सो।''

''जी हाँ'' स्वयं प्रकाश अचम्भे तै बोल्या था, उसनै उस वक्त सोच्या था शायद पिताजी ने उसकी सिफारिश कर दी हो, पर अध्यक्ष बोल्या, ''अरै भाई सत्यप्रकाश जी तै बेरा ना कित गुम होगे, कोई अता-पता नहीं, कोई चिट्ठी-पतरी न्हीं, कहाँ सै वे आज-काल्य?''

''जी वे मुख्याध्यापक सै, गाम की पाठशाला मै'' उसनै सकुचाते हुए कह्या था, अर न्यूँ कहती हाणै, उसनै हीन भाव महसूस हुआ था। एक अजीब सी कुँठा मन मै रड़क ग्यी थी। उस दिन पहली बार उसनै अपणै पिता पै छोह उठ्या था, अर खुद पै गिलाणी होई थी। साक्षात्कार भी मन बुझण करके उतणा बढ़िया नहीं होया, जितणी त्यारी कर राखी थी। पर फेर भी ठीक्ये हो ग्या था। फेर नतीजा आया तै

स्वयं प्रकाश आई.पी.एस. मै आ ग्या था। उसके मन मै या बात आज तायीं दुःख दे सै अक पिता नै सिफारिश करदी होती तै वो आई.ए.एस. मै आ ज्याता।

ब्याह स्वयं प्रकाश ने पिता की मरजी के खिलाफ एक अमीर उद्योगपति की छोरी तै कर्या था। अच्छा-खासा दहेज कार-कोठी अर नगदी मिल्यी थी। बस, इस ब्याह नै बाप-बेटे के रहे-सहे सम्बन्ध भी खत्म कर दिये थे। पिता नै, न्यूँ कुछ कह्या तै नहीं, पर ब्याह तै पहल्याँए पिता उसके चचेरे भाई चन्द्रप्रकाश धौरे चल्ये गये थे। जो उस वक्त कस्बे में सब-पोस्टमास्टर लाग्य रहा था। पिताजी इब तक सेवानिवृत्त भी हो गये थे। ब्याह मै भी नहीं आए थे, माँ पहलए मर ग्यी थी। हाँ, उसकी इकलौती भाण, जीजा अर उसके दोस्ताँ नै, ब्याह खूब एन्जाय कर्या था। भाण, न्यू तै स्वयं प्रकाश तै छोटी थी, पर उसका ब्याह पहल्म हो ग्या था। पति उसके अध्यापक थे। स्वयं प्रकाश नै एस.पी. बणन पाछै बहनोई को सेल्स टैक्स विभाग मै, इन्सपैक्टर लग्वा दिया था। इब तरक्की कर कै वो ई.टी.ओ. था अर अपणे साले स्वयं प्रकाश का पूरा भक्त था। होता भी क्यूँ ना, कई बै रिश्वत लेता पकड़्या गया था, अर स्वयं प्रकाश की मदद तै छूट्या था।

भाण भी भाई की खुशहाली, उसके पद तै प्रभाव मै आकै, बाप नै तकरीबन भूलै गई थी। जिस माणस की पुतल्लियाँ मै माया का लेप हो ज्या सै, उस खातर गरीब बाप भी बाप नहीं रहता, अर दूर-दराज के अमीर अर उच्चें पद पै बैठे आदमी सगे अर नजदीकी हो ज्याँ सै। याहै सै जमाने की रीत।

स्वयं प्रकाश ठाठ तै जीवै था, उसकी तरक्की होण आली थी, डी.आई.जी. बणन मै, थौड़े दिन रह ग्ये थे। पर बेरा ना, किस नै शिकायत कर दी थी कि उसने पुलिस सिपाहियाँ की भरती मै, लाखाँ रपइयै रिश्वत ले ली थी। उसको पुलिस जिले तै पुलिस मुख्यालय में तबदील कर दिया गया था। इस नियुक्ति नै, खुड्डे लाइन लाणा कह्या जा सै जाँच शुरू होग्यी थी, आकड़ें अर गवाहियाँ के आधार पै तै उसका फ़सणा लाजमी था। क्यूँ के भरती होये, घणेए सिपाही शारीरिक मापदण्ड पै भी खरै नहीं उतरे थे। घणीए कमी थी। स्वयं प्रकाश की जान आफत मै थी। जाँचू परी होण पे सस्पैंड तै के डिसमिस होण के भी पूरे चानस थे। जेळ भी हो सकै थी। उसके सुसरे के सारे रसूख धरे के धरे रहग्ये। क्यों के प्रदेश का गृहमंत्री सुसरे का व्यापारिक दुश्मन था। अर, बड़े दबदबे आळा मंत्री था। बस मुख्यमंत्री बचा सकै था, उसनै। इस्सै सिलसिले में, इतने सालाँ बाद पिता तै, मिलण ग्या था, याचक बणकै। जिब वो गाम मै, अपने चचेरे भाई चन्द्रप्रकाश के घराँ पहुँचा तै पाया अक, ना तै पिता घर पै थे, अर ना ए चन्द्रप्रकाश। चन्द्रप्रकाश की घरआली नै, घर की बैठक का दरवाजा खोल्या पर वा, उसनै पिछाण न्हीं सकी। जिब, ड्राइवर नै बताया अक ये एस.पी. साहब सै तै उसनै झट घूंघट काढ लिया अर भीतर आण का ईशारा कर्या। स्वयं प्रकाश बैठक के कमरे मै बैठ गया, उड़े

एक छोटी-सी लाकड़ी की गोल मेज, चार प्लास्टिक की कुरसी अर एक तख्त बिछ रह्या था। वो एक कुरसी पै बैठ गया।

चन्द्रप्रकाश के कोए बाळक नहीं था। थौड़ी हाण मै, पड़ोस का एक बाळक मेज पै एक कप चा अर एक स्टील की तश्तरी मै मैली सी आठ दस बरफी अर भुजिया धर कै, नमस्ते कर कै चालता बण्या। सर्दी के दिन थे, स्वयं प्रकाश ने प्याला ठाकै एक घूँट भरी चा गुड तै भी घणी मिट्ठी थी। बहू किवाड़ की ओट मै घूँघट काढे खड़ी थी, वरना वौ चा नै थूक बैठता। उसनै भुजिया के एक-आध दाणे के सहारे चा की दो-तीन घूँट मुसकलाँ तै गटकी। कदे, बहू बुरा ना मानज्या। इतणी हाण मैं, पिता जी आग्ये। स्वयं प्रकाश नै उसकै पिता जी के पैर छुये। पिता नै आशीर्वाद दिया "सुखी रहो" और तख्त पोश पै बैठ गये, अर पसीने मैं भीज्या कुर्ता तार कै खूटी पै टाँग दिया। पिता के गठीले गात, ताम्बे जिसै रंग अर शान्त चेहरे नै स्वयं प्रकाश को हिला कै धर दिया। पिता नै तै जणू उसका इतने दिन बाद आणा कोए अजीब नहीं लाग्या। कम तै कम स्वयं प्रकाश नै तो न्यूए लाग्या था। पिता उसकी उपस्थिति तै बेखबर हाथ का पंखा घुमाण लगै थे। स्वयं प्रकाश का दिल कर्या, अक पंखा पिता के हाथ सै लेकै उनकै हवा करै। ज्यूकर वोह बचपन मै कर्या करता। पर उसकी हिम्मत नहीं हुई। वह चुपचाप बैठ्या रह्या।

पिता नै पूछया, "बहू अर बाळक ठीक सैं?"

"जी" उसने कहा, पर उसका मुँह सूखग्या। क्योंकि पिताजी तै ना ब्याह मै आये थे, नैए बेटा-बेटी के होण पै। आते भी क्यूँकर उसनै बालका के होण की खबर भी तै नहीं भेज्यी थी। इतणी बात पाछै फेर खामोशी छा ग्यी। पिता तो निश्चिन्त बैठये थे। जणू परिवार का हाल पूछकै, अपणा फर्ज पूरा कर लिया और वो इस कशमकश मै था अक, बात कित तै शुरू करै। वो फल अर मिठाई ल्याया था, ड्राइवर आकै कुरसी पै धर कै चल्या गया।

उसनै बात शरू करण के लिहाज तै पूछया, "आपकी सेहत तो ठीक सै?"

वो डरै था पिताजी पूछेंगे, "फुरसत मिलग्यी, यो सब पूछण की तनै" मगर इसा कुछ न्हीं होया। पिताजी बोल्ये, "भगवान की दया तै भला-चंगा सूँ।" उसनै चैन की साँस ली, अक पिताजी नै ताना कोनी मार्या। चा का प्याला अर बरफी की तश्तरी मेज पै पड़ी थी। ज्याँ तै पिताजी नै खाण-पीण की न्हीं पूछी।

चुप्पी बड़ी खळ रह्यी थी, अर बोलणा भी मुसकल था, पर बोलणा मजबूरी थी। उसनै कह्या था, के उसके सुसरे का व्यापारिक दुश्मन प्रदेश का गृहमंत्री सै, अर वो सुसरे का बदला, उस तै काढण लाग रह्या सै। उसके खिलाफ झूठी जाँच करवा कै। जो अफसर जाँच करण नै लाया सै, वो गृहमंत्री का पिट्ठू सै अर, जाँच उसके खिलाफ देवैगा। अगर पिताजी मुख्यमंत्री नै निष्पक्ष जाँच करवाणै नै कह दें तै, सब कुछ ठीक हो ज्यागा। वो, याह बात क्यूकर कहणी सै, इसकी पूरे हफ़्ते

तैयारी करता रह्या था। क्यूँ के उसनै बेरा था अक पिता नै सच बतला कै, अक उसनै रिश्वत ले कै सिपाही भरती कर्‌ये थे। अपणे पाँ पै कुहाड़ी मारणी सै। अर, जै पिताजी सिरफ मुख्यमंत्री नै न्यूँ कह दें के जाँच निष्पक्ष करवाणा, याहे बात अपणे आप मैं बहुत बड़ी सिफारिश होगी। मुख्यमंत्री, पिताजी की बहुत इज्जत करैं सै। जिब दौरे पै आवैं सै तै हमेशा पिताजी के बारे में पूछ्या करैं। वह यह कहकै टाल दे था अक, पिताजी का मन शहर मै ना लागता, ज्याँ तै गाम मै रहवैं सै। जिब, उसनै अपणी बात कहल्यी तै, पिताजी नै कह्या था, "स्वयं प्रकाश साँच नै आँच नहीं होया करती, जे तू साच्चा सै तै तेरा बाल बाँका न्हीं हो सकता, अर तू जाणे सै के मनैं सारी उम्र ना सिफारिश करी अर नाए मान्यी। इब क्यूकर सिफारिश करूँ।"

"पर पिताजी?" उसनै कह्या था "इब वक्त बदलग्या। ईब ईमानदारी सच्चाई नै, कोये नहीं पूछता। सब गोटी बिठावैं सै इसे हालात मै सच दब्य ज्या सै।"

पिताजी बोले, "वक्त नहीं बदलता। ना ही सूरज, चान्द, सितारे या हवा बदलै सैं, बदल ग्ये आदमी अर इन बदलै होड़ माणसाँ तै मैं कोय सरोकार न्हीं राखणा चाहता। चन्द्रप्रकाश शहर जा रह्या सै, साँझ नै आवैगा अर, मेरी पूजा का वक्त हो रह्या सै। तू चाहवै तै ऊपर चुबारे मै आराम करल्ये।" और पिता पदमासन लगा कै ध्यान मै बैठ ग्ये।

स्वयं प्रकाश बचपण तै हे जाणै था, अक पिताजी ताहीं सिद्धान्ताँ के मामले मै टस तैं मस नहीं कर्‌या जा सकता। इस खातर प्रणाम करकै चुपचाप उल्टा आग्या था।

इब, चन्द्रप्रकाश नै पिता की बिमारी की खबर दी सै। के करैगा जाकै। चन्द्रप्रकाश कै तै औलाद थी नहीं, जै ब्याह शादी मै आणा जाणा होता, अर उसनै कद चन्द्रप्रकाश को बुलाया था।

स्वयं प्रकाश नै, बोतल काढ कै दो बड़े पैग लगाए और खाणा खाएँ बिना लेट ग्या। पत्नी ने कह्या भी था थोड़ा बहुत ले लो, पर वोहए नाट ग्या, बोल्या, "मूड नहीं सै।" पत्नी नै खाणा खा लिया, बच्चे हॉस्टल मै थे। वो सोचण लाग्या, आज काल्य पति-पत्नी का रिश्ता भी कितना अजीब सा हो ज्या सै, इस उम्र मै। सफल माणस सफल पति, पत्नी के लिए कए उपभोक्ता जिनस सै, एक स्टेटस सिंबल, जो, उसके बाप नै, दहेज मै खरीद्‌या था। इब बेटी उस दहेज के सूद पै, ऐश करण लाग रही सै। पत्नी के खर्राटे गूँजण लाग्ये, पर स्वयं प्रकाश जागै था। उसनै याद आया अक, बचपन मै उसकै खेलणी-मेलणी माता लिकड़ आयी थी, बहुत तेज बुखार था, सन्निपात हो ग्या था, माँ अर पिताजी बारी-बारी जाग कै सारी-सारी रात कई दिना तक, उसके माथे पर आल्यी पटी धरते रहे थे, वैद्‌य जी का कड़वा काढ़ा कितणी मिन्नत करकै, प्याया करते। अर इब वौहे पिताजी बीमार सैं अस्पताल मै पड़े सैं, उसनै जाणा चाहिए।

शराब का नशा और कुछ करै, ना करै, आदमी का मुखौटा उतार कै उसनै

आइनै के, स्यामी खड़ा कर दे सै। असलियत दिखा दे सै। स्वयं प्रकाश अपणे बिस्तर पै पड़्या, भीतरै-भीतर कसमसा रह्या था कि रात के बारह बजे थे के फोन की घन्टी बजी, उसनै फोन उठाया, "सर चन्द्रप्रकाश जी लाईन पै सैं" पी.ए. ने कह्या उसका दिल कर्‌या अक कहद्‌यो, दौरे पै गए सैं, पर फेर बौलया, "बात करवाओ।"

"भैया...।" चन्द्रप्रकाश रो रहा था, "ताऊ जी नहीं रहे, उनका क्रियाकर्म करणा सै, आप आओगे अक..." स्वयं प्रकाश के भीतर उसकी छाती मै एक बड़ा-सा आग का गोला सा उठ्या, अर उसके कंठ मै आकै अटक ग्या। उसकी याह हालत पिताजी की मौत पै थी, अक अपणी बेचारगी पै? गाम तै उल्टा आकै भी उसने भरोसा था, अक पिताजी, उसनै इस जाँच तै बचा लेंगे। उसनै एक खत परसों चन्द्रप्रकाश को लिख्या था, अक पिताजी को उसकी सिफारिश करण नै कहवै, उसनै अपने बालकाँ की दुहाई दी थी। इब पिताजी नहीं रहे, वो खुद नै, अनाथ महसूस करण लाग्या।

इतणी देर की चुप्पी तै चन्द्रप्रकाश फेर बोल्या, "भाई इतणा निठुर ना बणै, ताऊजी तुम्हारे पिता थे, उन्हें मुखाग्नि आपको ही देनी चाहिये, बालकाँ नै भी ले आना अपणे दादा के दर्शन कर लैंगे।"

स्वयं प्रकाश बोल्या, "हाँ-हाँ, क्यों नहीं मैं जरूर पहुँच रह्या सूँ।" फोन धर कै स्वयं प्रकाश चुप बैठ्या रह्या। फेर अपणे आप कै सुबकण लाग्या। फेर उसकी सुबकिया रुलाई, मैं बदलगी। उसकी पत्नी की नींद खुलग्यी, वा उनतै सटकै बैठगी। उसके काँधे पै, हाथ धर कै बोल्यी, "के बात सै?"

स्वयं प्रकाश बोल्या, "पिताजी नहीं रहे।" पत्नी के चेहरे पै घृणा के भाव आए पर वा छुपा ग्यी। पत्नी नै पाणी का गिलास दिया। पाणी पी कै बोल्या, "मैं गाम मैं जा सूँ, गाम दो सौ किलोमीटर दूर सै, चार घंटे लाग ज्याँगे, इबै लिकड़ूँ सूँ।"

गाड़ी निकलवा कै, स्वयं प्रकाश गाम कान्यी चाल पड़्या। इब वो संभल ग्या था। तकरीबन बीस मिनट पाछे, उसनै मौबाईल तै घर का नम्बर मिलाया बोल्या, "सुणो गाड़ी भेज कै, प्रशान्त अर मणि नै हॉस्टल तै बुलवा ल्यो, अर तम्म तड़कै गाम मैं पहुँच जाओ।"

"के कह्या...?" पत्नी फोन पै चीखी, "प्रशान्त के छमाही इम्तिहान सै, आगलै हफ़्ते अर मणि तै परसूँ आल इन्डिया टूर पै जावैगी, अर मै के करूँगी गाम मै?"

स्वयं प्रकाश नै कह्या, "वक्त की नजाकत समझया कर, तो मैं कहूँ सू वोहे कर। अर पी.ए. नै कह दिए के कुछ पत्रकाराँ नै बुलाल्येगा फोन करकै। पिताजी की मौत की आच्छी कवरेज आणी चाहिए अखबाराँ मैं। पिताजी की कुछ फोटू भी पी.ए. नै दे देणा अखबाराँ खातर। अर कह देणा कि खबर में मेरा नाम जरूर आणा चाहिए। अर हाँ, तू दो बजे तै पहल्याँ ना पहुचिये।"

स्वयं प्रकाश सुबह आठ बजे गाम पहुँच कै, बाप की ल्हास पै पड़ कै रोण

लाग्या, पर उसका रोणा असली था। क्योंकि उसका रोणा, पिता की मौत पै कम अर आपणी जाँच पै अर जाती हुई नौकरी पर घणा था। गाम आलाँ नै जिब दाह-संस्कार की बात करी तै वो बोल्या, "पोते के आए बिना याह बात जायज सै?" इब एस. पी. की सामी कूण बौले था।

स्वयं प्रकाश पिता के पास दरी पै बैठे थे। शहर तै बरफ की सिल्ली मंगा के शव पै धर दी। लगभग ढाई बजे उसकी पत्नी सफैद साड़ी मैं, थोड़ा-सा मेकअप करके, अर प्रशान्त सफैद कुर्ते पजामे मैं, अर मणि सफैद सलवार-कमीज अर चुन्नी ओढे कार तै उतर कै दादा के पेराँ के पास आ बैठ्गे। मम्मी ने उनके लिए रेडीमेट कुर्ता-पजामा, सलवार-कमीज खरीद कै, धुवा कै, परैस करवा कै दिए थे, जिस तै नए ना दीखैं अर रास्ते में समझा दिया था, अक उन्होंने गाम में के करणा सै। दोनों आपणे कालेज मैं ड्रामे मै हिस्सा लै थें। ज्याँ तै यो करणा उन्हें, नै कोए मुसकल नहीं होया। शहर तै फोटोग्राफर, अर पत्रकार, आ गये थे उनके मित्र व सहयोगी भी आ गये थे। स्वयं प्रकाश नै, बाकायदा सिर मुडवा के पिता ताई मुखाग्नि दी।

चहेते पत्रकाराँ नै खबराँ मैं माँग की अक सत्यप्रकाश के देहान्त पे सार्वजनिक छुट्टी ना करकै संरकार ने लोगों की भावना को ठेस पहुँचाई सै।

स्वयं प्रकाश क्रिया पै बैठा। चार-चार बेड-टी, पी कै उठ्ण आळै उठतैए, सिगार सुलगा कै, जिस एस.पी. साहिब की हाजत मुस्कल तै उतरै थी। वो खुद हैरान थे कि आड़ै खाली पेट जंगल- पाणी हो आवै था। हाँ, लोटङ्ग ले कै जाणा जरूर अखरै था, कित कमोड, कित जेट की धार अर कित बचपन की तरियाँ, खोच नै जाणा। पर दो दिन मै वो याह बात भूल गया था।

सत्रह दिन क्यूकर बीते, बेरा ना पाट्या। पाँच गामा के लोग्याँ नै, सतरमी का न्यौता गया था। अखबाराँ मैं सत्यप्रकाश के जीवन, उनकी अनेक जेल यात्रा का ब्यौरा छप्या था। पं. जवाहरलाल, गांधी जी के साथ के फोटो छप्ये थे। एक फोटू खुद सत्यप्रकाश को जूता पहरण में सहायता करते, हुए वर्तमान मुख्यमंत्री का भी छप्या था। सतरमी आले दिन ग्राम मै मेले, जिसा माहौल था। कई शामियाने लगे थे। हजारों लोगों का भोज था। मुख्यमंत्री, सहित पूरा मंत्रिमण्डल शोक में शामिल हुआ था। मुख्यमंत्री तो श्रद्धांजलि देते-देते श्री सत्यप्रकाश की याद में रो पड़े थे। अर, उन्होंने गाम में, सत्यप्रकाश के नाम पै, पालीटेक्नीकल कालेज खोलण की घोषणा कर दी थी।

स्वयं प्रकाश ने, इस अवसर पै अपणै पिता की याद मै एक शहीदी म्यूजिम बनाण खातर अपणी पुस्तैनी हवेली दान मै दे दी, जिसमैं, चन्द्रप्रकाश रहवै था अर उस पै उसका आधा हक था। इस तरह सतरहाँ दिन की कैद काट कै घुटे सिर शहर अपणी कोठी पै पहुँचा। घर पहुँच कै पहलाँ फव्वारे तलै न्हाया। जिब ताँयी उसकी पत्नी नै मेज पै स्कॉच अर, सोडा लगा दिया था, अर जिन्दगी मैं पहली बार

पत्नी स्वयं प्रकाश की स्याणपत की कायल हुई थी। बाथरूम तै, बाहर आकर स्वयं प्रकाश ने खड़े-खड़े पत्नी के बाँए, पैग की एक लम्बी घूंट ली। फेर सिगार सुलगा के लम्बा कश ले कै पत्नी को बाईं बाँह के घेरे मै, ल्याँ फेर उसकी, आख्याँ मैं आँख घाल्य कै बोल्या, ''क्यूँ किसी रह्यी?''

तभी फोन की घंटी बज उठी, इन्सपैक्टर जनरल का फोन था। एस.पी. पत्नी को बांह में लिये-लिये अटेंशन की मुद्रा मैं, आकै बौल्ये, ''सर! स्वयं प्रकाश एस. पी. स्पीकिंग।''

उधर से आवाज आई, ''एस.पी. नहीं स्वयं प्रकाश डी.आई.जी. कहो, तुम्हारी प्रोमोशन हो गई है, कांग्रेचुलेशन।'' और इन्सपैक्टर जनरल ने फोन रख दिया।

स्वयं प्रकाश ने, फोन रखकर पत्नी को बाँहों में उठा लियाँ। कहण लाग्या, ''देख्या डार्लिंग, मेरा दिमाग। कित तै सत्यप्रकाश स्वतंत्रता सैनानी के बेटे नै सस्पेंड करण चाल्ये थे अर इब डी.आई.जी. बनाणा पड्या। सिरफ, मेरे दिमाग की वजह तै। क्यूँ मानै सै अक न्हीं?''

''मानगी!'' पत्नी हॉसकै बोल्यी।

उड़ै गाम मैं चन्द्रप्रकाश पुस्तैनी मकान खाली करकै, रहण खातर कोठड़ी का जुगाड़ करण की सौचे था।

सब अपणे भाग का खावैं सैं

एक बड़ा घमण्डी राजा था। उसकै पाँच छोरी थी। उसनै उनतैं बूझया-आंहे! तम किसके भाग का खाओ सो? चार छोरी तै न्यूं बोल्ली—बाबू! तेरे भाग का खावां सां। एक बोल्ली—बाबू! सब अपणे भाग का खावैं सैं। इतणी सुण कै राजा का पारा गरम होग्या अर आग बबूला होकै बोल्या—छोरी! देखूंगा तू अपणे भाग का क्यूकर खावै सै। उसनै अपणे दो दूत बलाए अर उनतैं बोल्या—इस छोरी का वर टोहो, जिसकै ना तो खाण नै दाणे हों अर ना रहण नै घर। जो आग्या महाराज! दूत हाथ जोड़ कै, सिर झुका कै चाल पड़े।

उननै राह म्हं एक लकड़हारा मिल्या। उसके झीरमझीर लत्ते, पाहयां म्हं फीडे लीतर अर सिर पै लाकड़ियाँ का जबर भरोटा था। उनै देखकै वैं आपस म्हं कहण लाग्गे—बणगी बात, इस तैं बाधू कंगला कोए नहीं मिल्लै।

वैं उस लकड़हारे तैं बोल्ले—भाई! तेरा के नाम सै? कूणसा गाम सै? घर-परिवार के कुछ सै?

लकड़हारा बोल्या—धरमा मेरा नाम सै। यू पास म्हं धरमपुर मेरा गाम सैं। माँ-बाप मरगे, लकड़ी बेचण का मेरा काम सै।

राजा के दूत बोल्ले—भाई! हम तेरी सगाई करांगे। चाल अपणा घरबार दिखा।

धरमा बोल्या—क्यूं मेरा मजाक उड़ाओ सो? गरीब के कूण सगाई ब्याह करै सै?

दूत बोल्ले—घबरावै ना, तेरा इसा काम बणावांगे, याद राखैगा। राजा की लड़की नै तेरी गैल्यां ब्याह्वांगे। एक बै घरां तै चाल।

तीनूं जणे घरां आगे। लकड़हारे नै पाँच-सात पड़ौसी कट्ठे कर लिए। राजा के दूत टीका करकै रपया-नारियल देगे अर कहगे के आखा-तीज नै ब्याहण आज्याइयो। कुछ दिन बीते, ब्याह्वण की रात बी आगी। राजा नै चाह-पाणी प्याकै सूकी छोरी गेल्यां कर दी।

राजकुमारी नै सांसरै जाकै देख्या, कच्चा सा ढूंढ सै। घर म्हं मूसे कलावादी खां सैं। लेणा एक न देणे दो। लिछमी की जगांह लछमण कूदण लागरह्या सै।

राजकुमारी नै धरमे तैं कहया—पतिदेव! आप के काम करो सो? क्यूकर गुजारा चालरह्या सै?

धरमा बोल्या—काम के, लाकड़ी बेचूं सूं अर गुजारा करूं सूं।

राजकुमारी बोल्ली—कोए बात ना। कार कोए छोटी नहीं होंदी, आदमी बेकार नहीं होणा चाहिए। मेहनत की कमाई म्हैं बरकत हो सै। इब मैं बी आकी मदद करूँगी। घरस्थ की गाड़ी दोनुवां नै मिल कै खींचणी पड़ैगी। बरकत बी जब्बै होगी जब दोनूं कमावांगे।

धरमे ने कहया—तू महलां के रहण आली राजकुमारी। नरम गात, क्यूकर बोझा ढोवैगी? ईब मैं दो भरोटे लाकड़ियाँ के ल्याकै बेच्या करूँगा। तन्नै कोए तकलीफ नहीं होण दूं। तू तो घर नै संभाल।

राजकुमारी कहण लागगी—मेरी बात सुणो! जो सूते रहैं सैं, उनका भाग बी सोज्या सै अर जो जागू रहैं सैं, उनका भाग बी जागज्या सै। इस शरीर नै चाहे फूल बणालो, चाहे बज्जर। आधे अंग की साझण सूं, पति का साथ देना, पत्नी का धरम सै। मैं मेहनत तै नहीं डरती स्वामी। मेहनत की खाद तैं सुख की बेल फलै फूलै सै।

"देवी! तू कुछ दिन तो घर पर रहै, फेर देखल्यांगे। धरमे नै कुछ सोच कै कहया।"

आच्छा, स्याणे! लाकड़ी खतम होरी सैं। कुछ लाकड़ी घर खात्तर बी ले आइए, राजकुमारी बोल्ली।

धरमे नै कहया देवी ! मैं ढाब्बे पै खाणा खां सूं। आन्दे हाणे तेरा बी ले आऊँगा। क्यूं झंझट म्हं पड़ै सै।

राजकुमारी बोल्ली—घर-घरस्थी न्यू ना चाल्या करती। ढाब्बे का खाणा अर अपणे घर का खाणा एकसा थोड़े ए हो सै। मैं आड़ै ठाल्ली बैठी के करूँगी। रासन ले आइए, भोजन मैं बणाऊँगी।

धरमा लाकड़ी बेचकै उन पीस्यां का आटा, दाल वगैरा खरीद ल्याया। कुछ लाकड़ी बी ले आया। राजकुमारी नै चूल्हा चौंका ला कै बड़े प्रेम तैं भोजन बणाया। धरमा खा कै बोल्या—देवी! मैं तो सुरग म्हं आग्या। इस भोजन मनैं आज तक नहीं

खाया था। साची कही सै—बीर बिना घर म्हं बान्नी नहीं लागती। मैं तो ढाब्बे के रांडे रोट अर बिधवा दाल खांदा-खांदा उकता ग्या था।

हाँसते होए राजकुमारी नै बी भोजन करया। फिर बोल्ली—यें लाकड़ी तै चन्दन की दीखैं सैं। इनम्हं कितनी बढिया सुगन्धि आण लागर्‌ही। यें हे बेच कै आया करो के?

हाँ, राजकुमारी। यें हे बेच कै आया करूँ, कई साल होगे, धरमे नै कहया।

राजकुमारी बोल्ली—या तै भोत कीमती चीज सै भोले भण्डारी। ईब तांही तो तू मालामाल होज्या है। काल्ह सेठ नै कहिए—मेरा हिसाब कर दे।

धरमा अगलै दिन भरोटा ले कै गया अर बोल्या—सेठ जी! मेरा हिसाब कर दो। यें लाकड़ी भौत कीमती सैं चन्दन की।

सेठ बोल्या—ऊत का ऊत्! आया हिसाब कराण। ले सौ रपये लेज्या। होग्या हिसाब। उस टेम रपया गाड़ी के पहिएं जोड होया करदा। सौ रपये ले कै धरमा खुस होंदा आया। राजकुमारी के हाथां म्हं सौ रपये धर दिए।

राजकुमारी बोल्ली—बस, यें है? हजारां रपये लिकड़ैंगे। पूरा हिसाब कराओ।

धरमा बोल्या—देवी! वो तो साफ नाटग्या। न्यूं बोल्या, सौ रपये लिकड़ैं सै, लेज्या।

मन्नै सेठ का पता बता दो। काल्ह बार्‌हा बजे मैं आऊँगी, फेर अपणे हिसाब का जिकरा करियो। राजकुमारी नै कहया।

धरमा सेठ धोरै अगले दिन फेर गया अर बोल्या—सेठ जी! मेरा पूरा हिसाब कर दो, नहीं तो...।

सेठ बोल्या—ऊत का ऊत, पाच्छै पड़रया सै। किसा हिसाब? और कोन्या लिकड़ते। डाट बी मारै सै, नहीं तो...। नहीं तो के कर लेगा? उस्सै टेम पुलिस अफसर की वर्दी म्हं मर्दाना भेष बणा कै राजकुमारी पहुँचच्या सै। जा कै सेठ पै डाट मारी—नहीं तै...मैं बताऊँगा सेठ! कै तो इस गरीब का हिसाब कर दे, नहीं तो पुलिस के दूत-भूत तनै पाकड़ कै ले ज्यांगे। सारी ठग्गी का माल लिकड़ज्यागा अर जेल की हवा खागा।

पुलिस अफसर नै देख कै सेठ के होंस उड़गे अर हाथ जोड़ कै बोल्या—ईब सारा हिसाब कर दूंगा साहब! मैं तो इस गेल्यां मजाक कर र्‌हया था। इसकी एक एक पाई द्यूंगा। थारै धोरै सिकात करण की के जरूरत थी।

सेठ धोरै हिसाब करा, भौत घण धन ले कै धरमा घरां आग्या।

राजकुमारी पहल्यां आई बैठी थी। उसनै सारा धन राजकुमारी तैं सौंप के कहया—प्यारी! तू इसी लिछमी आई सै, मेरे वारे-न्यारे होगे। मैं के था अर आज के बणा दिया तनैं। मैं सारी जिंदगी तेरा स्यान नहीं भूलूंगा।

राजकुमारी बोल्ली—यू थारे ऊपर कोए स्यान नहीं सै स्वामी! पति-पत्नी का दुःख-सुख सांझा हो सै। दोनूं पहिए ठीक हों जब गाड़ी चाल्या करै। आप जिसे बेऐब, मेहनती, सुलझे होए पति नै पा कै मैं धन्य सूं। टोटा-नफा तै आणी जाणी चीज सै।

राजकुमारी नै अपणे पति तांही पढणा-लिखणा, हिसाब-किताब करणा सिखा दिया। नामा था ए। व्यापार म्हं दिमाग चाल पड़्या धरमे का। खूब फल्या-फूल्या। करोड़ा पै धजा फरकण लागगी। इब उन धोरै भौत सुन्दर महल, दास-दासी, सब क्याहे के ठाठ होगे। दोनुवां की धरम-करम म्हं नीत थी। धर्मशाला, कुएँ, दवाखाने जगांह जगांह बणा दिए। ईब अफसरां म्हं अर सेठा म्हं बी उसकी खूब चालपूग होगी। धरमा लकड़हारे तैं धरमचन्द सेठ बणग्या। कहया करैं सै - टोटे तेरे तीन ना, लुच्चा, गुंडा, बेईमान। नफा तेरे तीन नाम, परशु, परशा, परशुराम।

एक दिन राणी न्हाण लागरही थी। उसका बहुत कीमती हार एक चील ठाकै लेगी। वो हार धरमचन्द की छात पै गिरग्या। कहयां करैं के रपये नै रपया खैचै सै। राजकुमारी ऊपर गई तो नौलखा हार छात पै पड़्या मिल्या।

राजा नै ढिंढोरा पिटवा दिया के राणी का हार गुम होग्या, किसे नै मिलज्या तो राजदरबार म्हं पता दे दियो, उसनै भौत बड़ा इनाम दिया जागा। राजकुमारी नै वो हार नौकर के हाथ राजदरबार म्हं भेज दिया अर नौकर तांही कह दिया के राजा इनाम दे तो कुछ नहीं लेणा। नौकर ने हार दरबार म्हं ले ज्याकै राजा तांही सौंप दिया। राजा बड़ा खुश होया अर बोल्या—मनचाहा इनाम दूंगा, बोलो के चाहो सो।

नौकर नै कहया—महाराज! यू हार म्हारी मालकण नै छात पै पड़्या मिल्या सै। उसनै मेरे तैं न्यूं कहया था—राजा धोरै कुछ मत लेणा। पाई होई चीज उनके पास पहुँचाणा म्हारा फरज सै। राजा नै मन म्हं सोच्या—यू तो कोए भौत बड़ी हस्ती सै। इसतैं मिलणा चाहिए।

राजा नौकर तैं बोल्या—भाई! अपणे मालक तैं कह दिये राजा तेरे तैं दोस्ती करणा चाहवै सै, काल्ह भोजन भी उसके घरां होगा। के उसका नाम सै? कुणसा गाम सै? सारा पता बता दे।

नौकर कहण लाग्या—जो आज्ञा महाराज! धरमपुर नगर म्हं धरमचन्द सेठ सै। उसनै सब जाणैं सैं, बड़ा धरमात्मा सै महाराज!, न्यूं कहकै नौकर वापिस घरां आग्या। राजकुमारी तैं बोल्या—मालकण! राजा भौत खुश होया। काल्ह राजा खुद थारे घर पै आवैगा अर आड़ै ए भोजन करैगा।

धरमचन्द अर राजकुमारी बड़े खुश हुए। तरांह तरांह के पकवान बणाए। फटाफट सब इन्तजाम होग्या। राजा दलबल के साथ आया अर महल नै देख कै अचम्भे म्हं होग्या। धरमचन्द नै बी राजा की खूब आवाभगत करी। दावत पै भौत आदमी आरहे थे। सब भोजन करण लागगे। राजा अपणे खास कमरे म्हं अलग बिठाया। सजी धजी राजकुमारी नै आकै हाथ जोड़ कै नमस्ते करी। राजा अपणी लड़की नै देख कै हैरान रहग्या। उसके सिर पै हाथ धरकै बोल्या—बेटी! मैं गलती पर थी, मनैं माफ कर दे। सचमुच इस संसार म्हं सब आदमी अपणा भाग ले कै आवैं सैं अर अपणे ए भाग का खावैं सैं।

सन्दर्भ

1. डॉ. नरेश मिश्र, भाषाविज्ञान और मानक हिंदी, पृ. 138
2. डॉ. राज किशोर सिंह, संस्कृत भाषाविज्ञान, पृ. 218
3. डॉ. नरेश मिश्र, भाषाविज्ञान और मानक हिंदी, पृ. 178
4. डॉ. भोलानाथ तिवारी, भाषाविज्ञान, पृ. 339
5. डॉ. भोलानाथ तिवारी, शब्दों का अध्ययन, पृ. 23
6. डॉ. नरेश मिश्र, भाषाविज्ञान और मानक हिंदी, पृ. 223
7. सुरेश जांगिड़ उदय, भारतभूषण सांघीवाल, हरियाणवी साहित्य रत्नावली, पृ. 239
8. ओमप्रकाश कादयान, आन्ध्या की लाठी, पृ. 58-59
9. ओमप्रकाश कादयान, आन्ध्या की लाठी, पृ. 34
10. सम, पृ. 78
11. डॉ. पूर्ण चंद्र शर्मा, हरियाणवी और उनकी बोलियों का अध्ययन, पृ. 92
12. ओमप्रकाश कादयान, आंध्या की लाठी, पृ. 75

तृतीय अध्याय

मानक हिंदी और ब्रज हरियाणवी : व्यतिरेकी अध्ययन

हिंदी का प्रयोग भारतवर्ष के विस्तृत भूभाग में बहुसंख्यक लोगों द्वारा किया जाता है। हिंदीतर प्रदेशों या क्षेत्रों में हिंदी प्रयोग करने और समझनेवालों की संख्या पर्याप्त है। हिंदी के विस्तृत क्षेत्र में प्रयोग होने से इसमें विविधता होना स्वाभाविक है। इस विविधता में एकरूपता विकसित करने के लिएं हिंदी का मानकीकरण किया गया है।

हरियाणा प्रदेश में हरियाणवी बोली का प्रयोग किया जाता है। इस प्रदेश की बोली पर सीमावर्ती प्रदेश की भाषाओं और बोलियों का गंभीर प्रभाव पड़ा है। यही कारण है कि हरियाणवी बोली में भी उपबोलियों के स्वरूप सामने हैं।

हरियाणवी उपबोलियों में 'ब्रज हरियाणवी' का विशेष महत्त्व है। पश्चिमी हिंदी की विविध बोलियों में 'व्रज' का अपना महत्त्व है। डॉ. भोलानाथ तिवारी ने हिंदी में व्रज के महत्त्व को रेखांकित करते हुए लिखा है, "यह पश्चिमी हिंदी की अत्यंत प्रमुख तथा प्रतिनिधि बोली है।"[1]

भक्तिकाल और रीतिकाल के हिंदी साहित्य की प्रबल भूमिका निभाने पर इसे साहित्यिक भाषा की संज्ञा मिली और इसे 'व्रजभाषा' की संज्ञा से अभिहित किया गया है। इस तथ्य को स्पष्ट करते हुए डॉ. धीरेंद्र वर्मा ने अपने विचार इस प्रकार व्यक्त किए हैं, "प्राचीन हिंदी साहित्य की दृष्टि से ब्रज की बोली की गिनती साहित्यिक भाषाओं में होने लगी। इसलिए आदरार्थ व्रज भाषा कह कर पुकारी जाने लगी।"

डॉ. सरयूप्रसाद अग्रवाल ने व्रजभाषा के महत्त्व और आकर्षण के विषय में उल्लेख किया है, "वल्लभ संप्रदायी सूर की संगीतात्मकता तथा कृष्णभक्ति के प्रचार ने व्रजभाषा को अपूर्व सहयोग दिया। व्रजभाषा को अपनाने में भक्त समर्थकों का उद्‌देश्य नितांत स्पष्ट था—

सूरभाषा तें अधिक है व्रजभाषा सौं हेत।
व्रजभूषण जाको सदा, मुखभूषण कर लेत।।[2]

व्रज भाषा प्रयोग का केंद्र मथुरा-आगरा है। उत्तर प्रदेश के आगरा और मथुरा

क्षेत्र से हरियाणा का फरीदाबाद और गुड़गांव का क्षेत्र जुड़ा हुआ है। इसलिए मथुरा और फरीदाबाद के मध्य क्षेत्र में ब्रज हरियाणवी का प्रयोग होता है। ब्रज हरियाणवी का प्रयोग मेवाती के पश्चिमी भाग तथा केंद्रीय हरियाणवी के पूर्व-दक्षिण में होता है। इसका प्रयोग-केंद्र पलवल मान सकते हैं। होडल तक इसका प्रयोग होता है। भौगोलिक आधार पर ब्रज हरियाणवी की सीमा का विस्तार दिल्ली से आरंभ होकर फरीदाबाद, बल्लभगढ़, पलवल, हसनगढ़ और होडल तक है।[3] इससे आगे उत्तर प्रदेश की सीमा तक मान सकते हैं, क्योंकि शादियों आदि के लोकगीतों में हरियाणवी ब्रज का रंग सामने आता है। यहाँ की बोल-चाल या व्यावहारिक अभिव्यक्ति में हरियाणवी ब्रज का प्रयोग किया जाता है। हरियाणवी में ब्रज के लिए 'बिरजिया' शब्द का प्रचलन है। इसका अर्थ है ब्रज से संबंधित।

ब्रज के विस्तृत क्षेत्र में प्रयुक्त होने के कारण निकट की विविध बोलियों का स्पष्ट प्रभाव दिखाई देता है। इस आधार पर हिंदी की बोली 'ब्रज' के पाँच रूप सामने आते हैं–

क) केंद्रीय वर्ग–आगरा, मथुरा, अलीगढ

ख) पूर्वी वर्ग–बरेली, बदायूँ, एटा, इटावा, मैनपुरी

ग) पश्चिमी वर्ग–बुलंदशहर, गुडगाँव, पलवल, फरीदाबाद, मातपुर

घ) उत्तरी वर्ग–काशीपुर

ङ) दक्षिणी वर्ग–धौलपुर, रणथंभौर

इस प्रकार हरियाणवी ब्रज वास्तव में ब्रज का पश्चिमी वर्ग है।

3.1 मानक हिंदी और ब्रज हरियाणवी : ध्वनि व्यतिरेक

मानक हिंदी की निर्धारित स्वर एवं व्यंजन ध्वनियाँ हैं। इसके साथ ही खंड्य और अखंड्य ध्वनियों की भी निश्चित व्यवस्था है। संस्कृत से परंपरागत आई ध्वनियों के साथ अंग्रेजी से आगत स्वर ध्वनि–पश्च, वृत्ताकार और विवृत 'ऑ' को अपना लिया गया है। इसके साथ ही अरबी, फारसी और तुर्की की संघर्षी व्यंजन ध्वनियों–ख़, ग़, ज़ और फ़फ को भी अपना लिया गया है।

3.1.1 स्वर व्यतिरेक

ब्रज हरियाणवी की कुछ स्वर ध्वनियाँ मानक हिंदी की ध्वनियों से व्यतिरेकी रूप में प्रयुक्त होती हैं। मानक हिंदी और ब्रज हरियाणवी की स्वर ध्वनियों के व्यतिरेकी अध्ययन के लिए उनकी स्वर ध्वनियों को प्रस्तुत किया जा रहा है–

मानक हिंदी : स्वर ध्वनियाँ

ह्रस्व स्वर	–	अ, इ, उ, ऋ
दीर्घ स्वर	–	आ, ऑ, ई, ऊ, ए, ऐ, ओ, औ

ब्रज हरियाणवी स्वर

अति ह्रस्व स्वर	–	अॅ, इॅ, उॅ
ह्रस्व स्वर	–	अ, इ, उ, ऍ, ऑं
दीर्घ स्वर	–	आ, ई, ऊ, ए, ऐ, ओ, औ

मानक हिंदी-ब्रज हरियाणवी

स्वर ध्वनि व्यतिरेक

मानक हिंदी स्वर

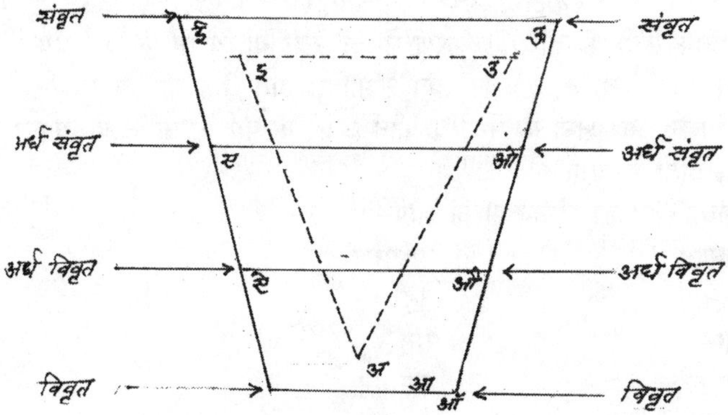

ब्रज हरियाणवी स्वर

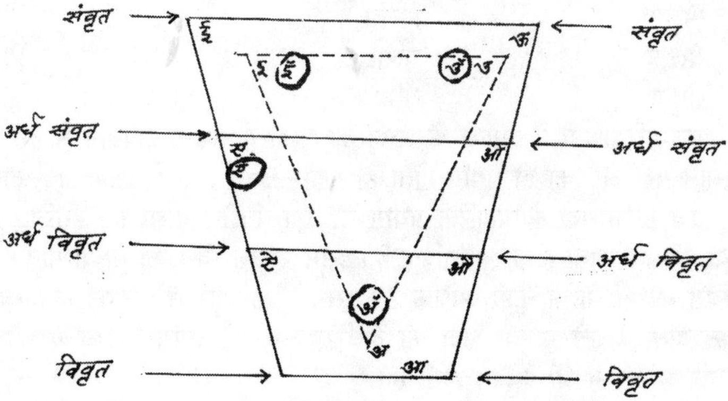

मानक हिंदी स्वर

इस विवरण से स्पष्ट है कि परंपरागत संस्कृत की 'ऋ' ध्वनि का प्रयोग मानक हिंदी के तत्सम शब्दों में होता है; यथा–

ऋ – ऋण, ऋषि, ऋतुराज

ब्रज हरियाणवी में यह ध्वनि लुप्त हो गई है। इसके स्थान पर 'रि' का प्रयोग किया जाता है।

मानक हिंदी में अंग्रेजी के शब्दों के मानक लेखन और उच्चारण के लिए 'ऑ' ध्वनि को व्यावहारिक रूप में अपना लिया गया है; यथा–

ऑ – Ball > बॉल
College > कॉलेज
Doctor > डॉक्टर

मानक हिंदी के त्वरित उच्चारण में 'अ' स्वर या व्यंजन के साथ प्रयुक्त इसके अस्तित्त्व (क = क् + अ) का लोप संभावित होता है। यह अ मुख्यतः शब्दांत अकार व्यंजन और शब्द के मध्य या दीर्घ अक्षर के पूर्व या उपांत के अकार व्यंजन का लोप होता है; यथा–

शब्दांत अकार व्यंजन से अ लोप–

लेखन	**उच्चारण**
तन	तन्
राम	राम्
रामायन	रामायन्

शब्द के उपांत का 'अ' लोप–

लेखन	**उच्चारण**
उसका	उस्का
मिलता	मिल्ता
चलता	चल्ता
सपना	सप्ना

ब्रज हरियाणवी में अंग्रेजी के शब्दों को सामान्य रूप से अपनाने से इस ध्वनि के स्थान पर 'आ' का ही प्रयोग होता है; यथा–Ball - बाल, Doctor - डाग्डर

ब्रज हरियाणवी व्यावहारिक प्रयोग की एक विशेष बोली है। इसलिए इसमें ध्वन्यात्मक विविधता होना स्वाभाविक है। इसमें प्रयुक्त स्वरों की संख्या मानक हिंदी के स्वरों की संख्या से कहीं अधिक है। इसमें अॅ इॅ और उॅ ह्रस्वतर स्वर ध्वनियाँ प्रयुक्त होती हैं, तो मानक हिंदी की दीर्घ ए और ओ ध्वनियाँ ह्रस्व ऍ और ऒ ध्वनियों के रूप में भी प्रयुक्त होती हैं।

ब्रज हरियाणवी के सहज बोलचाल में मानक हिंदी के इ और उ स्वरों के प्रयोग में अपेक्षाकृत कम समय लगने का व्यतिरेक सामने आता है।

ब्रज हरियाणवी की ह्रस्वतर स्वर ध्वनियों का प्रयोग प्रायः शब्दांत में होता है; यथा–

अॅ	–	बहुअॅ, बढअॅ
इॅ	–	बहुरिॅ, करिॅ
उॅ	–	चलतुॅ, बागुॅ

मानक हिंदी वास्तव में खड़ी बोली का मानकीकृत रूप है। इसकी क्रिया आदि के अंत में खड़ी पाई की प्रमुखता होती है अर्थात् इसकी प्रवृत्ति आकारांत होता है; यथा–जाना, पढ़ना, चलना, मोटा, पतला आदि।

हरियाणवी ब्रज में यह 'आ' ध्वनि प्रायः 'ओ' व्यतिरेक रूप में प्रयुक्त होती है; यथा–

		मानक हिंदी		**ब्रज हरियाणवी**
आ	>	गया (आ)	–	गयो (ओ)
		खाया	–	खायो
		जाऊँगा	–	जाऊँगो
		झगड़ा	–	झगड़ो
		बड़ा	–	बड़ो
		मीठा	–	मीठो

विशेष : ब्रज हरियाणवी में मानक हिंदी की 'ए' और 'ओ' ध्वनियाँ प्रायः क्रमशः 'ऐ' और 'औ' बन जाती हैं। इसे व्यतिरेक संदर्भ से देख सकते हैं–

मानक हिंदी	**ब्रज हरियाणवी**
करे (ए)	करै (ऐ)
को (ओ)	कौ (औ)
ऊधो (ओ)	ऊधौ (औ)

3.1.2 व्यंजन व्यतिरेक

मानक हिंदी के व्यंजनों की मानक संख्या और व्यवस्था की गई है। उनहें हम स्थान या प्रयत्न के आधार पर वर्गीकृत कर व्यवस्थित करते हैं। इस अध्ययन से विभिन्न व्यंजनों की प्रवृत्तियों का स्पष्ट बोध होता है; यथा–

कंठ्य	–	क् ख् ग् घ् ङ्
तालव्य	–	च् छ् ज् झ् ञ् श्
मूर्द्धन्य	–	ट् ठ् ड् ढ् ण् ष् ड़् ढ़्
दंत्य	–	त् थ् द् ध् न् स्

ओष्ठ्य	–	प् फ् ब् भ् म्
स्वरयंत्र मुखी	–	ह्

ब्रज हरियाणवी में प्रयुक्त अतिरिक्त व्यंजन ध्वनियों से उच्चारण का वैशिष्ट्य सामने आता है, जो मानक हिंदी के उच्चारण से व्यतिरेक का आधार बनता है। ब्रज हरियाणवी की व्यंजन ध्वनियों को इस प्रकार सामने रख सकते हैं–

कंठ्य	–	क् ख् ग् घ् ङ्
तालव्य	–	च् छ् ज् झ् ञ्
मूर्द्धन्य	–	ट् ठ् ड् ढ् ण् ड़् ढ़्
वर्त्स्य	–	ल् ल्ह् र् र्ह्
दंत्य	–	त् थ् द् ध् न् न्ह् स्
ओष्ठ्य	–	प् फ् ब् भ् म् म्ह व्
स्वर यंत्रमुखी	–	ह्

इस प्रकार स्पष्ट है कि मानक हिंदी से ब्रज हरियाणवी की व्यंजन ध्वनियों से र्ह्, ल्ह्, न्ह् और म्ह् का व्यतिरेकी रूप सामने आता है।

व्यंजन-प्रयोग : ब्रज हरियाणवी में मानक हिंदी से (कुछ भिन्न व्यंजन ध्वनियों का प्रयोग होता है साथ ही (कुछ व्यंजन ध्वनियाँ बदल कर प्रयुक्त होती है। इस प्रकार के प्रमुख व्यतिरेक को इस प्रकार रेखांकित कर सकते हैं–

1 ण् > न

मानक हिंदी की मूर्द्धन्य नासिक्य व्यंजन ध्वनि प्रायः दंत्य नासिक्य के रूप में प्रयुक्त होता है; यथा–

मानक हिंदी		**ब्रज हरियाणवी**	
वर्ण	(ण)	वरन	(न)
चरण	(ण)	चरन	(न)
हरण	(ण)	हरन	(न)

2 ल > र

अंतस्थ पार्श्विक व्यंजन ध्वनि प्रकंपित 'र' के रूप में प्रयुक्त होती है; यथा–

मानक हिंदी		**ब्रज हरियाणवी**	
दीवाल	(ल)	दीवार	(र)
बादल	(ल)	बादर	(र)
भोली	(ल)	भोरी	(र)

3 ड़ > र

ब्रज हरियाणवी में मूर्द्धन्य, घोष, अल्पप्राण उत्क्षिप्त 'ड़' ध्वनि प्रकंपित 'र' के रूप में प्रयुक्त होती है; यथा–

मानक हिंदी		ब्रज हरियाणवी	
कीड़ी	(ड़)	कीरी	(र)
घोड़ा	(ड़)	घोरा	(र)
थोड़ा	(ड़)	थोरा	(र)

4 श्, ष् > स्

ब्रज हरियाणवी में ऊष्म 'श' और 'ष' तालव्य और मूर्द्धन्य ध्वनियाँ प्रायः दंत्य ऊष्म ध्वनि 'स' हो जाती है। 'स्' ध्वनि पूर्ववत दंत्य ऊष्म 'स' ही रहती है।

मानक हिंदी	ब्रज हरियाणवी
शारदा	सारदा
विशेषण	विसेसन
विश्वास	विस्वास

5 मानक हिंदी में न्, म्, र् और ल् का स्वतंत्र प्रयोग होता है। ब्रज हरियाणवी में इन व्यंजन ध्वनियों का महाप्राणीकरण हो जाता है। इन्हें इस प्रकार स्पष्ट कर सकते हैं–

मानक हिंदी	ब्रज हरियाणवी
नाखून (न्)	न्हाखून (न्ह)
स्नान (न्)	न्हात (न्ह)
महक (म्)	म्हक (न्ह)
उपालंभ (र्)	उर्हनो (र्ह)

6 मानक हिंदी के सामान्य उच्चारण में विभिन्न व्यंजनों का शब्दांतर्गत उच्चारण होता है, ब्रज हरियाणवी के शब्दों में कुछ व्यंजनों का लोप हो जाता है। 'ह्' ध्वनि का प्रायः लोप है; यथा–

मानक हिंदी	ब्रज हरियाणवी	
बहू	बऊ	(ह लोप)
चौदह	चौदा	(ह लोप)
साहूकार	साऊकार	(ह लोप)
सोलह	सोरा	(ह लोप)

3.2 मानक हिंदी और ब्रज हरियाणवी : शब्द व्यतिरेक

भाषा की स्वतंत्र, लघुतम, महत्त्वपूर्ण सार्थक इकाई शब्द है। सार्थकता ही शब्द का मुख्य गुण है। हरियाणवी ब्रज की शब्दावली में मानक हिंदी की शब्दावली से अनेकशः व्यतिरेक दिखाई देते हैं। उनमें कभी स्वर या व्यंजन का आगम दिखाई देता है, तो कभी उनका लोप होता है। ध्वनियों के परिवर्तन की विविधता की प्रमुखता सामने आती है।

ब्रज हरियाणवी और मानक हिंदी की शब्दावली के व्यतिरेक को मुख्यतः निम्नलिखित संदर्भों में विश्लेषित कर सकते हैं–

3.2.1 ध्वनि आगम

ब्रज हरियाणवी की शब्दावली में कभी-कभी उच्चारण-अनुकूलता के लिए मानक हिंदी से अतिरिक्त ध्वनि का प्रयोग कर लिया जाता है। 'अ' स्वर का शब्द के आदि में होने वाले आगम का व्यतिरेक देख सकते हैं–

मानक हिंदी	**ब्रज हरियाणवी**	**आगम**
स्टेशन	अस्टेशन	अ...
स्तुति	अस्तुति	अ...
स्तर	अस्तर	अ...
स्नान	अस्नान	अ...

3.2.2 ध्वनि परिवर्तन

ब्रज हरियाणवी के शब्दों की ध्वनियों में परिवर्तित रूप सामने आते हैं। इससे मानक हिंदी की शब्दावली से व्यतिरेकी रूप उभरता है। ब्रज हरियाणवी में मानक हिंदी की मूर्द्धन्य अल्पप्राण उत्क्षिप्त 'ड़' ध्वनि प्रायः प्रकंपित 'र' ध्वनि के रूप में प्रयुक्त होती है; यथा–

मानक हिंदी	**ब्रज हरियाणवी**
कपड़ा	कपरा
थोड़ा	थोरा
पड़ा	परा

मानक हिंदी के शब्द के अंतर्गत अंतस्थ पार्श्विक 'ल' ध्वनि ब्रज हरियाणवी में प्रायः प्रकंपित 'र' में बदली हुई प्रयुक्त होने से व्यतिरेक रूप सामने आता है; यथा–

मानक हिंदी	**ब्रज हरियाणवी**
ताला	तारा
पीला	पीरो
बादल	बादर
बल	बर (बरजोरी)
भोली	भोरी

मानक हिंदी के शब्दांतर्गत प्रमुक संयुक्त 'क्ष' (क्ष) ध्वनि ब्रज हरियाणवी में प्रायः तालव्य अघोष महाप्राण 'छ' के रूप प्रयुक्त हो व्यतिरेकी सिद्ध होती है; यथा–

मानक हिंदी	**ब्रज हरियाणवी**
कुरुक्षेत्र	कुरुछेत्र

क्षत्रिय	छत्रिय
नक्षत्र	नछत्र
भक्षक	भछक

मानक हिंदी के शब्द में प्रयुक्त अंतस्थ ओष्ठ 'व' ध्वनि ब्रज हरियाणवी में ओष्ठ्य, घोष, अल्पप्राण 'ब' ध्वनि के व्यतिरेकी रूप में प्रयुक्त होती है; यथा–

मानक हिंदी	**ब्रज हरियाणवी**
व्रज	ब्रज
वदन	बदन
वन	बन
यौवन	जोबन
वीर	बीर

मानक हिंदी की शब्दावली का अंतस्त 'य' ध्वनि ब्रज हरियाणवी में तालव्य, घोष, अल्पप्राण 'ज' के व्यतिरेकी रूप में प्रयुक्त होती है; यथा–

मानक हिंदी	**ब्रज हरियाणवी**
यशोदा	जसोदा
यदुराय	जदुराज
यंत्र-मंत्र	जंत्र-मत्र
अयोध्या	अजोध्या

3.2.3 विदेशी शब्द का तद्भवीकरण

ब्रज हरियाणवी में प्रचलित विदेशी शब्दों का भी पर्याप्त रूप में प्रयोग होता है। मानक हिंदी में विदेशी शब्दों में से कुछ अपने मूल रूप में अर्थात् तत्सम रूप में प्रयुक्त होते हैं; यथा–कॉलेज, डॉक्टर, बॉल, ग़ज़ल आदि कुछ विदेशी शब्द तद्भव रूप में अर्थात् अपने मूल से परिवर्तित होकर प्रयुक्त होते हैं; यथा–तौलिया, कप्तान, कर्ज आदि। कुछ विदेशी शब्दों के अनुकूलन के लिए नवीनीकरण कर दिया जाता है; यथा–Academy : अकादमी, Camedy : कामदी, Tragedy : त्रासदी आदि।

ब्रज हरियाणवी में विदेशी शब्दों को मुख्यतः तद्भव रूप में प्रयोग किया जाता है; यथा–

मानक हिंदी	**ब्रज हरियाणवी**
टाइम	टेम / टैम
ट्रेन	टरेन
ड्रामा	डरामा
ग़ज़ल	गजल
अर्ज़	अर्ज

ब्रज हरियाणवी शब्दावली का व्यतिरेकी स्वरूप उसकी सरलता, आंचलिकता और व्यावहारिकता पर आधारित है।

3.3 मानक हिंदी और ब्रज हरियाणवी : पद व्यतिरेक

पद रचना में शब्द के साथ संबंध तत्त्व जुड़ कर उसमें व्याकरणिक योग्यता ला देते हैं। इससे शब्द अर्थात् अर्थ तत्त्व संबंध तत्त्व का साथ पाकर वाक्य बनाने की क्षमता संपंन हो जाता है। मानक हिंदी और ब्रज हरियाणवी उपबोली दोनों ही वियोगात्मक भाषा-स्वरूप पर आधारित है। दोनों के पद-रचना में अर्थ तत्त्व और संबंध तत्त्व प्रायः अलग प्रयुक्त होते हैं।

प्रत्येक भाषा और बोली के पदों की रचना की अपनी-अपनी विशेषताएँ होती हैं। इस दृष्टि से अध्ययन करने पर मानक हिंदी और ब्रज हरियाणवी उपबोली के पदों की संरचना में स्पष्ट रूप से व्यतिरेक दिखाई देता है।

3.3.1 संज्ञा और कारक चिह्न योग की पद संरचना में व्यतिरेक

पद निर्माण में कर्ता से लेकर संबोधन तक के कारकों के चिह्नों की योजना होती है। मानक हिंदी और ब्रज हरियाणवी के कुछ ही कारक चिह्न समान हैं। दोनों के अधिकांश चिह्नों में व्यतिरेकी स्वरूप मिलता है। ब्रज हरियाणवी का यह पद व्यतिरेक उसकी अपनी पहचान है। इसके आधार पर ब्रज हरियाणवी शिक्षण सरल हो जाएगा। संज्ञा और कारक चिह्नों के योग से पद संरचना का व्यतिरेक उल्लेखनीय है–

	मानक हिंदी		**ब्रज हरियाणवी**	
कारक	चिह्न	पद	चिह्न	पद
कर्ता	ने	श्याम ने	ने	छोरा नैं
		लता ने		नोकर नै
कर्म	को	नगेंद्र को	कूँ	घर कूँ
			कौं	राधा कौं
			कुँ	सपना कुँ
करण	से	कलम से	ते	रोग ते
			तें	व्याह तें
			सौं	हात सौं
संप्रदान	के लिए	गुरु के लिए	कुँ	कुत्ता कूँ
			कूँ	बिल्ली कूँ
			कों	सिर कों
अपादान	से	छत से	तैं	रूख तैं
			ते	बैग ते
			सों	छत सों

संबंध	का	मोहन का	कौ	राधा कौ
अधिकरण	में	घर में	मैं	घर मैं
	पर	छत पर	पै	नसैनी पै
संबोधन	हे	हे राम!	ए	ए राम
			ऐ	ऐ छोरे

3.3.2 संज्ञा पद के वचन संदर्भ का व्यतिरेक

मानक हिंदी और ब्रज हरियाणवी में एकवचन और बहुवचन दो वचनों की योजना है। बहुवचन प्रत्यय की योजना से बने पदों में यत्र-तत्र स्पष्ट व्यतिरेक सामने आता हैं; यथा–

संज्ञा	**मानक हिंदी**	**ब्रज हरियाणवी**
काँटा	काँटे, काटों	काँटन...
आम	आमों	आमुन...
रोटी	रोटियाँ, रोटियों	रोटिन, रोटियन...
आँख	आँखें, आँखों	आँखिन, आँखियन...
नयन	नयनों	नयनन

3.3.3 सर्वनाम पद के कारक संदर्भ का व्यतिरेक

मानक हिंदी और ब्रज हरियाणवी के सर्वनाम के साथ कारक चिह्नों की योजना से बने पदों में कभी-कभी समानता दीखती है, तो प्रायः व्यतिरेक भी दिखाई देता है। कुछ व्यतिरेक संदर्भ उल्लेखनीय हैं–

उत्तम पुरुष

	मानक हिंदी			**ब्रज हरियाणवी**
कारक	**एकवचन**	**बहुवचन**	**एकवचन**	**बहुवचन**
कर्ता	मैं	हम	मैं, हौं	—
कर्म	मुझको	हमको	मोहि, मोको	हमन कों
करण	मुझसे	हमसे	मोसों, मोतें	हमतैं, हमन सौ
संप्रदान	मेरे लिए	हमारे लिए	मोय, मोकौ	हमैं
अपादान	मुझसे	हमसे	मोते, मोसों	हमसौं, हमन सौ
संबंध	मेरा, मेरी, मेरे	हमारा, हमारी, हमारे	मेरा...	हमारो...
अधिकरण	मुझमें, मुझ पर	हम में, हम पर	मो पै, मो मैं, मो परि	हम मैं, हम पै

मध्यम पुरुष

	मानक हिंदी		ब्रज हरियाणवी	
कारक	एकवचन	बहुवचन	एकवचन	बहुवचन
कर्ता	तुमने, आपने	तुम सबने	तूँ, तें, तैं, तूँने	—
कर्म	तुमको, आपको	—	तुहिं, तोहिं, तुमहिं	—
करण	तुमसे, आपसे	—	तुमसों, तमुतें	तुमन सों
संप्रदान	तुम्हारे लिए, आपके लिए	—	तुहिं	तोंहि
आपादान	तुमसे, आपसे	—	तुम सों, तुम तें	तुमन सों
संबंध	तुम्हारा, तुम्हारी, तुम्हारे	—	तेरी, तेरो	तुम्हारो, तिहारी
	आपका, आपकी	—	तेरी, तेते	तिहारे, तिहारो
	आपके			
अधिकरण	तुम में, तुम पर	—	तो पै, तो परि	तुमन पै
	आप में, आप पर	—	तोहिं मैं	

अन्य पुरुष

	मानक हिंदी		ब्रज हरियाणवी	
कारक	एकवचन	बहुवचन	एकवचन	बहुवचन
कर्ता	उसने	उन्होंने	—	—
कर्म	उसको	उनको	बाकौ विसकौ	उनको विनकौ
करण	उससे	उनसे	वासों	उनसों, उनतें
संप्रदान	उसके लिए	उनके लिए	वाकौ, विसकौ	उनको, विनकौ
अपादान	उससे	उनसे	बासों, बातें	उनसों, उनतें
संबंध	उसका, उसकी, उसके	उनका, उनकी, उनके	जिसका, बिसकी, बिसके	बिनका, बिनकी, बिनके
अधिकरण	उसमें, उस पर	उनमें, उस पर	वामैं वापै विस परि	विनपै, उनमैं

3.3.4 सर्वनाम पद रचना में लिंग संदर्भ का व्यतिरेक

भाषा में पुल्लिंग से स्त्रीलिंग शब्द-निर्माण के लिए लिंग प्रत्ययों की योजना होती है। मानक हिंदी और ब्रज हरियाणवी उपबोली के शब्दों के लिंग परिवर्तन में यदि कुछ समानता है, तो कुछ भिन्नता के आधार पर व्यतिरेक सामने आते हैं। यह उस उपबोली की अपनी व्याकरणिक पहचान है। मानक हिंदी और ब्रज हरियाणवी उपभाषा के सर्वनाम पदों के लिंग परिवर्तन में सामने आनेवाले कुछ प्रमुख व्यतिरेक उल्लेखनीय हैं–

	मानक हिंदी		ब्रज हरियाणवी	
पुरुष	**पुल्लिंग**	**स्त्रीलिंग**	**पुल्लिंग**	**स्त्रीलिंग**
उत्तम पुरुष	मेरा	मेरी	मेरौ	--
	हमारा	हमारी	हमारौ	--
मध्यम पुरुष	तुम्हारा	तुम्हारी	तेरा, तिहारौ	तेरी, तिहारी
	आपका	आपकी		
अन्य पुरुष	उसका	उसकी	उस्का	उस्की
	उनका	उनकी	बिनका	बिनकी

3.3.5 विशेषण पद रचना व्यतिरेक

जब विशेषण शब्द वाक्य में प्रयुक्त होने की व्याकरणिक योग्यता प्राप्त कर लेता है या वाक्य में प्रयुक्त होता है, तो उसे विशेषण पद की संज्ञा दी जाती है। प्रत्येक भाषा के वाक्य में प्रयुक्त विभिन्न पदों के समान विशेषण पदों की अपनी विशिष्ट संरचना होती है। यही विशेष संरचना उस भाषा, बोली या उपबोली की अपनी पहचान होती है।

मानक हिंदी और ब्रज हरियाणवी उपबोली के विशेषण पदों के व्यतिरेक को इस प्रकार रेखांकित कर सकते हैं। ब्रज हरियाणवी के विशेषण पदों की सर्व उल्लेखनीय तथ्य यह है कि अविकारी विशेषणों में समरूपता के कारण प्रायः व्यतिरेक नहीं होता है; यथा–

मानक हिंदी	**ब्रज हरियाणवी**
लाल घोड़ा	लाल घोरा
सफेद घोड़ी	सफेद घोरी
सुंदर लड़की	सुंदर छोरी

ब्रज हरियाणवी उपबोली के विकारी विशेषण पदों में व्यतिरेक का स्वरूप सामने आता है; यथा–

मानक हिंदी	**ब्रज हरियाणवी**
काला कुत्ता	कारो कुत्तो
काली कुतिया	कारी कुतिया

काले कुत्ते	कारे कुत्ते
अच्छा लड़का	अच्छो छोरो
अच्छी लड़की	अच्छो छोरी
अच्छे लड़के	अच्छो छोरे

गुणवाचक विशेषण पद-व्यतिरेक : ब्रज हरियाणवी उपबोली के गुणवाचक विशेषण पदों में व्यतिरेक के विविध रूप सामने आते हैं; यथा–

मानक हिंदी	**ब्रज हरियाणवी**
काला	कारौ / कारा घोरा
खारा	खारौ पानी
गीला	गीलो / गीलौ कपड़ा
गोरा	गोरो / गोरौ छोरा
तीखा	तीखो / तीखौ
धवल	धोरौ कुत्तो
नया	नयौ कपरा
पुराना	पुरानौ घर
फीका	फीकौ रस

परिणामवाचक विशेषण पद-व्यतिरेक : ब्रज हरियाणवी उपबोली में नाप-तौल आदि सूचक पदों में व्यतिरेक दिखाई देता है; यथा–

मानक हिंदी	**ब्रज हरियाणवी**
बहुत	घणौ आम
थोड़ी	थोरौ जगह
बहुत	भतेरी भीर

संख्यावाचक विशेषण पद-व्यतिरेक

मानक हिंदी	**ब्रज हरियाणवी**
एक	एकु घर
तीन	तीनि आदमी
छह	छै छोरे
ग्यारह	ग्यारा घोरा
तेरह	तेरा सारी

ब्रज हरियाणवी में क्रमवाचक शब्दों में मानक हिंदी के पदों में पर्याप्त व्यतिरेक दिखाई देता है। कुछ प्रमुख क्रमवाचक पदों का व्यतिरेकी स्वरूप प्रस्तुत है–

मानक हिंदी	ब्रज हरियाणवी
पहला	पहलौ / पैलो पाठ
दूसरा	दुसरौ पाठ
तीसरा	तीजौ / तिसरो दिन
चौथा	चौथों / चउथों घर
पाँचवाँ	पाँचऔ दिन

आवृत्तिसूचक विशेषण पदों में व्यतिरेक

मानक हिंदी	ब्रज हरियाणवी
दूना	दूनौ
तिगुना	तिगुनौ
चौगुना	चौगुनौ
पाँचगुना	पँचगुनौ

सार्वनामिक विशेषण पदों में व्यतिरेक : ब्रज हरियाणवी के कुछ सार्वनामिक विशेषणों में मानक हिंदी के पदों से व्यतिरेकी स्वरूप सामने आते हैं; यथा—

मानक हिंदी	ब्रज हरियाणवी
वह	बौ छोरौ
यह	यो घोरा

ब्रज हरियाणवी के विशेषण शब्द पुल्लिंग से स्त्रीलिंग में बदले जाते हैं, तो दोनों में व्यतिरेकी रूप सामने आते हैं; यथा—

मानक हिंदी		ब्रज हरियाणवी	
पुल्लिंग	**स्त्रीलिंग**	**पुल्लिंग**	**स्त्रीलिंग**
काला	काली	कोरा घोरा	कारी घोरी
दूसरा	दूसरी	दुसरा छोरा	दुसरी छोरी
चौथा	चौथी	चउथो दिन	चउथी रात

ब्रज हरियाणवी के विशेषण पदों में वचन संदर्भ का व्यतिरेक ब्रज हरियाणवी के विशेषण पद के एकवचन में तो व्यतिरेक होता है, साथ ही बहुवचन पद बनने पर भी व्यतिरेक होता है; यथा—

मानक हिंदी		ब्रज हरियाणवी	
एकवचन	**बहुवचन**	**एकवचन**	**बहुवचन**
अच्छा	अच्छे	अच्छो छोरा	- -
काला	काले	कारो कुत्तो	कारे कुत्ते

इस प्रकार विभिन्न विशेषण पदों के मानक हिंदी और ब्रज हरियाणवी संदर्भ में पर्याप्त व्यतिरेक है। यह व्यतिरेक ब्रज हरियाणवी व्याकरण पद की अपनी विशेषता है।

3.3.6 क्रिया पद रचना व्यतिरेक

भाषा में क्रिया पद का सर्वाधिक महत्त्व होता है। यह भी स्पष्ट मान्यता है कि भाषा की पूर्ण सार्थक इकाई वाक्य में एक प्रत्येक्ष या परोक्ष क्रिया पद अनिवार्य रूप से विद्यमान होता है।

मानक हिंदी की मूल क्रिया के अंत में 'ना' अक्षर होता है; यथा—आना, जाना, नाचना, पढ़ना और हँसना आदि।

ब्रज हरियाणवी के मूल क्रिया पद के अंत में 'न', 'नो' और 'बौ' अक्षरों की स्थिति दिखाई देती है; यथा—

1) 'न' अंत्याक्षर क्रियापद—आवन, जावन, चलन, देन।
2) 'नो' अंत्याक्षर क्रियापद—करनौ, खानौ, करनौ, सोनौ।
3) 'बौ' अंत्याक्षर क्रियापद—खाइबौ, गाइबौ, चलिबौ।

पूर्वकालिक कृदंत पद निर्माण में 'इ' और 'इ कै' प्रत्यय पद लगाया जाता है; यथा—

मानक हिंदी	ब्रज हरियाणवी	प्रत्यय
चलना	चलि	(इ प्रत्यय)
पढ़ना	पढ़ि	(इ प्रत्यय)
लिखना	लिखि	(इ प्रत्यय)
खाना	खाइ कै	(इ कै)
जाना	जाइ कै	(इ कै)
सुनना	सुनि कै	(इ कै)

क्रियार्थक संज्ञा संदर्भ में 'नो' या 'इ बो' प्रत्यय का व्यतिरेकी रूप सामने आता है; यथा—

मानक हिंदी	ब्रज हरियाणवी	प्रत्यय
फँसना	फँसनो	(नो)
धँसना	धँसनो	(नो)
हँसना	हँसनो	(नो)
चखना	चखिबो	(इबो)
चलना	चलिबो	(इबो)
लिखना	लिखिबो	(इबो)

भूतकालिक कृदंत पद संरचना में 'औ' और 'यौ' प्रत्यय प्रयोग से व्यतिरेकी रूप सामने आता है; यथा—

मानक हिंदी	ब्रज हरियाणवी	प्रत्यय
चलना	चलौ	(औ)
माँजना	माँजौ	(औ)

फँसना	फँस्यौ	(यौ)
हँसना	हँस्यौ	(यौ)

क्रियापद रचना में वचन-योजना के संदर्भ से व्यतिरेक दिखाई देता है; यथा—

	मानक हिंदी		ब्रज हरियाणवी	
	एकवचन	**बहुवचन**	**एकवचन**	**बहुवचन**
वर्तमान काल	(वह) फँसता है।	(तुम सब) फँसते हो।	फँसत है।	फँसत हौ।
भूतकाल	(तुम) फँसे।	(तुम सब) फँसे।	फँसौ / फँस्यौ	फँसे

क्रियापद संरचना में लिंग संदर्भ व्यतिरेक : मानक हिंदी और ब्रज हरियाणवी के क्रियापदों को लिंग संरचना में पर्याप्त भिन्नता है। ब्रज हरियाणावी संरचना के उत्तम, मध्यम और अन्य तीनों पुरुषों के व्यतिरेक पर ध्यान रखना आवश्यक है। इस व्यतिरेक को एक प्रकार व्यक्त कर सकते है—

	मानक हिंदी		ब्रज हरियाणवी	
	एकवचन	**बहुवचन**	**एकवचन**	**बहुवचन**
उत्तम पुरुष	हँसूगा	हँसेंगे	हँसौंगो	हँसिहौं
मध्य पुरुष	हँसोगे	हँसोगे	हँसैगो	हसिहै
अन्य पुरुष	हँसेगा	हँसेंगे	हँसैगो	हासिहै

3.3.7 क्रियापद में प्रयुक्त सहायक क्रियाओं का व्यतिरेक

भाषा में क्रिया पद का विशेष महत्त्व होता है और क्रियापद में सहायक क्रियाओं और उनमें समापिका क्रिया का महत्त्व विशेष उल्लेखनीय होता है। इसका मुख्य कारण है कि पूर्ण और स्पष्ट अभिव्यक्ति सहायक और मुख्यतः समापिका क्रिया से होती है; यथा—

'जंगल का राजा शेर जा रहा है' वाक्य में 'जा रहा है' क्रिया पद हैं। जा (जाना) मूल क्रिया है। रहा (रहना) और है (होना) दो सहायक क्रियाएँ हैं। इन दोनों सहायक क्रियाओं से वाक्य पूरा हुआ। है (होना) समापिका क्रिया है। इसके न लगाने पर वाक्य से काल का बोध नहीं होगा। 'है' समापिका क्रिया से वर्तमान काल का बोध हो रहा है।

मानक हिंदी और ब्रज हरियाणवी की सहायक क्रिया संरचना भिन्नता से व्यतिरेकी स्वरूप सामने आता है। ब्रज हरियाणवी सहायक क्रियाओं के विविध रूपों को होना (होनी) के आधार पर इस प्रकार स्पष्ट कर सकते हैं—

होना (होनो) सहायक क्रिया व्यतिरेक

वर्तमान काल निश्चयार्थक

	मानक हिंदी		ब्रज हरियाणवी	
	एकवचन	बहुवचन	एकवचन	बहुवचन
उ.पु.	हूँ	हैं	हों, हौं, ऊँ (हूँ)	ऐं (हैं)
म.पु.	हो / है	हो / हैं	ऐ (है)	हों, औ
अ.पु.	है	हैं	ऐ (है)	ऐं (हैं)

भूतकाल निश्चयार्थक

मानक हिंदी		ब्रज हरियाणवी	
एकवचन	बहुवचन	एकवचन	बहुवचन
हुआ	हुए	हौ, हो, हतौ, हतो	हे, हुते, हतै
		हुतौ, हुतो, भयो, भये	भये, हतुए
भया	भए	भो, भयौ, रह्यौ	रहे, रए
रहा	रहे	रहे, हतुए, रए	

स्त्रीलिंग

मानक हिंदी		ब्रज हरियाणवी	
एकवचन	बहुवचन	एकवचन	बहुवचन
हुई / भई	हुई / भई	ही, हती, हुती	हतीं, हुतीं, हीं
रही	रहीं	भई, रही, रई	रहीं, रई, भई

भविष्यत् निश्चयार्थ

पुल्लिंग

	मानक हिंदी		ब्रज हरियाणवी	
	एकवचन	बहुवचन	एकवचन	बहुवचन
उ.पु.	होंगी, होऊँगी	होंगे, होवेंगे	हौगो, हुगो	होगे, हुगो
			ह्वैहो, हौऊँगै	ह्वैहै, होएंगे
म.पु.	होगे	होंगे	होयगो, ह्वैहै	होयंगे, ह्वैहो
अ.पु.	होगे	होंगे	होयगो, ह्वैहै	होहिंगे, ह्वैहै
				हुंगे, होइहै

स्त्रीलिंग

भविष्यत् निश्चयार्थक

	मानक हिंदी		ब्रज हरियाणवी	
	एकवचन	**बहुवचन**	**एकवचन**	**बहुवचन**
उ.पु.	हूँगी	होंगे	हुँगी, हौंगी, ह्वैहों	हुँगी, हैंगी, ह्वैहैं
म.पु.	होगी	होंगी	हैगी, ह्वैहै	हैंगी, हौंगी, ह्वैहौ
अ.पु.	होगी	होंगी	होयगी, ह्वेगी	हैंगी, ह्वैहैं

3.3.8 काल व्याकरणिक कोटि में व्यतिरेक

भाषा में भूतकाल, वर्तमाल काल और भविष्यत काल रूप में विभाजन किया गया है। इसके बाद कार्य की विभिन्न स्थितियों के लिए अपूर्ण, पूर्ण और आसन्न आदि उपवर्गों में विभक्त कर क्रिया में स्पष्ट अभिव्यक्ति प्रदान की जाती है। इनमें कुछ संदर्भों में समानता है और अधिकांश में व्यतिरेक है; यथा—

भूतकाल चलना क्रिया

सामान्य भूत

	मानक हिंदी		ब्रज हरियाणवी	
	एकवचन	**बहुवचन**	**एकवचन**	**बहुवचन**
उ.पु.	मैं चला	हम चले	हौं चल्यो	हम (चले)
म.पु.	तुम चले	तुम चले	तू चल्यो	तू चल्यो
अ.पु.	वह चला	वे चले	बु चल्यो	बे (चले)

आसन्न भूत

	मानक हिंदी		ब्रज हरियाणवी	
	एकवचन	**बहुवचन**	**एकवचन**	**बहुवचन**
उ.पु.	मैं चला हूँ	वे चले हैं	हों चल्यौ हौं	हम चल्यौं हैं
म.पु.	तुम चले हो	तुम चले हो	तू चल्यौ हौं	तुम चल्यौ हौं
अ.पु.	वह चला है	वे चले हैं	बु चल्यौ (है)	बे चल्यो (हैं)

अपूर्ण भूत

	मानक हिंदी		ब्रज हरियाणवी	
	एकवचन	बहुवचन	एकवचन	बहुवचन
उ.पु.	मैं चल रहा हूँ	हम चल रहे है	हों चलि रो औ	हम चलि रए
म.पु.	तुम चल रहे हो	तुम चल रहे हो	तू चलि रौ औ	तुम चलि रौ औ
अ.पु.	वह चल रहा है	वे चल रहे हैं	बु चलि रौ औ	बे चलि रए

पूर्ण भूत

	मानक हिंदी		ब्रज हरियाणवी	
	एकवचन	बहुवचन	एकवचन	बहुवचन
उ.पु.	मैं चला हूँ	हम चले हैं	हों चल्यौ हो	हम चले हे
म.पु.	तुम चले हो	तुम चले हो	तू चल्यौं हो	तुम चले हे
अ.पु.	वह चला है	वे चले हैं	बु चल्यौ हो	बे चे हे

संदिग्ध भूत

	मानक हिंदी		ब्रज हरियाणवी	
	एकवचन	बहुवचन	एकवचन	बहुवचन
उ.पु.	मैं चला हूँगा	हम चले होंगे	हों चल्यौ होऊँगो	हम चले हौंगे
म.पु.	तू चला होगा	तुम चले होंगे	तू चल्यौ हौयगौ	तुम चले होउगे
अ.पु.	वह चला होगा	वे चले होंगे	बु चल्यौ हौयगो	बे चले हौंगे

सामान्य वर्तमान

	मानक हिंदी		ब्रज हरियाणवी	
	एकवचन	बहुवचन	एकवचन	बहुवचन
उ.पु.	मैं चलता हूँ	हम चलते हैं	हों चलतु हौं	हम चलत् हैं
म.पु.	तुम चलते हो	तुम चलते हो	तु चलतु है	तुम चलत् हो
अ.पु.	वह चलता है	वे चलते हैं	बु चलतु है	बे चलत् हैं

अपूर्ण वर्तमान

	मानक हिंदी		ब्रज हरियाणवी	
	एकवचन	बहुवचन	एकवचन	बहुवचन
उ.पु.	मैं चल रहा हूँ	हम चल रहे हैं	हों चलि रौ हौ	हम चलि रए ऐ
म.पु.	तुम चल रहे हो	तुम चल रहे हो	तू चलि रौ रे	तुम चलि रए औ
अ.पु.	वह चल रहा है	वे चल रहे हैं	बु चलि रह्यो है	बे चलि रए ऐं

सामान्य भविष्यत्

	मानक हिंदी		ब्रज हरियाणवी	
	एकवचन	बहुवचन	एकवचन	बहुवचन
उ.पु.	मैं चलूँगा	हम चलेंगे	हो चलूँगो / चलिहौं	हम चलंगे/ चलि हैं
म.पु.	तुम चलोगे	तुम चलोगे	तु चलैगो / चलि है	तुम चलौगे / चलि हौ
अ.पु.	वह चलेगा	वे चलेंगे	बु चलैगो / चलि है	बे चलैंगे / चलि है

अपूर्ण भविष्यत्

	मानक हिंदी		ब्रज हरियाणवी	
	एकवचन	बहुवचन	एकवचन	बहुवचन
उ.पु.	मैं चलता हूँगा	हम चलते होंगे	हों चलतु होऊँगो	हम चलत् हौंगे
म.पु.	तुम चलते होगे	तुम चलते होंगे	तु चलतु हौगो	तुम चलत् होंउगे
अ.पु.	वह चलता होगा	वे चलते होंगे	बु चलतु होगौ	वे चलत होंगे

संभाव्य भविष्यत्

	मानक हिंदी		ब्रज हरियाणवी	
	एकवचन	बहुवचन	एकवचन	बहुवचन
उ.पु.	मैं चलूँ	हम चलें	हौं चलौ	हम चलैं
म.पु.	तुम चलो	तुम चलो	तू चलैं	तुम चलौ
अ.पु.	वह चले	वे चले	बु चलै	बे चलैं

आज्ञार्थक

	मानक हिंदी		ब्रज हरियाणवी	
	एकवचन	**बहुवचन**	**एकवचन**	**बहुवचन**
उ.पु.	मैं चलूँ	हम चलें	हों चलौं	हम चलैं
म.पु.	तुम चलो	तुम चलो	तू चला	तुम चलौ
अ.पु.	वह चले	वे चलें	बु चलै	बे चलैं

3.3.9 संयुक्त क्रिया व्यतिरेक

भारतीय भाषाओं और बोलियों में विशेष भावाभिव्यक्ति के लिए क्रियापद में एकाधिक मूल क्रियाओं का प्रयोग किया जाता है। इसे संयुक्त क्रिया कहते हैं। मानक हिंदी और ब्रज हरियाणवी की ऐसी क्रियाओं में विशेष व्यतिरेक दिखाई देता है। संयुक्त क्रिया के व्यतिरेक को निम्नलिखित संदर्भों से रेखांकित कर सकते हैं–

मानक हिंदी		ब्रज हरियाणवी
आ गया	>	आइ गयौ (आइ-आना, गयौ-गया)
आ जाते	>	आइ जातिए (आइ-आ, जातिए-जाते)
करा दो	>	कराइ दें (कराइ-करा, दें-दो)
गिर पड़ा	>	गिरिपर्‍यो (गिरि-गिर, पर्‍यो-पड़ा)
जल गया	>	जरि गयौ (जरि-जल, गयौ-गया)
बैठ जा / जाओ	>	बैढि जा (बैठि-बैंठ, जा-जाओ)
हो गया	>	ह्वै गयौ (ह्वै-हो, गयौ-गया)

3.3.10 क्रिया विशेषण व्यतिरेक

ब्रज हरियाणवी में क्रिया की विशेषता बताने वाले कुछ क्रिया विशेषण शब्द मानक हिंदी के ही समान हैं, तो कुछ की भिन्नता व्यतिरेकी रूप में सामने आती है। ब्रज हरियाणवी के कुछ प्रमुख व्यतिरेकी क्रिया विशेषण प्रस्तुत हैं–

- **स्थानवाचक**–आगैं, इत, उत, कित, ज्हाँ, ढिंग, तले, त्हाँ, धौरे, नेरे, पीछैं।
- **कालवाचक**–अबै, आजु, कबै, जबै, तरसौं, तबै, तुर्त-फुर्त, तरसौं, नरसौं, बेरि-बेरि, रोजु-रोजु।
- **परिमाणवाचक**–आधौ, इतनौ, इतौ, कछु, कितनौ, कितौ, घनौ, थोरौ, पूरौ, भौत, सगरे, सबु, सिगरे।
- **रीतिवाचक**–ऐसैं, ऐसैई, जैसो, जोरतैं, ज्यौं-ज्यौं, त्यौं-त्यौं, न्यौ-न्यौ, होलै-होलै।

3.3.11 समुच्चयबोधक व्यतिरेक

ब्रज हरियाणवी में एक वाक्य को दूसरे वाक्य से जोड़ने वाले अव्यय (समुच्चय बोधक) में भी व्यतिरेक देख सकते हैं–

संयोजक	–	अउ, अउर, अक, अकि, अरु, औरु, कि, जो बी आदि।
विरोधदर्शी	–	पै
विभाजक	–	कै, चाँय, नाँय
करणदर्शी	–	अक्, कहूँ, जौ
परिणामदर्शी	–	नईतो, ना तै

3.3.12 विस्मयादिबोधक व्यतिरेक

ब्रज हरियाणावी में हर्ष-विषाद आदि व्यक्त करने के लिए कुछ संबोधन मानक हिंदी के हैं; यथा–वाह! धन्य! आह! अच्छा! धिक्! छिः आदि, तो कुछ में व्यतिरेक दिखाई देते हैं; यथा–

- किस्मयादि बोधक–ओहो! एँ!
- शोक बोधक–दइया रे! ऊंह!
- तिरस्कार बोधक–थू - थू!
- असम्मति बोधक–ऊँ हूँ! ना रै! ना री!
- संबोधन बोधक–ए नी!

इस प्रकार मानक हिंदी और ब्रज हरियाणवी के संज्ञा, सर्वनाम, विशेष और क्रिया पदों के संरचनात्मक विश्लेषण से व्यतिरेक स्वरूप का स्पष्ट ज्ञान होता है। मानक हिंदी के समक्ष ब्रज हरियाणवी की पद व्यतिरेकी संरचना के आधार पर उसकी भाषायी विशेषताएँ समझते हुए उसके शिक्षण सरल हो जाएगा।

3.4 मानक हिंदी और ब्रज हरियाणवी : वाक्य व्यतिरेक

पूर्ण भावाभिव्यक्ति के संदर्भ से वाक्य भाषा की सर्वाधिक महत्त्वपूर्ण इकाई है। ब्रज हरियाणवी की ध्वनियों, शब्दों और पदों में जब पर्याप्त व्यतिरेक दिखाई देता है, तो इन्हीं इकाइयों के आधार पर निर्मित महत्तर इकाई वाक्य में अपेक्षाकृत अधिक व्यतिरेक होना अवश्यंभावी है।

ब्रज हरियाणवी में भी सरल, संयुक्त और मिश्र वाक्यों की रचना होती है। इन वाक्यों में पदक्रम, आकांक्षा, योग्यता अन्विति के स्वरूप सामान्यतः समान ही होते हैं। बोल-चाल या दैनिक जीवन में प्रयोग होने के कारण यत्र-तत्र व्यतिरेक मिल जाता है।

3.4.1 सरल वाक्य व्यतिरेक

ब्रज हरियाणवी सरल वाक्य संदर्भ के वाक्य प्रस्तुत हैं–

ब्बाने अपने सबु भैयान के राखी बाँधी।

इस वाक्य में 'ब्बाने' उद्देश्य है, जो प्रारंभ में रखा गया है। 'अपने सब भैयान

के राखी बाँधी' विधेय है, जो उद्देश्य के विषय में तथ्य प्रस्तुत कर रहा है। इसे उद्देश्य के बाद में रखा गया है।

सामान्य सरल वाक्य में कर्ता, कर्म और क्रिया के क्रमशः प्रयोग को देख सकते हैं; यथा–

सो बालक ग्वाइ हाँकि लै गये।

इस वाक्य का विश्लेषण करें, तो कर्ता, कर्म और क्रिया का क्रमशः मिलता है–

सो बालक	–	कर्ता
ग्वाइ	–	कर्म
हाँकि लै गये	–	क्रिया

मानक हिंदी में इस वाक्य को सामने रख कर व्यतिरेकी विश्लेषण किया जा सकता है–

वह बालक गाय को (हाँक) साथ ले गया।

वह बालक	–	कर्ता
गाय को	–	कर्म
(हाँक) साथ ले गया	–	क्रिया

3.4.2 संयुक्त वाक्य व्यतिरेक

मानक हिंदी में वाक्यों का व्याकरण सम्मत रूप के साथ प्रायः लघु वाक्यों का सृजन होता है। इसलिए संयुक्त वाक्यों का प्रयोग अपेक्षाकृत कम होता है। ब्रज हरियाणवी उपबोली के सहज आंचलिक उच्चारण के कारण पद रचना में भिन्नता होना स्वाभाविक है।

ब्रज हरियाणवी उपबोली में प्रयुक्त संयुक्त वाक्य का स्वरूप व्यतिरेक रेखांकन के लिए प्रस्तुत है–

'सो दोनों जने कुम्हारु औरु कुम्हरिया गधाऐ लैकें चल दिए औरु मदस्सा पै पौंचे।'

मानक हिंदी रूप–वे दोनों कुम्हार और कुम्हारिन गधा ले कर चल दिए और मदरसा पहुँच गए। ब्रज हरियाणवी और मानक हिंदी में दो-दो वाक्यों की योजना है और एक समुच्चय बोधक अव्यय (संयोजक) है। इसके व्यतिरेक को इस प्रकार प्रस्तुत कर सकते हैं–

प्रथम वाक्य–

मानक हिंदी	–	वे दोनों कुम्हार और कुम्हारिन गधा लेकर चल दिए।
ब्रज हरियाणवी	–	सो दोनों जने कुम्हार औरु मुम्हारिन गधाऐ लैकें चल दिए।

द्वितीय वाक्य–

मानक हिंदी – मदरसा पहुँच गए।
ब्रज हरियाणवी – मदस्सा पै पौंचे।

समुच्चयबोधक (संयोजक)

मानक हिंदी – और
ब्रज हरियाणवी – औरु

3.4.3 मिश्र वाक्य व्यतिरेक

मिश्र वाक्य को उसकी जटिल संरचना के आधार पर जटिल वाक्य भी कहते हैं। मानक हिंदी की अपेक्षा ब्रज हरियाणवी में मिश्र वाक्यों का कम ही प्रयोग होता है। ब्रज हरियाणवी में प्रयुक्त मिश्र वाक्य और मानक हिंदी के मिश्र वाक्यों की संरचना–आधार पर उनका व्यतिरेकी विश्लेषण किया जा सकता है।

मिश्र वाक्य में एक प्रधान वाक्य होता है और उसके साथ एक अथवा एकाधिक अधीन उपवाक्य होते हैं। यह विश्लेषण इसे दृष्टिगत कर करते हैं; यथा–

ब्रज हरियाणवी – स्याँयु ने कही कि मैं मेहमान को खबरि करिवे जातूँ।
मानक हिंदी – साँप ने कहा कि मैं मेहमान को खबर देने जाता हूँ।

विश्लेषण

प्रधान वाक्य

ब्रज हरियाणवी – साँपु ने कही।
मानक हिंदी – साँप ने कहा।

आश्रित उपवाक्य

ब्रज हरियाणवी – मैं मेहमान को खबरि करिवे जातूँ।
मानक हिंदी – मैं मेहमान को खबर देने जाता हूँ।

समुच्चयबोध (योजक)

ब्रज हरियाणवी – कि
मानक हिंदी – कि
ब्रज हरियाणवी – "जब स्याँयू बाहिर चले जाँइ तब बु बूढ़ी माँ कहै..."
मानक हिंदी – "जब साँप बाहर चला जाता तब वह बूढी माँ कहती..."

विश्लेषण

प्रधान वाक्य

मानक हिंदी — साँप बाहर चला जाता।
ब्रज हरियाणवी — स्याँपु बाहिर चले जाँइ।

आश्रित उपवाक्य

मानक हिंदी — वह बूढ़ी माँ कहती...
ब्रज हरियाणवी — बु बूढ़ी माँ कहै...

समुच्चय बोधक (योजक)

मानक हिंदी — जब... तब...
ब्रज हरियाणवी — जब... तब...

ब्रज हरियाणवी और मानक हिंदी के वाक्यों के संरचनात्मक विश्लेषण से स्पष्ट होता है कि ब्रज हरियाणवी में अपेक्षाकृत छोटे वाक्यों की रचना होती है। इसका कारण है कि यह हरियाणवी बोली का एक रूप है, जो व्यावहारिक रूप में अर्थात् बोल-चाल में प्रयोग होता है। मानक हिंदी के पदों में पर्याप्त विकास दिखाई देता है। हाँ! संयुक्त और मिश्र वाक्यों के योजक समुच्चय-बोधक अव्ययों में सीमित व्यतिरेक मिलता है, क्योंकि ये प्रायः मानक हिंदी के रूप में प्रयुक्त होते हैं।

मानक हिंदी और ब्रज हरियाणवी उपबोली की ध्वनि, अक्षर, शब्द, पद और वाक्य आदि के संरचनात्मक विश्लेषण से व्यतिरेकी स्वरूप सामने आता है। हिंदी के मानकीकृत रूप में व्यवस्था और एकरूपता सामने आती है, जबकि ब्रज हरियाणवी में आंचलिकता के प्रभाव से शिथिल व्यवस्था में विविधता सामने आती है। ब्रज हरियाणवी में मानक हिंदी के मान स्वरों से अधिक अॅ, इॅ और उॅ ह्रस्वतर स्वर प्रयुक्त होते हैं। इन व्यतिरेकी स्वरों से ही इसका शुद्ध उच्चारण संभव है। इसी प्रकार र्ह, ल्ह, न्ह और म्ह आदि संयुक्त व्यंजनों का बहुल प्रयोग व्यतिरेकी रूप में सामने आता है। विभिन्न शब्दों और पदों में ओकार और औकार बहुलारूप प्रबल व्यतिरेक है। ब्रज हरियाणवी के व्यावहारिक प्रयोग में मुख-सुख के आधार पर वाक्यों की लघु या संक्षिप्त रचना व्यतिरेक का कारण बनी है।

निश्चय ही इस व्यतिरेकी अध्ययन से अध्ययनकर्ता में इनके शिक्षण और भाषा-प्रवीणता की शक्ति विकसित होगी।

3.5 ब्रज हरियाणवी संदर्भ

3.5.1

तुम बस्तर देव ब्रजवासी करौ मत हाँसी स्याम तोरी दासी ।। टेक।।
रिसभरी भणै ब्रजबाल, कहा नन्दलाल बजावत बैन।
एजी आ जमुना तीर, हर्‌यौ मेरौ चीर कपटकर तैने।
इक तू ही अनोखौ छैल, भयो बदफैल लगौ दुख देने
चल ढ़ोर चरा दिन रैने, सखियन से लरा मत सैने।
हम जल में खरी बेचैने।
दई-मारे दुख दियौ गाढ़ौ, चुराकर चीर कदम पै ठाडौ।
ह्‌वै गयौ त्रासी ह्‌वै गयौ त्रासी, तुम बस्तर देव ब्रजवासी।।
(हरियाणा के प्रख्यात लोक कवि शंभुदयाल दादरी निवासी रचित पद)।

3.5.2

सखी बुन्द सब आय जुरीं वृषभान नृपति के द्वारि।
बीननि फूल चलौ बन राधे, नव सज साज सिंगार।।
यै सुनि कीरति जू हंसिकै प्यारी कौ कियौ सिंगार।
कवरी कुसुम गुही है मानो उर गन की अनुहारि।
चलति चाल मराल बा़ल-सी राधा सखियन मांझि।
बीनति फूलनि जमुना कूलनि खेलति सांझी सांझ।
जाल रंध्र देखत मनमोहन दृष्टि परी ब्रजवाल।।
तिरियां रूप कियौ है तव हीं आय मिले तत्काल।।
छवि निरखति वृषभान दुलारी भौत करी मनुहारि।।
बीनत फूल अकेली हेली कौ है तू सुकमारि।।
कौन गाँव बसति हो सुन्यरि कहा तिहारौ नाम।
आजु अंवारि भई है प्यारी चलौ हमारे धाम।
नन्दगांव में बास वसति हों सांवरि मेरौ नाम।
सांझी मिसि आई हों या बनु पूजे मन के काम।।

3.5.3

जा दिन मन-पंछी उड़ि जैहैं।
ता दिन तेरे तन-तरुवर कै, सबे पात झरि जैहैं।।
या देही की गरब न करिये, स्यार-काग-गिध खैहैं।
तीन नाम तन बिष्टा कृमि ह्‌वै, अथवा खाक उड़ैहैं।।
कहँ वह नीर, कहाँ वह सोभा, कह‌ु रंग-रूप दिखैहैं।

जिन लोगनि सौं नेह करत है, तेई देखि घिनहैं।।
घर के कहत सबारे काढ़ौ, भूत होइ धर खैहैं।
जिन पुत्र जिहिं बहुत प्रतिपाल्यौ, देवी-देव मनैहैं।।
तैई लै बाँस दयो खोपड़ी में, सीस फोरि बिखरैहैं।
अजहूं मूढ़ करौ सतसंगति, संतनि मैं कछू पैहैं।।
नर-बशु धरि जानै नहिं हरिको, जमकी मार जु खैहैं।
सूरदास भगवन्त भजन बिनु, बृधा सुजनम गँवैहैं।।[4]

—सूरदास

3.5.4

किलकत कान्ह घुटुरुवनि आवत।
मनिमय कनक नँह के आँगन, मुख प्रतिबिंब पकरिबे धावत।
कबहुं निरखि हरि आप छाँह को, पकरन को चित चाहत।
किलकि हँसत राजत द्वै दँतियाँ, पुनि-पुनि तिहि अवगाहत।
कनक-भूमि पर कर-पग-छाया, यह उपमा एक राजत।
प्रति-कर प्रति-पद प्रतिमनि बसुधा, कमल बैठकी साजत।
बाल-दसा-सुख निरखि जसौदा पुनि-पुनि नंद बुलावति।
अँचरा तर लै ढ़ांकि 'सूर' के प्रभु कौं दूध पियावति।[5]

3.5.5

ऊधौ मोहिं ब्रज बिसरत नाहीं।
हंस-सुता की सुन्दर कगरी, अरु कुन्जन की छाहीं।।
वै सुरभी, वै बच्छ, दोहनी, खरिक दुहावन जाहीं।
ग्वाल बाल सब करत कुलाहल, नाचत गहि-गहि बाहीं।।
यह मथुरा कन्चन की नगरी, मनि-मुकूताहल जाहीं।
जबहिं सुरति आवत वा सुख की, जिय उभगत तनु नाहीं।।
अनगन भाति करी बहु लीला, जसुदा नन्द निबाहीं।
'सूरदास' प्रभु रहे मौन ह्वै, यह कहि-कहि पछिताहीं।।[6]

—सूरदास

3.5.6 कहानी

एक गाम में एकु मदस्साओ, ग्वामैं बालक पढ़ौ कत्तयै। एक बालकु मार कै मारैं डरपतुओं सौ गुअ पढ़िबे कू नाओ जातु। ग्वाके बापु औरु म्हेंतारी बताइ रए कै लौंडा, देखि तू पढ़िबेकूँ जाऔ करि, मदस्सा में पढ़िकें मधनु के आदिमीं है जाऐं सो निक ध्यानु देकें पढ़ौ कर करि। ग्वाके पिछवार एक कुम्हार कौ घरूओ। कुम्हारु

अपनी कुम्हारि तें बोलौ कै देखि सन्तौ जा लोंडा कौ बापु का कइ रौ ऐ मदस्सा में पड़िके गधनुके आदिमी है जात ऐं, सो गधा तो हमारेऊँ हतुऐ नाऐं तौ हमऊँ गधाऐं मदस्सा में दाखिल करि आमें, मति जेई आदिमी है जाइ तो अच्छौऐ चौके हमारऊँ कोई बालकु नांइ हतु हम जाईत म्हों लगि लौ करिगें। सौ धौंतार भये दोनों जने कुम्हारु और कुम्हारिया गधाऐ लैकें चलि दिये औरु मदस्स पै पौंचे। पंडिज्जी सें कुम्हारु बोलो, पंडिज्जी हमने न्यौं सुनीऐं कै मदस्सा में पढ़िकें गधा के आदिमी है जातऐं, सो हमारेऊ गधाऐं कल्लेऊ। पंडित बोलौ कै आँहाँ भैया तेरे गधापे तौ दाखिल कल्लुगौ परि सौ रूपिया लूँगो। कुम्हारु बोलौं पडिज्जी सौई रूपिया दुँगो परि जा गधाकौ लोंडा बनाइ देउ। गधा दाखिल करिकें पूँछी कै कितने दिना मैं छोरा बन जाहगौ, पंडिज्जी बोले कमि सें कमि छै महिंना में। कुम्हारु और कुम्हारिया पंडित कूँ सौ रूपिया दैके झट्ट घर कूँ डगरि आऐ। पंडित ने गधा खूटा तें बँधवाइ लौ। साँज कूँ जब छुट्टी भई तो पंडित बालकनुतें कई कै जो गधाऐ हाँकै लऐं जाऊ। सो बालक ग्वाइ हाँकि लै गये। जब छै महिना बीति गये, कोई सातमें महिंना में कुम्हार नैं जाइकें पूछी, पंडिज्जी हमारे गधा कौ कौंनसौ छोरा बनायौऐ। पंडिज्जी बोले—''अरे भले आदिमी, तु जब आयौऐ, गुअ तौ ऐसौ छोरा बनायौऐ कै कोई ठिकानों नाएँ और गुअ तौ नोंकरी तेंऊँ लग्गौ और नोंकरी का लगीयै कै आगरे की कमिस्नरी में कमिस्नर साहबु है गौयै।'' कुम्हारु बोली क अच्छयूया भौतु बढ़िया रहे, परि घर मुकाबिलौ करिकें नाई गयौ, परि खैरि कोई बात नाएँ। घर आइकैं अपनी कुम्हारि तें बोलौ, ''सन्ति नाऐं का? हमारे दोनोंनु कै भागि खुलि गऐ, गु तौं आगरे में कमिस्नरु हैगो, अब देखि आँऊ। मोकू द्वै रोटी पइदै औररू भारे कूँ दाम फाम दै दै।'' अब कुम्हारु आगरे कूँ चलो। म्हाँ पोंचिक पुँछी कै भैया औ कमिस्नरी कों ठियायै। सो आऊनें बताइ दई। जब कमिस्नरी पोंचि गौ तो पूँछी क कमिस्नर साहब काँ ठिया रहैतुऐ। सो कोई चपरासी बौलौ कै बेवकूफ तू का बकतुऐ कमिस्नर साबु तें ऐसें बोल्लुऐ। कुम्हारु बोलौ, ''तू का बकतुऐ, गुअ मेरौ ई तौ छोरा ऐ / झट्ट चपरासी चुप्पु है गौ। कुम्हारु म्हई पोंचिगौ औरु द्वार पै ठाड़े है कें बोलो, ''अरे छोरा...अरे...लाला...अरे अब तौ तु सन्तु नाऐं, मैं कबतें भरोसो दखि रौऊँ अरे...निक ज्याँ तो...आ।'' फिरि एकु चपरासी बोलौ अरे बैवकुफ तू का बकतुऐ। सौ कुम्हारु खुखिआइ के दौरौ, ''अरे तुमई बेवकूफ औ, मैं तो अपने छोराऐ बुलाइ रौऊँ।'' सौ कमिस्नर साहब कू गुस्सा आई औरु कुस्सी पैत उठिकैं कुम्हार नें पॉ-सात लात मारी। कुम्हारु लात खाइकें बोलौ, ''अरे भले आदमीं, मैनें तोइ ऐसी हरी-हरी घास खोदि खोदि कें खवाई औरु तू गधा को आज कमिस्नरु हैगौ, परि तेरी लात मारिबै की आदति अबऊ न गई।'' ऐसें कहिकैं कुम्हारु घर आयौ। कुम्हारि ने खबरिसुदि पूछी। कुम्हारु बोलो, ''छोरा तो बड़ी जोरदार बनांऐ और पदवीऊ भौतु ऊँची ऐ, परि देखिलै मैंने औरु तैनें म्वा गधाऐ वैसी बढ़िया

हरी-हरी घासु खवाई परि ग्वाकी लात मारिबै की आदति अबऊ तक नांइ गयी चाँइ गुअ वैसोऊ कमिस्नरू है गौ ऐ।[7]

नागपंचमी

एक गाम में एक लुगाई ई। ब्बाके पीहर में कोई हतु नाओ। एक दिनाँ की बात। एक करियल स्याँपु एक घर में ते भाजिकै आइ रह्यो ओ, ब्बा स्याँपु क पीछें ई पीछें एक आदिमी डंडा हात में लएँ ब्बाइ मारिबे कूँ आइ रह्यो ओ। करनी को खेल, बु लुगाई ब्बाँई बखत घूरे पै कतना भरिकै कूरौ डारिबै आई। स्याँप पै ब्बाई तर्सु आइयो। ब्याने वाके ऊपर अपनो कतना दाबि दीयौ। सबु आदिमी तौ हटि गए। बु म्बाँई ठाड़ी रही। स्याँप ने कही—"आज ते तू मेरी धरम की बैहन और मैं तेरो भैया।" लुगाई ने कही, "भैया, मेरे पीहर में कोई हत् नाएँ। आजु ते तेरो ही घरु मेरो पीहरु। सामन में मोह लैवे कूँ आइयो।"

सामन आयौ। सब भैया अपनी बहिनिन्नें लैबे कूँ आए। स्याँपु ऊ अपनी धरम की भैनिए लैबे कूँ आयौ। बहिन् ने खूबु आदरु भावु कर्यौ। डलिया कोथरी करी। स्याँप नै डलिया कोथरी तो अपनी पीठि पैं बाँधी औरु अपनी धरम बैहनिए लैकें चलि दीयौ। एक करील के नीचे ब्बाकी बाँबी ई। बाँबी के ऊपर ब्बाने अपनी बहिन उतारी। राति भई और बु सोइ गई। स्याँपु अपनी सोउती बहिनऐ भीतर लै गौ। म्वा बड़े बड़े महल बनि रहे। मनिन क दीए जरि रहे। बु स्याँपु सबु स्याँपन को सरपंचु ओ। कुनबा ब्बाकौ बड़ौ ओ। एक बूढ़ी माँ इकु बाप और भौतु से भैया ए। जब स्याँपु बाहिर चले जाँइ तब बु बूढ़ी माँ कहै—"बेटी अपने भैया भतीजन कूँ दुधु सिराइ दै। "बु रोजु कटोरन में दूधु सिराई दऔ करे। नैंक खटका कर दे। ब्बाइ सुनिकें सबु स्याँप आइ जाइँ।

एक दिनाँ की बात। हौनी बलमान। दूध तातौ रहिगौ औरु ब्बाने खटका करि दीयौ। केतौ बिन्ने दूधु पीयौ सोई सबके भौंह पजरि गए। छोटे छोटे स्याँप तो रिस्याए। परि बा पंच स्याँप और ब्बाकी माँ ने सबु चुप्पु करि दीए।

सामन बीति गयो। सनूनोंऊ हैगो। ब्बाने अपने सबु भैयान क राखी बाँधी। लुगाई ने कहीं कि भैया अब मोई जान दे। स्याँपु ने कही कि मैं मेहमान पै खबरि करिवे जातूँ। उनई के संग तोई बिदा करूँगो। स्याँपु महमानें संगई लिवाई लायौ। बड़ी खतिरदारी करी। विदा को समैया आयो। बिदा में स्याँप ने अपनी बहिन ऐ एकु मनिन कौ हारू दीयौ और बु दोऊ बिदा है गए। स्याँप ने कही कै भैना, अब मैं तोइ लैवे कूँ आऊँ तबई आइ जइयौ। भैनिने कही कि अच्छा।

महमान बिदा होंती पोत अपनों एकु दुपट्टा भूलि आयौ। बु रस्ताई में ते दुपट्टा ऐ लैवै कू गयौ। ब्बाइ करील के पेड़ के सिवाई कुछ न पायौ। परि ब्बा करील पै दुपट्टा टाँगे रह्यौ। ब्बाइ घर कूँ लै आयो।

एक दिनों कहा भयौ कि बु लुगाई अपनी छत्तिऐ लीपि लहेसि रही और ब्बा मनिन के हार ऐ पहरि रही ई। व्वा सहरपना की जो रानी हति, काई ब्वाकी नजरिब्वा हार पै पर गई। रानी घर आइकें खटपाटीं लेकें परि रही। राजा ने कारनु बूझयौं। ब्वाने हार लैवे की राजी परगट करी। राजा ने ब्वाई लुगाई को मालिकु बुलायौ और हार की बात पूछी। ब्वाने कही कि मेरी मोटिया (बहु) ऐ बु व्वाके पीहर ते मिलूयौ ऐ। राजा ने कही के द्वै बिना कू हमें व्वा हारऐ दे जा। व्वाई नमूना कौ एक हारु बनबामनों ऐ। व्वाने हारु लाइकें दै दियौ।

कैं तो रानी नें बु हारु पहर्‌यौ सोई व्वामें स्याँपई साँपि। फिर राजा ने बुही बुलायौ परि ब्वाकी हिम्मति व्वा हारऐ उतारिवे की न परी। फिर व्वाने अपनी लुगाई भेजी। व्वाने बु हारु रानी के गरे में ते उतारि लीयौ, बु फिरि मनिन को हारु हैगौ।

राजा ने भेदु पूछ्‌यौ। व्वाने सब बात बताइ दई।

संदर्भ

1. डॉ. भोलानाथ तिवारी, हिंदी भाषा, पृ. 145
2. डॉ. सरयू प्रसाद अग्रवाल, भाषाविज्ञान और हिंदी, पृ. 174
3. डॉ. पूर्णचंद शर्मा, हरियाणवी और उसकी बोलियों का अध्ययन, पृ. 180
4. सं. विश्वनाथ प्रसाद, मध्यकाल के पाँच कवि, पृ. 39
5. सं. विश्वनाथ प्रसाद, मध्यकाल के पाँच कवि, पृ. 47
6. वही, पृ. 80
7. डॉ. हरदेव बाहरी के सौजन्य से, ग्रामीण हिंदी बोलियाँ, पृ. 87-89

चतुर्थ अध्याय

मानक हिंदी और बागड़ी हरियाणवी : व्यतिरेकी अध्ययन

हरियाणा की उपबोलियों में बागड़ी का महत्त्वपूर्ण स्थान है। हिंदी की प्रमुख बोली हरियाणवी है और बागड़ी उसकी उपबोली है। इस प्रकार मानक हिंदी और बागड़ी हरियाणवी में कुछ समानता होना स्वाभाविक है। बागड़ी हरियाणवी एक अंचल विशेष में प्रयुक्त होती है। इसलिए अंचल विशेष की भाषायी प्रवृत्तियाँ इसकी अपनी विशेषताएँ हैं। यह विशेषता या भिन्नता ही उसके व्यतिरेकी स्वरूप के रूप में सामने आती है।

बागड़ी हरियाणवी का क्षेत्र राजस्थान की सीमा से लगा हुआ है। राजस्थान के इस निकटवर्ती क्षेत्र में राजस्थानी की बोली बागड़ी का प्रयोग होता है। इस प्रकार स्पष्ट है कि हरियाणा के इस क्षेत्र में प्रयुक्त हरियाणवी पर राजस्थानी की बोली बागड़ी का गहरा प्रभाव है। इसी प्रभाव से हरियाणवी में उभरी इस क्षेत्र की उपबोली को 'बागड़ी हरियाणवी' की संज्ञा दी गई है।

डॉ. जयनारायण कौशिक ने इस तथ्य को स्पष्ट करते हुए 'हरियाणवी हिंदी कोश' में अपना विचार इस प्रकार व्यक्त किया है–''हरियाणा का एक विस्तृत भू-भाग राजस्थान से सटा हुआ है। ...कुछ भू-भाग रेतीले-टीबों और छोटी-छोटी पहाड़ियों के कारण राजस्थान की मिट्टी के निकट बैठता है। सीमावर्ती क्षेत्र में विवाह-शादी और सामान्य सामाजिक संपर्क साधारण-सी बात है। ऐसी स्थिति में एक-दूसरे की भाषा पर प्रभाव पड़ना स्वाभाविक है। इसलिए इस क्षेत्र की हरियाणवी पर राजस्थानी का प्रभाव भी है। वास्तव में इसे राजस्थानी का प्रभाव न कहकर बागड़ी का प्रभाव अधिक उपयुक्त है, क्योंकि स्वयं राजस्थान की अपनी कई उपभाषाएँ हैं।''[1]

बागड़ी शब्द बागड़ में 'ई' प्रत्यय लगा कर बना है। बागड़ का शाब्दिक अर्थ है विशेष रेतीला भाग या अंश। डॉ. जयनारायण कौशिक ने बागड़ी को इस प्रकार परिभाषित किया भू-भाग, बागर नामक घास का प्रवेश, अधिक भेड़ बकरियों का देश।[2]

डॉ. भोलानाथ तिवारी ने बागड़ी शब्द की उत्पत्ति के कई आधारों की संभावना व्यक्त करते हुए बागड़ (विशेष घास के क्षेत्र) को सर्वाधिक महत्त्व देते हुए कहा है, ‘‘बगर या बगड़ नामक एक कड़ी घास (जो रस्सी आदि बनाने के काम आती है) के अधिक होने के कारण इस प्रवेश (क्षेत्र) को बँगड़् तथा उसी आधार पर बोली को ‘बागड़ी’ कहा गया है।’’[3]

तथ्यात्मक रूप में चिंतन करने पर स्पष्ट होता है कि राजस्थान और हरियाणा के अंतर्गत विस्तृत बाँगड़ क्षेत्र में प्रयुक्त होनेवाली व्यावहारिक ग्रामीण और जीवंत भाषा को बगड़ी कहते हैं। इसका स्पष्ट प्रयोग राजस्थान के बीकानेर और हरियाणा के सिरसा क्षेत्र में होता है।

डॉ. कैलाशचंद्र भाटिया भाषा-भूगोल में बागड़ी क्षेत्र की विस्तृत चर्चा करते हुए बागड़ी को राजस्थान की मुख्य बोली के रूप में मान्यता प्रदान की है।[4]

‘‘बागड़ी के क्षेत्र या प्रयोग सीमा को सिरसा हिसार के साथ भिवानी और महेंद्रगढ़ जिले के कुछ भाग को मान सकते हैं।’’

बागड़ी उपबोली के समृद्ध लोक साहित्य के विषय में डॉ. मथुरा प्रसाद अग्रवाल का विचार प्रस्तुत किया जा सकता है, ‘‘उसमें यहाँ की जनता के विश्वास उनकी पवित्रता व प्यार की झलक मिलती है। यहाँ के विरह गीत, शौर्य गाथा, फाग-धमाल, नृत्य, लूर और गण गोरों के समूह नृत्य अपनी विशेषताएँ लिए हुए हैं।

बागड़ी : संरचनात्मक विश्लेषण : बागड़ी हरियाणवी की संरचना में उनकी ध्वनि, अक्षर, शब्द, पद और वाक्य आदि सभी इकाइयों का विवेचन अपेक्षित होगा। भाषा की आधार इकाई ध्वनि या स्वन है, तो पूर्ण सार्थक इकाई वाक्य है। इस प्रकार बागड़ी की शारीरिक संरचना में ध्वनि से लेकर वाक्य का अध्ययन करते हुए आत्मा रूपी अर्थ इकाई का विवेचन अपेक्षित है।

4.1 मानक हिंदी और बागड़ी हरियाणवी : ध्वनि संरचनात्मक व्यतिरेक

मानक हिंदी भाषायी दृष्टि से एकरूपता में व्यवस्थित की गई देश की राजभाषा, राष्ट्रभाषा और संचार भाषा है। बागड़ी हरियाणवी बोली की उपबोली है। यह क्षेत्र विशेष अंचल में व्यावहारिक रूप में प्रयुक्त होती है। इसलिए इसकी ध्वनियों में वैविध्य होना स्वाभाविक है। ये वैविध्य ध्वनि प्रयोग मानक हिंदी की ध्वनियों से व्यतिरेक है और यही इस उपबोली का अपनी पहचान या विशेषता है।

4.1.1 स्वर ध्वनि व्यतिरेक

भारतीय संस्कृत की मातृ प्रधानता की भाँति हिंदी और उनकी बोलियों स्वर प्रधानता स्पष्ट दिखाई देते है। सभी स्वर प्रारंभ में व्यवस्थित है। मानक हिंदी के स्वरों को

व्यवस्थित किया गया तो बागड़ी के स्वर अंचल विशेष में सहज रूप प्रयुक्त होते हैं। इस प्रकार इनके स्वरों में स्वाभाविक रूप में आई भिन्नता व्यतिरेक कारण बन गई है।

मानक हिंदी और बागड़ी हरियाणवी के स्वर ध्वनि-व्यतिरेक को इस प्रकार रेखांकित कर सकते हैं—

मानक हिंदी और बागड़ी हरियाणवी

स्वर ध्वनि व्यतिरेक

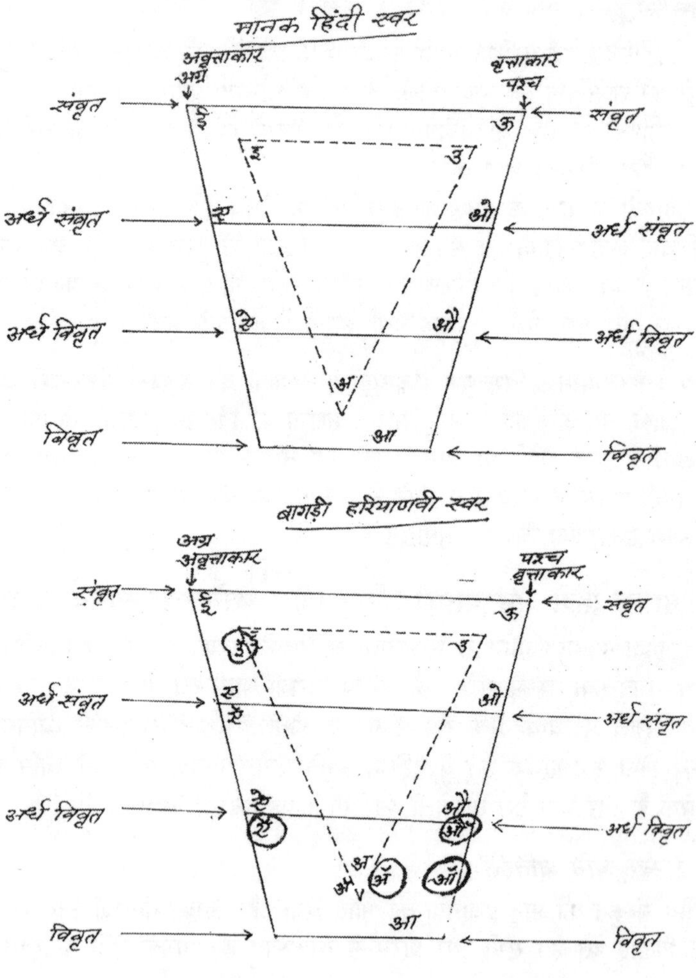

1) **अ :** मानक हिंदी में एक ह्रस्व मध्य विवृत स्वर 'अ' है। यह स्वर बागड़ी हरियाणवी में भी प्रयुक्त होता है। इसके उच्चारण में जीभ के मध्य से कुछ पीछे का भाग उठकर उच्चारण का आधार बनाता है; यथा—अइयो, अस्त, असल, अपनी शब्द में प्रयुक्त 'अ'।

2) **अ :** यह बागड़ी की मानक हिंदी से भिन्न ध्वनि है। इसे ह्रस्वतर 'अ' मध्य, विशेष शिथिल विवृत ध्वनि के रूप में प्रयोग करते है। यह स्वर ध्वनि की भिन्नता इस बोली की अपनी पहचान और व्यतिरेकी संदर्भ है; यथा—अर (और), अरज़ शब्द में अ।

3) **अॅ :** यह बागड़ी हरियाणवी में प्रयुक्त ह्रस्व 'अ' का तीसरा रूप है। इस व्यतिरेकी ह्रस्व स्वर में मध्य, वृत्ताकार लगभग अर्धवृत्ताकार और दृढ़ रूप उभर कर सामने आता है। इसके उच्चारण में जीभ का पश्च भाग कठोर तालु की ओर कुछ ऊपर उठकर वायु को मुख के बाहर धकेलता है। अपेक्षाकृत कुछ दृढ़ स्वर होने के कारण मुख की मांसपेशियों पर हल्का खिंचाव का अनुभव होता है; यथा—करॅ, चलॅ और मरॅ की अॅ ध्वनियाँ > कर् + अ⁄, चल् + अॅ और मर् + अॅ।

4) **आं :** यह मानक हिंदी और बागड़ी हरियाणवी में प्रयुक्त पश्च, वृत्ताकार, विवृत, दीर्घ स्वर है। इसके उच्चारण में मुख गोलाकार रूप में खुलता है और जीभ का पश्च भाग कोमल तालु की ओर ऊपर उठता है और वायु बाहर आती है; यथा—आग, आपस, आणा (आना पैसा), आम-खास आदि।

5) **ऑ :** यह बागड़ी हरियाणवी की विशेष, व्यतिरेकी स्वर-ध्वनि है। यह विवृत, पश्च वृत्ताकार दीर्घ स्वर ध्वनि है। इसके उच्चारण में जीभ का मध्य भाग कुछ ऊपर उठता है। मुख-गुहा का भाग मुख विवृत रूप में खुलने से अधिक विस्तार पाता है। मुख की मांस-पेशियों में कुछ खिंचाव का अनुभव होता है; यथा—खॉल, गॉल, तॉल की स्वर ध्वनि 'ऑ'—ख् + ऑल, ग्+ऑल, त+ ऑल।

6) **इ :** यह मानक हिंदी और बागड़ी हरियाणवी में प्रयुक्त समरूपी अग्र अवृत्ताकार, संवृत ह्रस्व ध्वनि है। इसके उच्चारण में मुख सामान्य रूप से थोड़ा खुलता, जीभ का अग्र भाग अर्थात् नोक थोड़ा सा ऊपर उठता है; यथा—इन, इतने, इनसे आदि।

7) **इॅ :** बागड़ी हरियाणवी में प्रयुक्त अग्र संवृत अवृत्ताकार सामान 'इ' से अपेक्षाकृत अधिक शिथिल स्वर ध्वनि है। जीभ अग्र भाग अर्थात् नोक थोड़ा ऊपर की ओर उठता है। गाल की मांस पेशियाँ शिथिल रहती हैं। उदाहरण स्वरूप प्रयोग द्रष्टव्य है—इॅस, कि (क् + इॅ), दिन (द्इॅन)।

8) **उ :** मानक हिंदी और बागड़ी हरियाणवी में प्रयुक्त होनेवाला पश्च, वृत्ताकार,

संवृत्त और ह्रस्व स्वर है। इसके उच्चारण जीभ का अग्र भाग कुछ ऊपर उठता है और दोनों ओष्ठ बाहर की ओर खिच कर छोटा वृत्त बनाते हैं। ओठों के अतिरिक्त मुख की अन्य मांस पेशियों पर खिंचाव नहीं होता है; यथा—उस, उदार, उदास।

9) **ऊ :** यह सामान्य स्वर ध्वनि, मानक हिंदी और बागड़ी हरियाणवी दोनों में मिलती है। इसमें पश्च, वृत्ताकार, संवृत्त और दीर्घ स्वर ध्वनि के गुण मिलते हैं।

बागड़ी हरियाणवी में यह ध्वनि शब्दों में यदा-कदा पश्च, वृत्ताकार संवृत शिथिल ह्रस्व स्वर 'उ' के व्यतिरेकी रूप प्रयुक्त होती है; यथा—

मानक हिंदी	**बागड़ी हरियाणवी**
दूध (द्ऊध)	दुध (द्उध)
धूप (ध्ऊप)	धुप (ध्उप)
मूल्य (म्ऊल्य)	मुल्य (म्उल्य)

10) **ए :** मानक हिंदी में यह अग्र, अवृत्ताकर, अर्ध संवृत दीर्घ स्वर ध्वनि है। बागड़ी हरियाणवी में यह अग्र, अर्ध संवृत, अवृत्ताकार शिथिल और ह्रस्व व्यतिरेकी रूप में मिलती है। बागड़ी में यह विशेष व्यतिरेकी उच्चारण है; यथा—केला (क्एला) गेऊँ (ग्एऊँ), मेला (म्एला)।

11) **ऍं :** यह स्वर ध्वनि बागड़ी की विशेष व्यतिरेकी रूप में सामने आती है। यह अवृत्ताकार अग्र, अर्ध संवृत अधिक त्वरा से उच्चरित ह्रस्व स्वर है; यथा—

मानक हिंदी	**बागड़ी हरियाणवी**
देश (द्एश)	दैंश (द्ऍंश)
देव (द्एव)	दैंव (द्ऍंव)
केस (कएस)	कैंस (क्ऍंस)

12) **ऐ-ऐं :** यह स्वर ध्वनि बागड़ी हरियाणवी में यदि कभी मानक हिंदी के समान अग्र, अवृत्ताकार अर्ध विवृत दीर्घ रूप में प्रयुक्त होती है, तो कभी अग्र, अवृत्ताकार अर्ध संवृत और अर्ध विवृत के मध्य ह्रस्व के व्यतिरेकी रूप में सामने आती है। व्यतिरेकी संदर्भ को इस प्रकार प्रस्तुत कर सकते हैं—

मानक हिंदी	**बागड़ी हरियाणवी**
आवै (आव्ऐ)	आवैं (आव्ऐं)
तप्त (गर्म)	तातैं (तात्ऐ)

13) **ओं :** यह मानक हिंदी से बागड़ी हरियाणवी की व्यतिरेकी स्वर ध्वनि है। मानक हिंदी में यह पश्च वृत्ताकार अर्ध संवृत और दीर्घ ध्वनि है। जबकि

बागड़ी हरियाणवी में यह पश्च वृत्ताकार, अर्ध संवृत और ह्रस्व स्वर ध्वनि के रूप में प्रयुक्त होती है। बागड़ी हरियाणवी के शब्दों में यह व्यतिरेकी प्रयोग देख सकते हैं–

मानक हिंदी	**बागड़ी हरियाणवी**
कोई (क्ओई)	कौंई (क्औंई)
रोशनदान (र्ओशनदान)	रौंशनदान (र्औंशनदान)
होगया (ह्ओगया)	हौंरया (ह्औंरया)
मोती (म्ओती)	मौंती (म्औंती)
कोई नहीं (क्ओईनहीं)	कौंनी (क्औंनी)

14) **औ-औं :** बागड़ी हरियाणवी में यह स्वर ध्वनि कभी मानक हिंदी की भांति पश्च, वृत्ताकार, अर्ध विवृत और दीर्घ रूप में प्रयुक्त होती, किंतु सहज और त्वरा में पश्च, वृत्ताकार, अर्ध संवृत एवं अर्ध विवृत के मध्य प्रवृत्तियों के साथ ह्रस्व रूप में व्यतिरेकी बन जाती है–

मानक हिंदी	**बागड़ी हरियाणवी**
औघड़	औंघड
नौबीसी (न्औबीसी)	नौंबीसी (न्औंबीसी)
कौन (क्औन)	कौंन (क्औंन)
और	औंर
पवन (हवा)	पौंन (प्औंन)

15) **ओु :** यह बागड़ी हरियाणवी की सर्वाधिक रेखांकन योग्य व्यतिरेकी स्वर है। यह पश्च वृत्ताकार, लगभग अर्ध संवृत्त शिथिल ह्रस्व स्वर है। इसमें कभी-कभी संवृत, पश्च, वृत्ताकार ह्रस्व 'उ' स्वर के निकट का उच्चारण होता है। इस प्रकार मानक हिंदी और बागड़ी हरियाणवी का विशेष व्यतिरेकी स्वर है। बागड़ी हरियाणवी शब्दांतर्ग इस स्वर का उच्चारण सुन सकते है।

मानक हिंदी	**बागड़ी हरियाणवी**
बिलोवन (बिल्ओवन)	बिलोुवन (बिल्ओुवन)
दोनों (दोन्ओं)	दोनों (दोन्ओुं)
दियो (दिय्ओ)	दिओु (दिओु)

अनुनासिकता : बागड़ी हरियाणवी की उपबोली है। भाषा के आँचलिक रूप की प्रमुख विशेषता अनुनासिकता है। हिंदी की समस्त स्वर स्वनियाँ मूलतः मौखिक हैं। विशेष संदर्भों में अनुनासिक हो जाती हैं। मौखिक ध्वनि के उच्चारण में वायु मुख मार्ग से बाहर आती है, जबकि अनुनासिक ध्वनि के उच्चारण में वायु मुख के साथ कुछ नाक से भी निकलती है। बागड़ी हरियाणवी में अनुनासिकता व्यतिरेकी रूप में सामने आती है; यथा–

मानक हिंदी	**बागड़ी हरियाणवी**
पलंग (चारपाई)	पिलँगा
बाग	बागाँ
न्योता (निमंत्रण)	न्योंता
वजीर	बजीराँ

4.1.2 व्यंजन ध्वनि व्यतिरेक

स्वर ध्वनियों के आधार पर क्षणिक आभास आधार पर उच्चरित व्यंजन ध्वनियों के मानक हिंदी और बागड़ी हरियाणवी की विशेष पहचान या विशेषताओं के आधार पर उनके व्यतिरेकी स्वरूप को प्रस्तुत किया जा सकता है। यहाँ उन व्यंजन ध्वनियों की चर्चा अपेक्षित नहीं है, जो मानक हिंदी और बागड़ी हरियाणवी में समान रूप में प्रयुक्त होते हैं और उनके स्वरूप भी लगभग समान हैं।

ग़ : मानक हिंदी में कंठ्य 'ग' ध्वनि का प्रयोग होता है। बागड़ी हरियाणवी में 'ग' के अतिरिक्त 'ग़' ध्वनि का प्रयोग होता है। इसके उच्चारण में अल्पप्राण से उत्तर रूप और महाप्राण के पूर्व रूप का आभास होता है। उच्चरित स्वरूप को दृष्टिगत कर इसे मध्यप्राण, कंठ्य, घोष व्यंजन कह सकते हैं; यथा–

ग़	–	ग़्रित	(घृत)	ग़ौर	(घर)
		दरग़ाट	(दरघाट)		

चवर्ग (च़् छ़् ज़् झ़्) : मानक हिंदी में अन्य वर्गों के व्यंजनों के समान चवर्ग के च्, छ्, ज्, झ व्यंजनों का सामान्य रूप में प्रयोग होता है। बागड़ी हरियाणवी में इन व्यंजन ध्वनियों का अपेक्षाकृत सीमित रूप में प्रयोग होता है, किंतु इन ध्वनियों के महत्त्व को नकारा नहीं जा सकता। इन ध्वनियों के उल्लेखनीय प्रयोग मिलते है; यथा–

- **च़् :** इस तालव्य, स्पर्श संघर्षी, अघोष और अल्पप्राण ध्वनि का प्रयोग बागड़ी हरियाणवी में यत्र-तत्र मिल जाते हैं–यथा–चार, चाल्या, चुग्गा, नाच्चै।
- **छ़् :** यह तालव्य संघर्ष-स्पर्शी, अघोष और महाप्राण व्यंजन ध्वनि है। बागड़ी हरियाणवी में मानक हिंदी से सीमित प्रयोग का व्यतिरेक सामने आता है; यथा–छाय, छाया, मिच्छा, बछिया, छींकत, छोहरी।
- **ज़् :** यह तालव्य, स्पर्श-संघर्षी, घोष और अल्पप्राण ध्वनि मानक हिंदी की अपेक्षा बागड़ी हरियाणवी में सीमित रूप में प्रयुक्त होती है। बागड़ी हरियाणवी में ज के प्रयुक्त कुछ उदाहरण प्रस्तुत हैं–सजन, जरदी, जाट, जाड्डा।
- **झ़् :** तालव्य वर्ग की अन्य व्यंजन ध्वनियों के ही समान यह स्पर्श संघर्ष, घोष और महाप्राण व्यंजन ध्वनि का मानक हिंदी में प्रयुक्ति की अपेक्षा कहीं कम होती है। कुछ प्रयुक्ति उद्धरणीय हैं–झट, साँझ, झोली।

टवर्ग (ट् ठ् ड् ड़ ढ्, ढ़ ण्) : बागड़ी आंचलिक उपबोली है। इसकी ध्वनियों में जहाँ विविधता होती है, वहीं मानक हिंदी की ध्वनियों से भिन्नता दिखाई देती है।

ट्–यह मूर्द्धन्य, अघोष, अल्पप्राण ध्वनि बागड़ी हरियाणवी में अपने मूल रूप से भिन्न होकर मूर्द्धन्य को स्पर्श करने के स्थान पर कठोर तालु को स्पर्श करती है। इस प्रकार इसमें तालव्य ध्वनि की निकटता का आभास होता है। यहाँ 'ट्' के रूप में पर्याप्त विविधता होती है; यथा–

टप्-टप्, जाट, खटरस, उल्टी

खोट्टा, बेट्टा, टूट्टी

ठ्–इस मूर्द्धन्य ध्वनि के मानक हिंदी स्वरूप और बागड़ी हरियाणवी के स्वरूप में पर्याप्त भिन्नता है। यह ध्वनि व्यतिरेक उच्चरित स्वरूप के साथ प्रयोग परिवेश से भी संबंधित है।

यह मूर्द्धन्य अघोष महाप्राण व्यंजन ध्वनि है। बागड़ी हरियाणवी की इस ध्वनि के परिवेश के विषय में डॉ. एल.डी. जोशी ने अपना विचार इस प्रकार व्यक्त किया है–

"बागड़ी में सिर्फ शब्दारंभ में ही 'ठ' आता है। मध्य तथा अंत्य में 'ठ' के स्थान पर 'ट' ही उच्चरित होता है।"[5]

डॉ. जोशी का यह कथन कि बागड़ी हरियाणवी में 'ठ' केवल शब्दारंभ में मिलता है, किंतु शब्द के मध्य और अंत स्थिति में नहीं प्रयुक्त होता है। यह तर्क संगत और वैज्ञानिक नहीं है। हाँ, इतना अवश्य है कि शब्दारंभ के 'ठ' का उच्चारण महाप्राण रूप में ही होता है, किंतु मध्य और अंत्य में महाप्राणत्व कम होने का व्यतिरेकी उच्चारण होता है। यह व्यतिरेक कभी कभी अल्पप्राण के लगभग निकट आ जाता है।

ठ	–	ठाकुर, ठिकाना, ठोकर
-ठ-	–	आठम, मिठान
--ठ-	–	ठाठ, बैट्ठा, बैट्ठे

यत्र-तत्र महाप्राण के अल्पप्राण रूप मिल जाते हैं; यथा–आठ>आट, साठ> साट।

ड्–यह स्पर्श अल्पप्राण, घोष व्यंजन ध्वनि कभी-कभी बागड़ी हरियाणवी में कुछ व्यतिरेकी उच्चारण में प्रयुक्त होती है।

ड्	–	डरता डिम-डिम
-ड-	–	कडबु, गंडरी
-ड	–	गंडा, रोड

बागड़ी हरियाणवी में 'ड्' ध्वनि 'ढ' हो जाती है। यह परिवर्तन से उभरा व्यतिरेक है।

कोड > कोढ

ढ्–यह मूर्द्धन्य घोष महाप्राण व्यंजन ध्वनि है। बागड़ी हरियाणवी की 'ढ्' ध्वनि की यह विशेषता है कि इसका प्रयोग मुख्यता शब्द के प्रारंभ होता है; यथा– ढाणा, ढाल, ढोल।

मानक हिंदी में इस ध्वनि का प्रयोग आदि मध्य और अंत्य तीनों स्थितियों में होता है; यथा–

ढक्कन, ढलान, ढपली
ढेढ, मेढक आदि

ण्–बागड़ी हरियाणवी में यह ध्वनि मानक हिंदी के ही समान शब्दों के आदि में न प्रयुक्त होकर मध्य और अंत्य स्थितियों में ही प्रयुक्त होती है। इसके उच्चारण में मानक हिंदी के ण् ध्वनि से यह व्यतिरेक है कि इसके उच्चारण में जीभ मूर्द्धा से कुछ हट कर कठोर तालु को स्पर्श कर वायु को कंठ की ओर वापस धकेलती है और वायु नासिका से बाहर आती है। मानक हिंदी के 'ण्' उच्चारण में जीभ मूर्द्धा का स्पर्श करती है और वायु नासिका मार्ग से बाहर आती है।

बागड़ी हरियाणवी 'ण्' नासिक्य व्यंजन की यह रेखांकन योग्य विशेषता है कि शब्द में इससे पूर्व आनेवाली निर-अनुनासिक ध्वनि गंभीरता से अनुनासिक हो जाती है; यथा–

लिखित रूप	उच्चरित रूप
घणा	घँणा
जाण	जाँण
धाण	धाँण
बैगण	बैगँण

त्–बागड़ी हरियाणवी और मानक हिंदी की 'त' ध्वनियों में और उनके प्रयोग में पूर्ण समानता है।

थ्–यह बागड़ी हरियाणवी में मुख्यतः शब्द के आदि में प्रयुक्त होती है। शब्द के मध्य और अंत में इसका प्रयोग होने पर यह ध्वनि 'त' अल्पप्राण में बदल जाती है। इस विषय में डॉ. एल.डी. जोशी ने अपना विचार इस प्रकार व्यक्त किया है–"बागड़ी में तो सिर्फ शब्दारंभ में ही 'थ' आता है। मध्य और अंत्य में तो थ के स्थान पर 'त' उच्चरित होता है।"[6]

थाना, थापतु, थोरा।

बागड़ी हरियाणवी में 'थ्' से 'त्' होने का व्यतिरेक देख सकते हैं—रथ>रत।

द्—बागड़ी हरियाणवी और मानक हिंदी में द् ध्वनि का स्वरूप और प्रयोग लगभग समान है।

ध्—दंत्य, घोष, महाप्राण ध्वनि 'ध्' का बागड़ी हरियाणवी का शब्दों के आदि रूप का प्रयोग मानक हिंदी के समान होता है, किंतु मध्य और अंत्य स्थितियों में महाप्राणत्त्व घटकर अल्पप्राण के निकट आ जाता है। यह उल्लेखनीय है उच्चारण अल्पप्राण के निकट पहुँच कर 'द' से भिन्न ही रहता है। कुछ बागड़ी हरियाणवी प्रयुक्ति उल्लेखनीय है—

ध - - धनियाँ, धरम, धोना

-ध-माधुरी, कामधुनु

--ध गधा (गदा), दूध (दूद)

न्—बागड़ी हरियाणवी और मानक हिंदी की 'न्' ध्वनि और प्रयोग में समानता है।

हाँ! इतना व्यतिरेक अवश्य है कि उच्चारण में 'न' नासिक्य व्यंजन के निकट आनेवाली निरअनुनासिक ध्वनि मानक हिंदी की अपेक्षा गंभीर रूप में अनुनासिक होती है; यथा—

लिखित	उच्चरित
तन	तँन
दान	दाँन
सयानी	सयाँनी

प्—बागड़ी हरियाणवी और मानक हिंदी में प् ध्वनि का स्वरूप और प्रयोग लगभग समान है।

फ्—इस ओष्ठ्य अघोष महाप्राण व्यंजन ध्वनि के बागड़ी हरियाणवी में भी यही व्यतिरेक है कि इसका प्रयोग मुख्यतः शब्द के आदि में होता है। शब्द के मध्य और अंत्य स्थिति में महाप्राणत्त्व के गायब होने से अल्पप्राण 'प्' रूप हो जाता है; यथा—

मुफ्त > मुप्त, गुफा > गुपा

ब्—बागड़ी हरियाणवी और मानक हिंदी में ब ध्वनि का स्वरूप और प्रयोग समान रूप में मिलता है।

भ्—ओष्ठ्य, घोष, महाप्राण व्यंजन ध्वनि 'भ' का बागड़ी हरियाणवी के शब्दों के आदि में मानक हिंदी के समान सामान्य रूप में प्रयोग होता है, किंतु बागड़ी हरियाणवी के शब्दों के मध्य और अंत 'भ्' का प्रयोग बहुत विरल होता है।

भावज, भवानी, भाणना, भरेगो।

बागड़ी हरियाणवी में कभी-कभी 'भ' ध्वनि 'ब' बन जाती है; यथा–

भांभलो भांबलो

गाभ गाब

म्–ओष्ठ् घोष, अल्पप्राण नासिक्य व्यंजन बागड़ी हरियाणवी और मानक हिंदी में सामान्यतः एक समान होती है। इसके निकट प्रयुक्त निरअनुनासिक ध्वनि मानक हिंदी की अपेक्षा कहीं अधिक गंभीर रूप से अनुनासिक हो जाती है। यह आँचलिकता का प्रभाव है; यथा–

लिखित रूप	उच्चरित रूप
कमान	कँमान
गाम	गाँम
हम	हँम

य्–अंतस्थ, अल्पप्राण घोष व्यंजन ध्वनि 'य' का बागड़ी हरियाणवी के शब्दों के मध्य और अंत्य स्थितियों में सामान्य रूप से होता है, किंतु आदि रूप में विरल प्रयोग होता है।

मध्य प्रयोग	–	गोयल, भाग्यवान, अन्याय, हथियार
अंत्य प्रयोग	–	अटक्या, किया, दुनिया, माया

बागड़ी हरियाणवी में 'य' ध्वनि शब्द के आदि रूप में यह से 'अ' बन जाती है; यथा–

मार > आर

र्–यह प्रकंपित व्यंजन मानक हिंदी के समान ही बागड़ी हरियाणवी में प्रयुक्त होती है।

ल्–पार्श्विक अंतस्थ व्यंजन मानक हिंदी के ही समान बागड़ी हरियाणवी में प्रयुक्त होती है।

व्–अर्ध स्वर 'व' का मानक हिंदी और बागड़ी हरियाणवी में समान रूप में प्रयुक्त होता है।

स्–यह अघोष, संघर्षी, वर्त्स्य / दंत्य ऊष्म व्यंजन बागड़ी हरियाणवी में बहुल रूप में प्रयुक्त होता है। मानक हिंदी में श, ष और स तीनों ऊष्म ध्वनियों का प्रयोग होता है, किंतु बागड़ी हरियाणवी में 'श' और 'ष' ध्वनियों के स्थान पर 'स' ध्वनियों का प्रयोग होता है।

मानक हिंदी	बागड़ी हरियाणवी
शक्ति	सकति
शासन	सासन
शर्म	सर्म
विष्णु	बिस्नु
शिष्य	सिस्य

ह्–स्वरयंत्रमुखी, महाप्राण, घोष और संघर्षी ऊष्म व्यंजन ध्वनि बागड़ी हरियाणवी में मानक हिंदी के समान शब्द के आदि मध्य और अंत्य तीनों परिवेशों में प्रयुक्त होती है; यथा–

हल, हात्थी, छोहरा, बहमण, बाह (जुताई), माह।

4.2 शब्द संरचना व्यतिरेक

भाषा की सर्वाधिक महत्त्वपूर्ण इकाई शब्द है। इसीलिए 'शब्द-ब्रह्म' नाम से अभिहित किया जाता है। क्षेत्र विशेष की शब्दावली की प्रमुख विशेषता ही मानक हिंदी से व्यतिरेक का आधार बन जाती है।

4.2.1 पूर्ण भिन्नता व्यतिरेक

बागड़ी हरियाणवी में अनेक ऐसे शब्द मिलते हैं, जो मानक हिंदी से पूर्ण रूपेण भिन्न होते हैं। इस उपबोली के आंचलिक शब्दों को इस प्रकार रेखांकित कर सकते हैं–

बागड़ी हरियाणवी	मानक हिंदी
धीहड़	बेटी
बाबुल / बाबल	पिता
बनड़ी	दुल्हन
भवर	पति
हीबड़ा	हृदय
कसार	गुड़ और गेहूँ के आँट का सत्तू
कूजे	मिश्री की बनी मिठाई
कहेंला	ऊँट
भूरट	काँटेदार घास
असतल	भठ
डाबर	झील
थलियाँ	रेतीली जमीन
बगड़	आँगन

मढ़ी	सिद्ध पुरुष की समाधि
वारणे	दरवाजे पर
गूग्गा	वीर पुरुष
छोहरा	लड़का
छोहरी	लड़की
राड़	ऐसी नारी जिसके पति का देहावसान हो गया हो
खसम	पति

4.2.2 ध्वन्यात्मक परिवर्तन व्यतिरेक

बागड़ी हरियाणवी शब्दों की कुछ ध्वनियाँ मानक हिंदी से परिवर्तित हो जाती हैं, नई ध्वनि का आगम हो जाता है, शब्द की एक या एकाधिक ध्वनि का लोप हो जाता है। ऐसी विविध प्रक्रियाओं से मानक हिंदी और बागड़ी हरियाणवी के शब्दों में अल्पाधिक ध्वन्यात्मक व्यतिरेक दिखाई देता हैं; यथा–

मानक हिंदी	**बागड़ी हरियाणवी**
ननद	ननदली
बहू	बहुण / भऊ
भानजा	भाणजा
माँ	माइड़
बहन	बाहण
अँगुली	ऑगली
लड्डू	लाहुड़ा
हाथी	हात्थी
आरती	आरता
पुण्य	पुन्न
क्षत्रिय	छत्री
ब्राह्मण	बहमण
तीन	तँण
पाँच	पाँस
बारह	बार
तेरह	तेर
सोलह	सोल
बीस	बी
पचीस	पसि

मानक हिंदी	बागड़ी हरियाणवी		
तीस	तारि		
इकतालीस	एकतालि		
अड़तालीस	अड़तालि		
पचास	पसा		
साठ	साट		
सत्तर	सित्तर		
सतहत्तर	सतोत्तर		

मानक हिंदी	बागड़ी हरियाणवी		
अस्सी	एसि	नब्बे	नउ
इकानवे	एकाणु	निन्यानवे	निन्याणु
सौ	सो	बटुआ	बटआ
यौवन	जौबन		

मानक हिंदी और बागड़ी हरियाणवी के शब्द-संरचना में निम्नलिखित प्रमुख व्यतिरेकी स्वरूप का अवलोकन कर सकते हैं–

4.2.2.1 आगम

मानक हिंदी के शब्दों की मानक व्यवस्था बागड़ी हरियाणवी में स्वर, व्यंजन अथवा अक्षर के आगम से व्यतिरेकी रूप में सामने आती है। इसे स्वरागम और व्यंजनागम दो रूपों में देख सकते हैं–

(क) स्वरागम

जब मानक हिंदी के शब्द स्वरूप में और बागड़ी हरियाणवी शब्द में स्वर का अतिरिक्त प्रयोग देखते हैं, तो इसे बागड़ी हरियाणवी शब्द का स्वर आगम व्यतिरेक कहते हैं। स्वरागम शब्द के आदि, मध्य और अंत्य तीनों स्थितियों में संभव होता है। इसी आधार पर स्वर व्यतिरेक का अध्ययन कर सकते हैं।

मानक हिंदी और बागड़ी हरियाणवी शब्द व्यतिरेक अध्ययन करते हुए यदा-कदा शब्द के प्रारंभ मध्य और अंत्य में अतिरिक्त स्वर का प्रयोग दिखाई देता है; यथा–

मानक हिंदी	बागड़ी हरियाणवी	
अच्छा	आच्छा	('आ' आदि स्वागम)
अच्छी	आच्छी	('आ' आदि स्वरागम)
स्नान	अस्नान	('अ' आदि स्वरागम)
मर्द	मरद	('अ' मध्य स्वरागम)
सास	सास्सू	('स' 'ऊ' मध्य-अंत्य स्वरागम)

(ख) व्यंजनागम

मानक हिंदी और बागड़ी हरियाणवी के शब्दों में व्यतिरेक का आधार बागड़ी हरियाणवी शब्दों में व्यंजनागम दिखाई देता है। व्यंजनाम शब्द के मध्य और अंत्य रूप में प्रबलता से होता है; यथा–

मानक हिंदी	बागड़ी हरियाणवी	
भूख	भूक्ख	(मध्य व्यंजन आगम)
रूख	रूक्ख	(मध्य व्यंजन आगम)
माथा	मात्था	(मध्य व्यंजन आगम)
घनो	घनेड़ा	(मध्य-अंत्य स्वर-व्यंजन प्रत्यय आगम)
छोरा	छोहरा	(मध्य व्यंजन आगम)

मानक हिंदी और बागड़ी हरियाणवी के व्यंजन आगम में द्वित्तीकरण की प्रबल प्रक्रिया दिखाई देती है; यथा–

मानक हिंदी	बागड़ी हरियाणवी	द्वित्तीकरण रूप
आगे	आग्गे	(ग्ग)
काटो	काट्टो	(ट्ट)
खेले	खेल्ले	(ल्ल)
खोटा	खोट्टा	(ट्ट)
पचे	पच्चे	(च्चे)
बेटा	बेट्टा	ट्ट
भाभी	भाम्भी	भ्भी
मीठा	मीठ्ठा	ठ्ठ
सास	सांस्सू	स्स

4.2.2.2 लोप

मानक हिंदी और बागड़ी हरियाणवी में व्यतिरेक का एक अन्य मुख्य कारण है बागड़ी हरियाणवी शब्दों में स्वर, व्यंजन या अक्षर का लोप होना। इस प्रकार स्पष्ट रूप से कह सकते हैं कि स्वर, व्यंजन और अक्षरों के लोप हो जाने से बागड़ी हरियाणवी शब्दों के स्वरूप में व्यतिरेक का अनुभव होता है; यथा–

मानक हिंदी	बागड़ी हरियाणवी	लोपांश
उठाकर (उठाके)	ठाके	उ लोप
आ गया	आग्या	अ लोप
मेहमान	महमान	ए लोप
मजदूर	मजूर	द लोप

जोहड़	जोड़	ह लोप
गाय	गा	य लोप
पर	पै	र लोप
ठाकुर	ठाकर	उ लोप

4.2.2.3 मात्रा व्यक्तिरेक

मानक हिंदी और बागड़ी हरियाणवी में व्यतिरेक में देखा जाता है कि बागड़ी हरियाणवी के शब्दों में कभी ह्स्वीकरण हो जाता है, तो कभी दीर्घीकरण हो जाता है। इसे इस प्रकार व्यक्त कर सकते हैं–

ह्स्वीकरण

मानक हिंदी	बागड़ी हरियाणवी	परिवर्तन
पूरे	पुरे	ऊ > उ
आवाज	अवाज	आ > अ
रास्ता	रस्ता	आ > अ
बारात	बरात	आ > अ

दीर्घीकरण

मानक हिंदी	बागड़ी हरियाणवी	व्यतिरेक
ककड़ी	काकड़ी	अ > आ
जुआ	जूआ	उ > ऊ
तुमड़ी	तूमड़ी	उ > ऊ
पति	पती	इ > ई
लड्डू	लाड्डू	अ > आ

4.2.2.4 प्राणत्व व्यतिरेक

बोली और उपबोली में आंचलिक प्रभाव होना स्वाभाविक है। बोल-चाल में मुख-सुख, सहजता और त्वरा आदि के आधार पर परिवर्तन का क्रम चलता रहता है। इस परिवर्तन में कभी महाप्राण ध्वनि अल्पप्राण में बदल जाती है, कभी अल्पप्राण ध्वनि महाप्राण ध्वनि में बदल जाती है। यह परिवर्तन व्यतिरेक का कारण बन जाता है।

अल्पप्राणीकरण

मानक हिंदी	बागड़ी हरियाणवी	व्यतिरेक
भाभी	भाबी	भ > ब
ढेला	डला	ढ > ड

महाप्राणीकरण

मानक हिंदी	बागड़ी हरियाणवी	व्यतिरेक
बहुत	भोत	ब > भ
कुर्सी	कुर्शी	स > श
सच (सत्य)	साछी	च > छ

4.2.2.5 वपर्यय व्यतिरेक

बागड़ी हरियाणवी में शब्दों के त्वरित प्रयोग में उनकी ध्वनियाँ तो उतनी ही रह जाती हैं, किंतु उनका क्रम बदल जाता है। इस प्रकार विभिन्न ध्वनियों के स्थान परिवर्तन के बाद भी शब्द का मूल अर्थ में ही प्रयोग होता है। बागड़ी हरियाणवी के मानक हिंदी से कुछ विपर्यय व्यतिरेक शब्द स्वरूप प्रस्तुत हैं–

मानक हिंदी	बागड़ी हरियाणवी	व्यतिरेक
हमारे	म्हारे	ह >< म
हमने	म्हने	ह >< म
ससुर	सुसर	स >< सु

4.2.2.6 अकारण अनुनासिकता व्यतिरेक

आंचलिक भाषा में अकारण अनुनासिकता उभर आती है। बागड़ी हरियाणवी में भी अकारण अनुनासिकता होने से मानक हिंदी से व्यतिरेकी रूप हो जाता है; यथा–

मानक हिंदी	बागड़ी हरियाणवी	व्यतिरेक
ज्यादा	जाँदा	ज > जँ
पाद	पाँ	प > पँ
तू	तूँ	तू > तूँ

बागड़ी हरियाणवी के जिन शब्दों में नासिक्य व्यंजन का प्रयोग होता है, उसकी पूर्ववर्ती ध्वनि अनुनासिक रूप में उच्चरित होती है; यथा–

मानक हिंदी	बागड़ी हरियाणवी	मूल ध्वनि	उच्चरित ध्वनि
आन	आँन	आ	आँ
राणा	राँणा	रा	राँ
धन	धँन	ध	धँ
आम	आँम	आ	आँ
श्याम	श्याँम	या	याँ

4.2.2.7 समीकरण व्यतिरेक

बागड़ी हरियाणवी के सहज और त्वरित उच्चारण में कभी-कभी शब्द की एक ध्वनि निकट की भिन्न ध्वनि के समान होकर प्रयुक्त होती है। इस प्रकार मानक हिंदी के

शब्द से समीकरण आधार पर व्यतिरेक हो जाता है; यथा–

मानक हिंदी	बागड़ी हरियाणवी	व्यतिरेक
पत्थर	पथ्थर	त > थ
मस्तक	मथ्था	त > थ
चक्र	चक्का	र > क

4.2.2.8 तद्भवता व्यतिरेक

हरियाणा की अन्य उपबोलियों के समान बागड़ी हरियाणवी में भी तद्भव बहुलता और बहुल तद्भवता का स्वरूप मिलता है। आंचलिक क्षेत्र में भाषा प्रयोग सरल ढंग से भाव प्रकट करने के लिए भाषा की संरचना में मनचाहा परिवर्तन कर लेता है। इसलिए इसमें तद्भवता का प्रबल रंग दिखाई देता है; यथा–

मानक हिंदी	बागड़ी हरियाणवी
कृष्ण	किरसन
चंदन	चंदण
चराना	चरावण
दूँगी	द्यूँगी
निमंत्रण	न्यूँता
पार्टी	पाल्टी
पलंग	पिलंगा
बछड़ा	बाछड़ूँ
मनुष्य	माणस
रुपया	रपिये
लगा	लाग्या
शादी	साद्दी
स्वर्ग	सुरग

4.2.2.9 अनुकरणात्मक शब्द स्वरूप व्यतिरेक

बागड़ी हरियाणवी ही नहीं अधिकांश बोलियों और उपबोलियों के ध्वन्यात्मक या ध्वनि अनुकरण आधार पर बने शब्दों और मानक हिंदी के शब्दों में लगभग समानता होती है; यथा–फट-फट, टप-टप, टिन-टिन, सर-सर आदि।

अनुकरणात्मक शब्द वर्ग के प्रतिध्वन्यात्मक शब्दों में व्यतिरेकी, संरचना स्पष्ट रूप से सामने आती है; यथा–

मानक हिंदी	बागड़ी हरियाणवी
उत्ता (कुत्ता-उत्ता)	कत्ता (कुत्ता-कत्ता)
	कत्तो (कुत्ता-कत्तो)

उड़ ⁄ गड़ (गुड़-उड़ ⁄ गड़)	गड़ (गुड़ - गड़)
वर (घर-वर)	गुर ⁄ घुर (घर-गुर ⁄ घुर)
वाय ⁄ शाय (चाय-वाय ⁄ शाय)	चूअ (चाय-चूअ)
चूय (चाय-चूय)	चू (चाय-चू)
वार्टी (पार्टी-वार्टी)	साल्टी (पाल्टी-साल्टी)

मानक हिंदी और बागड़ी हरियाणवी में समान संरचना के शब्दों के प्रतिध्वन्यात्मक शब्दों में व्यतिरेकी रूप सामने आए हैं। मानक हिंदी और बागड़ी हरियाणवी दोनों में 'कुत्ता' शब्द का प्रयोग होता है, किंतु दोनों के प्रतिध्वन्यात्मक शब्द बनते हैं—कुत्ता > उत्ता (मानक हिंदी), कुत्ता > कत्ता ⁄ कत्तो (बागड़ी हरियाणवी)। इस प्रकार चाय के लिए मानक हिंदी में चूय ⁄ वाय ⁄ शाय प्रति-ध्वन्यात्मक शब्द प्रयुक्त होते हैं, तो बागड़ी हरियाणवी में 'चूअ' और 'चू' प्रतिध्वन्यात्मक शब्द प्रयुक्त होने से व्यतिरेकी रूप सामने आता है।

4.3 शब्द-प्रयोग आधार पर व्यतिरेक

मनुष्य सृष्टि का सर्वाधिक चैतन्यशील प्राणी है। वह जीवन में विविध संदर्भों से जुड़ा रहता है। उसके कार्य-क्षेत्र, व्यवहार क्षेत्र और चिंतन-क्षेत्र का पर्याप्त विस्तार होता है। उसकी भाषा की विशेषताएँ विभिन्न क्षेत्रों की शब्दावली से स्पष्ट रूप में सामने आती है। बागड़ी हरियाणवी उपबोली हरियाणवी और राजस्थानी का पुट मिलता है। यह भाषायी स्वरूप मानक हिंदी से व्यतिरेकी स्वरूप बन जाता है। विभिन्न संदर्भों के शब्द प्रयोग में मानक हिंदी और बागड़ी हरियाणवी के शब्दों में व्यतिरेक स्वरूप इस प्रकार सामने आता है—

4.3.1 मानव संबंध सूचक शब्दों में व्यतिरेक

मनुष्य की सामाजिकता का प्रमुख आधार है—मनुष्य का मनुष्य से आपस में संबंध। ये संबंध परिवार में विभिन्न रिश्ते में अथवा सामाजिक संदर्भों में संभावित होते हैं। इस संदर्भ में आने वालो कुछ शब्द-व्यतिरेक इस प्रकार हैं—

मानक हिंदी	**बागड़ी हरियाणवी**
पति	खसम ⁄ भवर
बेटी	धीहड़
ननद	ननदली
पिता	बाबल ⁄ बाबुल ⁄ बाप
दुल्हन	बनड़ी
बहु	बहुण

बहु	भऊ
भानजा	भाणजा
माँ	माई / माइड़ / माँ
बहन	बाहण

4.3.2 शरीरांग संबंधी शब्द व्यतिरेक

मानव शरीर के विभिन्न अंगों के मानक हिंदी के नामों और बागड़ी हरियाणवी के नामों में कुछ में समानता दिखाई देती है, तो कुछ में व्यतिरेक की अनुभूति होती है; यथा–

मानक हिंदी	**बागड़ी हरियाणवी**
अँगुली	आँगली
पैर	पाऊँ (पैर)
दाँत	बत्तीसी
हृदय	हीबड़ा

4.3.3 भोज्य पदार्थ संबंधी शब्द व्यतिरेक

मनुष्य के जीवन में शारीरिक शक्ति के प्रमुख आधार खाद्य और पेय पदार्थ हैं। विभिन्न स्थान और परिवेश के आधार पर यदि खान-पान में भिन्नता होना स्वाभाविक है, तो उनके नामों में भी व्यतिरेक संभावित होता है। मानक हिंदी और बागड़ी हरियाणवी के भोज्य पदार्थ संबंधी शब्दों में व्यतिरेक इस प्रकार दिखाई देता है–

मानक हिंदी	**बागड़ी हरियाणवी**
ईख का टुकड़ा	गंडा
लड्डू	लाहुड़ा
पानी	पाणी
	कूजै (मिश्री से बनी मिठाई)
	कसार (गुड़-गेहूँ आटा से बना सत्तू)

4.3.4 प्राणिसूचक शब्द व्यतिरेक

विधाता की सृष्टि में अनगिनत प्राणियों की संरचना हुई है। मनुष्य का पालतू एवं वन्य प्राणियों से किसी न किसी संदर्भ से संपर्क होता रहता है। खुली आँखों से दिखाई न देने वाले सूक्ष्म जीवाणु से लेकर स्थल के हाथी, शेर, चेते और समुद्र की ह्वेल मछली आदि मनुष्य से अनुकूल या प्रतिकूल रूप में जुड़ते ही रहते हैं। इनके नाम मानक हिंदी और बागड़ी हरियाणवी में यत्र-तत्र व्यतिरेकी रूप में सामने आते हैं; यथा–

मानक हिंदी	बागड़ी हरियाणवी
ऊँट	कहेंला
बछेड़ी	बछेरी (सुंदर घोड़ी)
सुआ (तोता)	सुए
हाथी	हात्थी

4.3.5 संख्यासूचक शब्द व्यतिरेक

मानव जीवन में व्यवस्था सफलता का प्रतीक है। व्यवस्था में गणना का विशेष महत्त्व होता है। संख्यासूचक शब्द इसके लिए प्रयुक्त होते है। मानक हिंदी और बागड़ी हरियाणवी के संख्यासूचक शब्दों में यत्र-तत्र व्यतिरेक दिखाई पड़ता है; यथा—

मानक हिंदी	बागड़ी हरियाणवी
तीन	तँण
पाँच	पाँस
बारह	बार
तेरह	तेर
सोलह	सोल
बीस	बी
पचीस	पसि
तीस	तरि
अड़तीस	अड़ति
एकतालीस	एकतालि
अड़तालीस	अड़तालि
पचास	पसा
साठ	साट
सत्तर	सितर
सतहत्तर	सतोतर
अस्सी	एसि
नब्बे	नउ
निन्यानबे	निन्याणु

बागड़ी हरियाणवी के संख्यासूचक शब्दों के उच्चारण में कुछ भिन्नता भी होती है, किंतु उनमें से मुख्य उच्चारण दिया गया है।

4.3.6 स्थानसूचक शब्द व्यतिरेक

मनुष्य का सामाजिक, धार्मिक, राजनीतिक और आर्थिक आदि से जुड़े स्थानों से संबंध

होता है। उन स्थानों पर यदा-कदा जाना भी पड़ता है। इन स्थानों के मानक हिंदी और बागड़ी हरियाणवी नाम के शब्दों में स्पष्ट रूप से व्यतिरेक दिखाई देता है; यथा–

मानक हिंदी	**बागड़ी हरियाणवी**
स्थल (मठ)	असतल
झील	डाबर
तालाब	ताला
रेतीली जमीन	थलियाँ
आँगन	बगड़
वारामदा	वारणे

4.3.7 व्यक्ति की विशेष स्थितिबोधक शब्द व्यतिरेक

व्यक्ति की उम्र, स्वास्थ्य और विशेष स्थितियों को संबोधित करने के लिए शब्द निर्धारित होते है। इस प्रकार के शब्दों में भी व्यतिरेक दिखाई देता है; यथा–

मानक हिंदी	**बागड़ी हरियाणवी**
लड़का	छोहरा
लड़की	छोहरी
यौवन	जोबन
दुल्हन	बनड़ी
विधवा	राड़

4.3.8 माह नाम शब्द व्यतिरेक

साल में बारह महीने होते हैं। हिंदी के नाम बागड़ी हरियाणवी में प्रयुक्त होते हैं। उनमें व्यतिरेकी रूप सामने आता है; यथा–

मानक हिंदी	**बागड़ी हरियाणवी**
चैत्र	चेत
बैसाख	बसाख
जेष्ठ	जेठ
सावण (सावन)	सावण
भाद्रपद (भादौं)	भादुओं
क्वार	आसुर
कार्तिक	काती
अग्रहण (अगहन)	मिसर
पूस (पौष)	यो
माघ	मॉ
फाल्गुन	फागण

इस प्रकार मानक हिंदी और बागड़ी हरियाणवी के शब्दों के विविध संदर्भों के प्रयोग आधार पर उनमें उभरने वाले व्यतिरेकी रूप से बागड़ी हरियाणवी के स्वरूप की स्पष्ट पहचान बन जाती है।

4.4 व्याकरणिक आधार पर शब्द व्यतिरेक

शब्दों को परिवर्तन के आधार पर विकारी और अविकारी दो वर्गों में विभक्त करते हैं। जिन शब्दों में विकास या परिवर्तन होता है, उन्हें विकारी शब्द कहते हैं और जिन शब्द में परिवर्तन नहीं होता है, उन्हें अविकारी शब्द कहते हैं। बागड़ी हरियाणवी एक उपबोली है। इसलिए इसमें विकारी शब्दों की संख्या पर्याप्त संख्या में पाई जाती है। इसे हम संज्ञा सर्वनाम, विशेषण और क्रिया आदि के रूपों में बांटते हुए अध्ययन कर सकते है। इससे मानक हिंदी और बागड़ी हरियाणवी का व्यतिरेकी रूप सामने आ जाएगा।

4.4.1 संज्ञा शब्द व्यतिरेक

वस्तु, व्यक्ति और स्थान नामों में वस्तु-नाम का प्रयोग अपेक्षाकृत कहीं अधिक होता है। इसलिए इनमें व्यतिरेकी रूप स्पष्ट होता है; यथा—

मानक हिंदी	**बागड़ी हरियाणवी**
गुलगुला	गुलगुल्याँ
चींटी	चिंउटी
जबाब	जुबाब
तुमड़ी	तूमड़ी
दीपक	दीवा
पवन	पौन
बनियाँ	बाणियाँ
बेटा	बेट्टा
भाभी	भाभ्भी
रुपया	रपिये
वत्स (बछिया)	बाच्छी
शुक्रवार	सुक्कर
ससुराल	सासरा
सास	सास्सू

4.4.2 सर्वनाम शब्द व्यतिरेक

बागड़ी हरियाणवी में सहज प्रयोग से मुखसुख की अनुभूति होती है। इसी आधार

पर संज्ञा के स्थान पर प्रयुक्त होनेवाले शब्दों में मानक हिंदी के शब्दों से व्यतिरेक सामने आता है; यथा—

	मानक हिंदी	**बागड़ी हरियाणवी**
उत्तम पुरुष	मैं	मैं / मा
	हम	हम / म्हा
	हमारा	म्हारो
मध्यम पुरुष	तू	तुँ / तैं / ता / था
	तुम्हारा	थारो
अन्य पुरुष	वह	यो / या / वो/ ऐं
	उसे	उन्नै
	वे	बै / बेरो

बागड़ी हरियाणवी समानता और समरसता के कारण मध्यम पुरुष के आदरसूचक 'आप' का प्रयोग नहीं होता है। इस क्षेत्र में जहाँ मानक हिंदी का प्रभाव बढ़ रहा है, वहाँ यत्र-तत्र आप का प्रयोग मिल जाता है।

4.4.3 विशेषण शब्द व्यतिरेक

संज्ञा और सर्वनाम की विशेषता प्रकट करनेवाले बागड़ी हरियाणवी के शब्द प्रायः तद्भवीकरण से परिवर्तित होकर प्रयुक्त होते हैं। इसके साथ लिंग-संदर्भ में भी व्यतिरेकी रूप सामने आते हैं।

मानक हिंदी	**बागड़ी हरियाणवी**
काला	काळा
काली	काळी
घना	घणा
दुबली	दूबली
पहली	पैहली
भूखा	भूक्खा
भूखी	भूक्खी
मीठा	मीट्ठा
सयानी	स्यानी

4.4.4 क्रिया शब्द व्यतिरेक

कार्य करने या होने के बोध करनेवाले शब्द हिंदी में प्रायः तद्भव रूप में प्रयुक्त होते हैं। बागड़ी हरियाणवी के क्रियाशब्द भी तद्भव होते हैं, किंतु इनका तद्भवीकरण

अधिक विकसित या परिवर्तित हो जाता है। इससे दोनों के क्रिया शब्दों में व्यतिरेक दिखाई देता है; यथा–

तत्सम (संस्कृत)	**मानक हिंदी**	**बागड़ी हरियाणवी**
कथन	कहना (कहा)	कह्या
गणन	गिनना (गिना)	गिणे
गमन	जाना (गया)	ग्या / ग्यो
दोहन	दुहना	दुो
दृश्य	देखना (देखा)	देख्या
निष्पत्ति	निकलना	निपजै
पतति	पड़ना (पड़ा)	पड़्या
रुदन	रोना	रुओ
संलग्न	लगना (लगा)	लग्या / लग्यो

4.4.5 क्रिया विशेषण व्यतिरेक

बागड़ी हरियाणवी की क्रिया की विशेषता प्रकट करने वाले शब्द में पर्याप्त परिवर्तन होने के कारण मानक हिंदी के शब्दों में भी परिवर्तन होने के कारण मानक हिंदी के शब्दों से व्यतिरेकी रूप में प्रयुक्त होते हैं; यथा–

मानक हिंदी	**बागड़ी हरियाणवी**
अब	अवे
आग	एटे मोरे
के बाद	केड़े
दूर	परे
सीधे	सीध्धे

4.4.6 शब्द-अक्षर संबंध व्यतिरेक

शब्द भाषा की लघुतम, स्वतंत्र और सार्थक इकाई है और अक्षर लघुतम, स्वतंत्र ध्वन्यात्मक इकाई है। ध्वन्यात्मक आधार पर भाषा और बोली का अध्ययन विशेष महत्त्वपूर्ण होता है, क्योंकि मानक भाषा के शुद्ध उच्चारण का बोध होता है, तो बोली या उपबोली उच्चारण के विशेष लहजे के साथ अभिव्यक्ति की अनुभूति होती है।

अक्षर भाषा की वह इकाई है, जो एक ही झटके में उच्चरित हो तथा जिसमें एक स्वर या स्वरवत व्यंजन हो।

मानक हिंदी में एक ओर उच्चारण की शुद्धता होती है, तो हरियाणवी और उनकी उपबोलियों के उच्चारण की विविधता व्यतिरेक के रूप में सामने आती है।

4.5 मानक हिंदी–बागड़ी हरियाणवी : पद व्यतिरेक

जब शब्द में वाक्य बनाने की शक्ति आ जाती है, तो उसे पद की संज्ञा दी जाती है। मानक भाषा हो अथवा बोली या उपबोली हो उसमें अभिव्यक्ति संदर्भ से पद की स्वाभाविक रचना होती है। मानक भाषा के पद की रचना में व्यवस्थित रूप होता है, तो बोली और उपबोली के पदों में विविधता होना स्वाभाविक है। पद मे अर्थ तत्त्व के साथ संबंध तत्त्व का योग होता है। इसमें व्याकरणिक कोटियों, वचन, लिंग, पुरुष, काल और कारक की विशेष भूमिका होती है।

मानक हिंदी और बागड़ी हरियाणवी के पदों में जहाँ अर्थ तत्त्व में व्यतिरेक मिलता है, वहीं संबंध तत्त्व में भी व्यतिरेकी रूप मिलता है।

4.5.1 संज्ञा पद व्यतिरेक

मानक हिंदी और बागड़ी हरियाणवी में कभी-कभी शून्य प्रत्यय के साथ संज्ञा पद की संरचना होती है अर्थात् संज्ञा शब्द (अर्थ तत्त्व) बिना संबंध तत्त्व के वाक्य में प्रयुक्त होकर पद का स्थान पा लेता है। दोनों में व्यतिरेकी रूप सामने आता है; यथा–

मानक हिंदी	**बागड़ी हरियाणवी**
मा बेटे पर गुस्सा करती है।	माऊ बेटे पे गुस्सा करे

संज्ञा के साथ प्रयुक्त प्रत्यय के योग में व्यतिरेकी रूप सामने आते है; यथा–

मानक हिंदी	**बागड़ी हरियाणवी**
'सुनार के लड़के ने कहा'	सुनारकै लड़के ने कहा

• संज्ञा पद संरचना में कारक प्रयोग व्यतिरेक

संज्ञा शब्द के साथ कारक चिह्नों के प्रयोग से बननेवाले कुछ पद मानक हिंदी और बागड़ी हरियाणवी में समान होते हैं, तो कुछ में संरचनात्मक व्यतिरेक सामने आते हैं।

	मानक हिंदी	**बागड़ी हरियाणवी**
कर्ता ने	श्याम ने, ताऊ ने	स्याम नैं, ताऊ नैं
करण से	घर से, ताऊ से	घर सूँ, ताऊ सूँ
अपादान से	तुम से, पेड़ से	तम सूँ, पेड़ सूँ
अधिकरण में	बाजार में, जेब में	बजार मैं, जेब मैं
ऊपर	सिर ऊपर, छत ऊपर	सर उपर, छात उपर

• संज्ञा संरचना में वचन प्रयोग व्यतिरेक

बागड़ी हरियाणवी में मानक हिंदी के ही समान एक वचन और बहुवचन के आधार पर पद रचना होती है। दोनों के पद रचना में यत्र-तत्र व्यतिरेक दिखाई देते हैं।

मानक हिंदी		**बागड़ी हरियाणवी**	
एकवचन	**बहुवचन**	**एकवचन**	**बहुवचन**
आदमी	आदमी, आदमियों	आदमी	आदमियाँ

घोड़ा	घोड़े, घोड़ों	घोड़ा	घोड़ाँ, घोडँएँ (घोड़े, घोड़ों)
बैल	बैलों	बळध	बळधाँ
बनिया	बनियों	बणिया	बणियाँ, बणियों
माता	माताएँ, माताओं	माता	माताअँएँ (माताएँ)

• संज्ञा पद संरचना में लिंग-प्रयोग व्यतिरेक

मानक हिंदी के ही समान बागड़ी हरियाणवी में पुल्लिंग और स्त्रीलिंग–दो लिंगों की व्यवस्था का विधान है। बागड़ी हरियाणवी में पुल्लिंग से स्त्रीलिंग परिवर्तन में उच्चारण या प्रत्यय भेद के कारण व्यतिरेक सामने आता है;

मानक हिंदी		बागड़ी हरियाणवी	
पुल्लिंग	**स्त्रीलिंग**	**पुल्लिंग**	**स्त्रीलिंग**
जाट	जाटनी	जाट	जाट्टनी
राजा	रानी	राजा	राणी

4.5.2 सर्वनाम पद व्यतिरेक

सर्वनाम शब्द जब व्याकरणिक योग्यता पाकर वाक्य में प्रयुक्त होने का आधार पा लेता है, तो वह सर्वनाम पद बन जाता है। बागड़ी हरियाणवी में मानक हिंदी के सर्वनाम पदों से कहीं अधिक विविधता होने से व्यतिरेकी रूप सामने आता है। सर्वनाम व्यतिरेक कारक, लिंग और वचन व्याकरणिक कोटियों में स्पष्ट रूप से देख सकते हैं।

सर्वनाम पद संरचना में कारक-प्रयोग व्यतिरेक

बागड़ी हरियाणवी में विभिन्न विभक्तियों के कारक चिह्नों की विविधता के कारण मानक हिंदी के सर्वनाम पदों से व्यतिरेकी रूप सामने आता है–

	मानक हिंदी	बागड़ी हरियाणवी
उत्तम पुरुष	मैं - मैंने, मेरे, मेरा	मैंने, मारे, मने, मेरो
मध्यम पुरुष	तुम - तू, तुम्हारा, तुमने, तुम्हारे	तूँ, तैं, तेरी, तेरो
अन्य पुरुष	वह - वे	ओ, यो, ई, बो (पुलिंग) या, आ, बा (स्त्रीलिंग

• संर्वनाम पद संरचना में वचन-प्रयोग व्यतिरेक

बागड़ी बोली के सर्वनाम पद संरचना में एक वचन और बहुवचन दोनों में मानक हिंदी के सर्वनाम पद की संरचना से व्यतिरेक सामने आता है–

	मानक हिंदी		बागड़ी हरियाणवी	
	एकवचन	**बहुवचन**	**एकवचन**	**बहुवचन**
उत्तम पुरुष	मैं	हम	मैं / मा	म्हे, म्हा
	मेरा	हमारा	म्हारो	

मध्यम पुरुष	तुम	तुम (सब)		तूँ, तैं	थे / थाँ
	तुम्हारा	तुम्हारा	तेरो	थारो	
अन्य पुरुष	यह	ये	ओ, यो	ऐं, ए	
			या, आ (स्त्रीलिंग)	इन	
	वह	वे	वो	बै	
			बा (स्त्रीलिंग)	बॉ	
	उसको	उनको	उवा, बिनगो, बेरो	बिन, बिनगो, बांगो	

- **संज्ञा पद संरचना में लिंग-प्रयोग व्यतिरेक**

बागड़ी हरियाणवी के सर्वनाम शब्द कारक चिह्नों के साथ प्रयुक्त होकर मानक हिंदी से व्यतिरेकी रूप में सामने आते हैं। इसके साथ शून्य प्रत्यय वाले सर्वनाम पदों में भी व्यतिरेक स्पष्ट रूप से देख सकते हैं; यथा–

	मानक हिंदी		**बागड़ी हरियाणवी**	
	पुल्लिंग	**स्त्रीलिंग**	**पुल्लिंग**	**स्त्रीलिंग**
अन्य पुरुष	यह वह	यह वह	यो, ओ	या, आ
	इसने, उसने	इसने उसने	वो, वोनैं	बा, बानैं
उत्तम पुरुष	मेरे हमारे	मेरी हमारी	मारो, मारे, म्हारो	मारी, मरि, म्हारी
मध्यम पुरुष	तुम्हारे	तुम्हारी	थारे, थारो	थारी, थारी

4.5.3 विशेषण पद व्यतिरेक

व्याकरणिक योग्यता प्राप्त विशेषण शब्द मानक हिंदी और बागड़ी हरियाणवी दोनों वाक्य में प्रायः विशेष्य के पूर्व प्रयुक्त होते हैं। मानक हिंदी और बागड़ी हरियाणवी के विशेषण पदों की संरचना में स्पष्ट व्यतिरेक सामने आता है। इस व्यतिरेक को निम्नलिखित संदर्भों में देख सकते हैं–

- **संख्यावाचक विशेषण पद-व्यतिरेक**

मानक हिंदी और बागड़ी हरियाणवी के संख्यावाचक विशेषण पद प्रायः शून्य प्रत्यय के रूप में प्रयुक्त होते हैं। इनका व्यतिरेक स्पष्ट रूप में उल्लेखनीय है–

मानक हिंदी	**बागड़ी हरियाणवी**	**मानक हिंदी**	**बागड़ी हरियाणवी**
दो / दूसरा	दो / दोवँ	तीन	तीन्ह / तँण
पाँच	पाँस (पाँच)	छह	सो (छह)
आठ	आट	नौ	नोव (नौ)
ग्यारह	ग्यारहँ / इयार	बारह	बारहँ / बार
तेरह	तेर / तेरां	चौदह	चौदा / सौद

पंद्रह	पंद्रा / पनोंर	सोलह	सोल्ह / सोल
सत्रह	सतरं / सतोर	अठारह	अठारं / अडार
उन्नीस	ओगणि (उन्नीस)	बीस	बी / वि
इक्कीस	एकवि (इक्कीस)	बाईस	वाबि (बाईस)
तेईस	तेवि / (तेईस)	चौबीस	सोवि / चोबीस
पचीस	पसि / पच्चीस	छब्बीस	साब्बि / (छब्बीस)
सत्ताईस	सत्ताबि / सत्ताई	अट्ठाईस	अट्टावि / अट्ठाईस
उन्तीस	उन्नतीस/आगेणतरि	तीस	तरि (तीस)
इकतीस	एकतरि (इकतीस)	बत्तीस	बतरि / बतीस
तैंतीस	तेतरि / तैतईस	चौंतीस	सुतरि (चौंतीस)
पैंतीस	पांतरि (पैंतीस)	छत्तीस	सतरि (छत्तीस)
सैंतीस	साँतरि (सैंतीस)	अड़तीस	अड़ति / अठतीस
उंतालीस	उण्तालीस/ ओगणस्यालि	चालीस	स्यालि (चालीस)
इकतालीस	इकतालि / इकताली	बयालीस	बयॉलि
तैंतालीस	तेतालि	चौवालीस	चुबालीस / सुम्मालि
पैंतालीस	पिस्तालि / पेंतालीस	छियालीस	सितालि (छियालीस)
सैंतालीस	सुन्नालि / सेंतालीस	अड़तालीस	अड़ताली
उंचास	ओगणपसा (उंचास)	पचास	पसा (पचास)
इक्यावन	इकावन	तिरपन	तरेपन / तँपन
चौव्वन	चौपन / साँपन	पचपन	पिचपन / पंसावन
छप्पन	सप्पन (छप्पन)	सत्तावन	सतावन
उन्सठ	ओगण (उनसठ)	साठ	साट (साठ)
इकसठ	इक्यॅठ (इकसठ)	बासठ	बाएठ
तिरसठ	तरेसठ / त्रेंएठ	चौंसठ	चोंसठ / सोंएट
पैंसठ	पाँएट (पैंसठ)	छियासठ	साँएट (छियासठ)
सड़सठ	सतासठ / सण्णिएट	अड़सठ	अठाठ / अडिएठ

मानक हिंदी	बागड़ी हरियाणवी	मानक हिंदी	बागड़ी हरियाणवी
उनहत्तर	उनहतर / ओगणसितेर	सत्तर	सित्तॅर (सत्तर)
इकहत्तर	इकेतर / एकुओतॅर	बहत्तर	बहेत्तर / बुओतॅर
तिहत्तर	तोतॅरॅ (तिहत्तर)	चौहत्तर	चुहत्तर / सिमुतॅर
पचहत्तर	पिचत्तर / पिसतॅर	छिहत्तर	सौंतर (छिहत्तर)
सतहत्तर	सतन्तर / सतोतॅर	अठहत्तर	अटत्तर / अट्टॅतॅर
उन्यासी	उन्नासी / ओगण्यासि	अस्सी	एसि (अस्सी)
इक्यासी	इक्यासि (इक्यासी)	बयासी	ब्यॉसि (बयासी)
तिरासी	त्याँसि (तिरासी)	चौरासी	चुरासी / सोराइ
पचासी	पिस्याई (पचासी)	छियासी	स्याँइ (छिपासी)
सतासी	सत्याइ (सतासी)	अठासी	अट्याइ (अठासी)
नवासी	उनानवे / निव्याह	नब्बे	नबे / नव्
इक्यानवे	इकानवे / एकाणु	बानवे	बाणवे / बाणु
तिरानवे	तिराणवे / ताणु	चौरानवे	चुराण्वे / सोराणु
पंचानवे	पचाणवे / पंसाणु	छियानवे	छियाणवे / सण्णु
सतानवे	सताणवे / संताणु	अठानवे	अठाणवे / अट्टाणु
निन्यानवे	निन्याणु / नडिणवे	सौ	सो

यहाँ यह उल्लेखनीय है कि यह प्रायः उच्चरित रूप है। इसके अतिरिक्त अर्थात् भिन्न रूप भी संभावित होते हैं।

• विशेषण पद संरचना में लिंग प्रयोग व्यतिरेक

बागड़ी हरियाणवी विशेषण पदों में यत्र-तत्र संरचनात्मक विकास के आधार पर मानक हिंदी के पद से व्यतिरेक हो जाता है। इसे हम तुलनात्मक दृष्टि से देख सकते हैं—

मानक हिंदी		बागड़ी हरियाणवी	
पुल्लिंग	**स्त्रीलिंग**	**पुल्लिंग**	**स्त्रीलिंग**
भला आदमी	भली औरत	भलो आदमी	भली औरत
बड़ा पेड़	बड़ी टोपी	बड़ो भरोटा	बड़ी लाठी
उलटा दिन	उलटी बात	उल्टो दिन	उल्टी बात

- **विशेषण पद संरचना में वचन-प्रयोग व्यतिरेक**

बागड़ी हरियाणवी के विशेषण पदों के व्याकरणिक कोटि वचन प्रयोग की भिन्नता से मानक हिंदी से व्यतिरेकी संरचना सामने आती है; यथा–

मानक हिंदी		बागड़ी हरियाणवी	
एकवचन	**बहुवचन**	**एकवचन**	**बहुवचन**
पका फल	पके फल	पक्का फल	पक्के फल
सूखी लकड़ी	सूखी लकड़ी (लकड़ियाँ)	सुक्का लक्कड़	सुक्के लक्कड़

4.5.4 क्रिया विशेषण व्यतिरेक

बागड़ी हरियाणवी में मानक हिंदी के ही समान क्रिया विशेषण पद का प्रयोग वाक्य में क्रिया पद के पूर्व होता है। क्रिया विशेषण पदों की विविधता को दृष्टिगतकर कालवाचक, स्थानवाचक, परिणामवाचक, प्रश्नवाचक और संयोजक आदि वर्गों में रख कर अध्ययन किया जाता है। बागड़ी हरियाणवी क्रिया विशेषण पदों की संरचना विविधता और विकासात्मक स्वरूप के आधार पर व्यतिरेकी रूप सामने आते हैं; यथा–

	मानक हिंदी	**बागड़ी हरियाणवी**
सामान्य	तुम अब जाओ।	तूं इब जा।
स्थान सूचक	तुम यहाँ दे दो।	तूं अट्ठे दे।
प्रश्नवाचक	दान की बछिया के दाँत कौन गिने?	दान की बछिया के दाँत कूण गिणे?
कालद्योतक	तू कब जाएगा?	तूँ कद जाएगा।
परिणामवाचक	मैं बागड़ देश में बहुत दुखी हूँ।	मैं बागड़ देश में भोत दुखी हूँ।

4.5.5 क्रिया पद व्यतिरेक

भावाभिव्यक्ति संदर्भ से वाक्य के विभिन्न पदों में क्रिया पद का सर्वाधिक महत्त्वपूर्ण स्थान है। हिंदी वाक्य की सामान्य रचना में क्रियापद का प्रयोग वाक्यांत में होता है। बागड़ी हरियाणवी के क्रिया पदों की विविधता से मानक हिंदी के क्रिया पदों से व्यतिरेकी रूप सामने आते हैं; यथा–

मानक हिंदी	**बागड़ी हरियाणवी**
मैं राह नहीं जानता हूँ।	मैं राह न जांणु।
दूर-दूर से रिश्ते आने लगे।	दूर-दूर से रिस्ते आवण लाग्गे।

लकड़ी का डंडा सोने का <u>हो गया</u>। लकड़ी क भरोंटा साने का <u>हो ग्या</u>।

वह मनुष्य कहने <u>लगा</u>। वो मानस कहन <u>लग्या</u>।

मानक हिंदी के समान बागड़ी हरियाणवी के मुहावरों, कहावतों आदि में क्रियापद वाक्य के आदि और मध्य में भी प्रयुक्त होते हैं, किंतु संरचनात्मक व्यतिरेक विद्यमान होता है; यथा–

अहीर <u>खाये</u> राबड़ी <u>बताए</u> खीर।	-	मानक हिंदी
अहीर <u>खावै</u> राबड़ी <u>बतावै</u> खीर।	-	बागड़ी हरियाणवी
गाय न बछिया, नींद अच्छी <u>आए</u>।	-	मानक हिंदी
गा न बाच्छी, नींद <u>आवै</u> आच्छी।	-	बागड़ी हरियाणवी
बोलो इसका क्या <u>लोगे</u>?	-	मानक हिंदी
बोल के <u>लेगा</u> इसका?	-	बागड़ी हरियाणवी

● ***संयुक्त क्रियापद प्रयोग में व्यतिरेक***

बागड़ी हरियाणवी में मानक हिंदी के ही समान कभी मूल क्रिया के साथ सहायक क्रिया का प्रयोग होता है, तो कभी एक मूल क्रिया के साथ दूसरी मूल क्रिया का भी प्रयोग किया जाता है। बागड़ी हरियाणवी की संयुक्त क्रिया से मानक हिंदी की संयुक्त क्रिया का व्यतिरेक स्पष्ट रूप में देख सकते हैं; यथा–

मानक हिंदी	**बागड़ी हरियाणवी**	**विश्लेषण**
आ गया	आग्या	आ (आना) + ग्या (गया)
गिर पड़ा	गिर पड़्यो	गिर (गिरना) + पड़्यो (पड़ना)
भर लेना	भल्लेगा	भल्-भर (भरना) + लेगा (लेना)
मार डाला	माड्डाला	माड्-मार (मारना) + डाला (डालना)
सरमा गया	सरमाग्या	सरमा (सरमाना) + ग्या (गया)
हो गया	होग्या	हो (होना) + ग्या (गया)

जिस प्रकार हिंदी की संयुक्त क्रिया में रंजक क्रिया का प्रयोग होता है, उसी प्रकार बागड़ी हरियाणवी में भी विशेष अभिव्यक्ति के लिए रंजक क्रिया का प्रयोग होता है। रंजक क्रिया वे क्रियाएँ है, जो सामान्य अर्थ में विषम अर्थ देती है, किंतु उनसे विशेष गंभीर अर्थ प्रकट होता है; यथा–आग्या (आ गया) का सामान्य अर्थ है–आया और गया, किंतु विशेष भाव है–'निश्चित रूपेण आ गया है।' इस प्रकार कह सकते है बागड़ी हरियाणवी में मानक हिंदी की गंभीर अभिव्यक्ति है केवल संरचनात्मक व्यतिरेक है।

● **क्रिया पद रचना में काल प्रयोग व्यतिरेक** : भाषा में क्रिया पद सबसे महत्त्वपूर्ण

होता है। बागड़ी हरियाणवी में व्याकरणिक कोटि काल के संदर्भ में मानक हिंदी से व्यतिरेकी रूप सामने आता है; यथा—कर (करना)

वर्तमान काल

	मानक हिंदी		बागड़ी हरियाणवी	
	एकवचन	**बहुवचन**	**एकवचन**	**बहुवचन**
उत्तम पुरुष	(वह) करता है	(वे) करते हैं	(ओ) करुओं सुओं	(अमे) करें से
मध्यम पुरुष	(तुम) करते हो	(तुम सब) करते हो	(तूँ) करॅ सॅ	(तमे) करॉ सॉ
अन्य पुरुष	वह करता है	वे करते हैं	(इ) करॅ सॅ	(इ) करे सैं

भूतकाल

	मानक हिंदी		बागड़ी हरियाणवी	
	एकवचन	**बहुवचन**	**एकवचन**	**बहुवचन**
उत्तम पुरुष	मैंने किया	हमने किया	(में) कर्यु	अमे कर्यु
मध्यम पुरुष	तुमने किया	तुम सबने किया	(ते) कर्यु	तमे कर्यु
अन्य पुरुष	उसने किया	उन्होंने किया	(ऍण) कर्यु	(ऐण) कर्यु

भविष्यत् काल

	मानक हिंदी		बागड़ी हरियाणवी	
	एकवचन	**बहुवचन**	**एकवचन**	**बहुवचन**
उत्तम पुरुष	मैं करूँगा	हम करेंगे	(ऑ) करे	(अमें) करसं
मध्यम पुरुष	तुम करोगे	तुम सब करोगे	(तूँ) करे	(तमे) करसां
अन्य पुरुष	वह करेगा	वे करेंगे	(इ) करस	(इ) करसे

• **प्रेरणार्थक क्रिया संरचना व्यतिरेक :** मानक हिंदी में सामान्य क्रिया से प्रेरणार्थक क्रिया बनाने के लिए प्रेरणार्थक चिह्नों का प्रयोग किया जाता है; यथा—

चलना > चलाना > चलवाना।
हँसना > हँसाना > हँसवाना।

इसी प्रकार बागड़ी हरियाणवी में सामान्य क्रिया से प्रेरणार्थक क्रिया की योजना की जाती है। दोनों की संरचना की भिन्नता के कारण उसमें व्यतिरेक होना स्वाभाविक है; यथा—

क्रिया	प्रेरणार्थक चिह्न	प्रेरणार्थक रूप
तार	अव	तारव
फुल	अव	फुलव
भुल	अव	भुलव
सरक	आव	सरकाव
अड़	आड़	अड़ाड़
उग	आड़	उगाड़
जिव	आड़	जिवाड़
साक	आड़	सकाड़

4.6 मानक हिंदी–बागड़ी हरियाणवी : वाक्य व्यतिरेक

भाषा की पूर्ण सार्थक इकाई वाक्य है। मानक हिंदी के सामान्य वाक्य की संरचना में जिस प्रकार कर्ता, कर्म और क्रिया का क्रमशः प्रयोग किया जाता है, उसी प्रकार बागड़ी हरियाणवी में भी इन पदों का इसी क्रम में प्रयोग किया जाता है। इसी प्रकार दोनों के वाक्यों में एक प्रत्यक्ष या अप्रत्यक्ष क्रिया का प्रयोग होता है।

बागड़ी हरियाणवी में भी मानक हिंदी के समान, सरल, संयुक्त और मिश्र वाक्यों के प्रयोग होते हैं। बागड़ी के विभिन्न पदों की संरचना भिन्नता के कारण व्यतिरेकी स्वरूप सामने आते हैं।

4.6.1 सरल वाक्य संरचनात्मक व्यतिरेक

बागड़ी हरियाणवी के सरल वाक्य का पदक्रम मानक हिंदी के ही लगभग समान होता है, किंतु पदों की रचना की भिन्नता के कारण व्यतिरेकी रूप सामने आते हैं; यथा–

मानक हिंदी	**बागड़ी हरियाणवी**
वह घर जा रही थी।	बा घर जा रही थी।
वह बुरी संगत में बैठने लगा।	वो बुरी संगति में बैठण लाग्या।
आपस में दोनों का टक्कर हो गया।	आपस में दोनों का टक्करा होग्या।
बहुत अच्छी वर्षा हुई।	भोत आच्छी बिरखा हुई।

जिस प्रकार मानक हिंदी के संवादात्मक या विशेष भावात्मक वाक्यों में पदक्रम सामान्य न रहकर बदल जाते हैं, उसी प्रकार बागड़ी हरियाणवी में भी प्रभावी या संवादात्मक स्थिति में पदक्रम परिवर्तित हो जाते हैं; यथा–

मानक हिंदी	-	पति की भुजा देखकर रोई, दे किलकारी।
बागड़ी हरियाणवी	-	पति की भुजा देखकै रोई दे किलकारी।
मानक हिंदी	-	भाई! मैं पूरे उन्तीस रुपये लूँगा।
बागड़ी हरियाणवी	-	भाई! मैं रपिये ल्यूँगा पूरे नौबीसी।

4.6.2 संयुक्त वाक्य संरचना व्यतिरेक

बागड़ी हरियाणवी के संयुक्त वाक्य में दो या दो से अधिक प्रधान उपवाक्य का योजना होती है। दोनों उपवाक्यों के मध्य वा, अथवा, या, अर और अरु आदि योजक चिह्नों का प्रयोग किया जाता है। पद संरचना के आधार पर बागड़ी हरियाणवी के वाक्यों की मानक हिंदी के वाक्यों से व्यतिरेक सामने आता है; यथा–

मानक हिंदी - लक्ष्मी ने अपना हाथ उठाया और डंडा सोने का हो गया।
बागड़ी हरियाणवी - लक्ष्मी ने अपना हात उठाया और भरोंटा सोने का होग्या।
मानक हिंदी - तू जल्दी कर और उसे पैसे दे दे।
बागड़ी हरियाणवी - तूँ जल्दी कर अर उसे पीसे दे दे।

4.6.3 मिश्र वाक्य संरचनात्मक व्यतिरेक

बागड़ी हरियाणवी में मानक हिंदी के ही समान यदा-कदा मिश्र वाक्य संरचना मिलती है, जिसमें एक प्रधान उपवाक्य और एक या एकाधिक आश्रित उपवाक्यों की योजना होती है। दोनों में मिश्र या जटिल वाक्य की संरचना समान होती है, किंतु विभिन्न पदों की रचना में व्यतिरेक होता है।

मानक हिंदी — जब राजा बना दिया, तो दूर-दूर से रिश्ते आने लगे।
(क) राजा बना दिया — प्रधान उपवाक्य
(ख) दूर-दूर से रिश्ते आने लगे — आश्रित उपवाक्य
(ग) जब ...तो... योजक
बागड़ी हरियाणवी — जब राजा बना दियो तो दूर-दूर से रिश्ते आवण लाग्यो।
(क) राजा बना दियो — प्रधान उपवाक्य
(ख) दूर-दूर से रिश्ते आवण लाग्यो — आश्रित उपवाक्य
(ग) जब ...तो... योजक

मिश्र वाक्य योजना प्रयोग : व्यतिरेक

(1) मानक हिंदी — माया कहने लगी कि तुम्हें केले खाने का शौक है– मिश्र वाक्य
(क) माया कहने लगी — प्रधान उपवाक्य
(ख) तुम्हें केले खाने का शौक है — आश्रित उपवाक्य
(ग) ...कि... — योजक
मिश्र वाक्य योजना — माया कहने लगी कि तुम्हें केले खानें का शौक है।
बागड़ी हरियाणवी — माया कहण लागी क तेरे को केळे खाण को शौक है।
(क) माया कहण लागी — प्रधान उपवाक्य

(ख) तेरे को केळे खाण को शौक है — आश्रित उपवाक्य

(ग) ...क... — योजक

मिश्र वाक्य योजना माया कहण लागी क तेरे को केळे खाण को शौक है।

(2) मानक हिंदी — यह वही मक्खन है, जो मैंने कल निकाला था।

(क) यह मक्खन है — प्रधान उपवाक्य

(ख) मैंने कल निकाला था — आश्रित उपवाक्स

(ग) ...वही ...जो... — योजक

योजना — यह वही मक्खन है जो मैंने कल निकाला था।

बागड़ी हरियाणवी — यो वाही मक्खण है जो मैन्ने कल निकाळा था। मिश्र वाक्य

(क) यो मक्खण है — प्रधान उपवाक्य

(ख) मन्ने कल निकाला था — आश्रित उपवाक्य

(ग) ...वही ...जो... — योजक

वाक्य योजना — यो वाही मक्खण है जो मैन्ने कल निकाळा था।

इस प्रकार मानक हिंदी और हरियाणवी की एक उपबोली बागड़ी हरियाणवी के व्यतिरेकी अध्ययन से एक ओर मानक हिंदी की व्यवस्थित संरचना सामने आती है, तो दूसरी ओर बागड़ी हरियाणवी की संरचनात्मक पहचान भी स्पष्ट हो जाती है। मानक हिंदी के उच्चारणात्म स्वरूप के साथ लिखित रूप सामने होता है, क्योंकि हिंदी में समृद्ध साहित्य उपलब्ध है और मानक भाषा को व्यवस्थित किया गया है। बागड़ी हरियाणवी में लोक साहित्य मिलता है। इसका आधार भी लोक भाषा के रूप में है।

इस व्यतिरेकी अध्ययन से बागड़ी हरियाणवी का स्वरूप अर्थात् उसकी भाषायी विशेषताएँ सामने आ गई हैं। इस आधार पर कोई भी व्यक्ति मानक हिंदी के माध्यम से बागड़ी हरियाणवी के उच्चरित और लिखित रूपों को अपनाने में समर्थ हो सकता है।

4.7 बागड़ी हरियाणवी संदर्भ

4.7.1 लोक कथा

इन लोक-कथाओं को लेखक ने स्वयं बागड़-क्षेत्र में बोली -सर्वेक्षण के समय टेप किया है। बागड़-क्षेत्र में लोक कथाओं का विशेष महत्त्व है। इन कथाओं में बागड़ी जीवन की सहज, व्यावहारिक विचारधाराओं के साथ उनकी सामाजिक और धार्मिक मान्यताओं को भी अभिव्यक्ति मिलती है। लोक-जीवन से जुड़ी होने के कारण इनमें मनोरंजन की अतिरंजना भी मिलती है।

'चक्कर' मीरपुर जनपद (सिरसा)

एक राजा था। उसके पास आठ-दस सूबा थे। वो बुरी संगति में बैठण लाग्यो।

तास-जुआ खेलण लाग्यो। बुरी संगति मा परचार के निकळे कि घर का दिवाळा। राजा सारे गाम में फिरै, कौई उसनै पाँच पैसे उधारा कोई न दे। आखिर राणी एक-दो घर जा, पांच-चार किल्लो ऑटो ल्यावै और टाइम पास करै। उस्सी आटा में राजा दो किल्लो निकाळ ले और सराब-पाणी जुआ खेल्लै। उसकी राणी दुखी होके, रस्सी ली निकाळ, अपनी चारपाई की ताण खोल कै। औ बन मा चल पड़ी। चलते- चलते बन के अन्दर अच्छा तगड़ा बड़ का दरखत था। उस बड़ में रस्सी टाँग के फांसी खाने की त्यारी करी है इतने में एक फकीर वहाँ आ पहुँचे। बोले। ''बच्चा तू ये क्या कर रही है?'' बोल्ये, ''महाराज मैं दुःखी हूँ। मेरा पती राजा था। और बीस सूब्बों का राजा था। आज पाँच पैसा उसको कोई ना दे उधारा। बोल्या, 'बावड़ी, आत्महत्या नई करनी चइए।' काया को कष्ट देके जीना सीखौ। यह तो भोत अन्याय है। कभी राजा तेली बन जाता है, कभी तेली राजा बन जाता है। बावड़ी ये गिरस्ती ऐसे चलती आई है। संसार का चक्कर है, यो। अरे! यों कर ये डेढ़ टका ले जा अपने पती को मेरे पास भेज दियो अर मैं उसने खेल दिखाऊँगा। बा डेढ़ टका ले के अपने घरा आ जाती है। आ कै पती ने कहन लागी, तेरे को फिलम देखण को शौक है। ये ले, डेढ़ टका ले जा जंगल में महराज आये हैं। वे तन्नै सलीमा दखावैंगे। पती जी को बड़ौ खुशी हुई। बोल्या, आज तो पत्नी मेरे पे दयालु हो रही है। वे ले ग्ये डेढ टका और पहुँचा ग्या जंगल मा, जाके महराज ने कहन लाग्या, महाराज मन्ने खेल दिखाओ। अब डेढ टका ले लिया महराज और हाथ से एक दीवार बना दी। दीवार में छोटा सा रोशनदान था। बोल्यो, 'जा टप जा।' औ जल्दी आइगा। वो अब सुरग लो मा पहुँचिगा, राजा। जो सुरग लोक का राजा था, मर ग्या उस दिन। वो मरती दफे यू कह ग्या, इस रास्ते कोई भी आदमी या जानवर या कोई चीज आवे उसको मेरा मुकुट पिरा दिओ। वा को देख वजीरा मंत्रियाँ उसने गोदी भी लियो। बोले इसको मुकुट पिरावे, राजा बनावे। उन्नै राजा बना दिया, सुरूग लोक को। राजा बना दियो तो दूर-दूर से रिस्ते आवण लाग्गै। उसी साद्दी होगी। उसके दो लड़के हो गेय। अच्छे पढ़ा-लिखा के लड़कों को और उसने पाल्टी-साल्टी करी। सारा गावों में न्यूता करया। और कह्या कोई आदमी खाणो बगैर नई रहणों चइए। उसी रास्ते जाते बजीर झरोके से झांक के देखण लाग्गे। आगे फकीर बैठ्या। उसका मंत्री कहन लाग्या, ''महाराज जी! राजा के लड़के की पाल्टी है, चलो, जिम्मै खातिर बुलाया है थन्ने।'' बोल्या, ''मैं कोई न जाऊँ।'' उसने उसको डाँट दियो, बोल्यो, ''कौन राजा, किसका राजा, मैं कोई न जाऊँ उड़ै।'' बजीराँ ने जा के राजा को एक दो बात लगा के कही, एक महाराज नई आये। और सब जीम गये। बोल्यो, मैं दूखँ उस महाराज नै। बोल्यो मेरो घोड़ो, पाँच हथियार बधि द्यो और में पटापट जाऊँ, उसनै ल्याऊँ। वा झरोखा इतना छोटा था कि खाली आदमी-आदमी टप सकै, पोशाक पहण के आदमी नई टप सके। तो हथियार टाँग दिये घोड़े पै और

पोशाक निकाळ के रख दिया। और जाकै महाराज ने कहे मेरे लड़के की पाल्टी तुम आये कू नहीं। इतने में दीवार खतम हो गई। "बोल्यो किसका लड़का किऊँ पाल्टी, किंगा चक्कर, तू किन्ने फिरन लाग्या है। तन्नै डेढ़ टका दिया खेल देखण खातिर, जा तेरा खेल पूरा होग्या।" वो दिमाग खर्च करे बोल्यो यू की चक्कर। वो घर आ ग्या। पहले था राजा, वैसे का वैसा ठाट-बाट मिला। बा रानी आई। रानी राजा ने महराज की सेवा में जिन्दगी बिता दी।

'अकल अर लछमी' सिकंदरपुर जनपद (सिरसा)

एक नदी थी। नदी पे छोटा पुल था। और इधर से अकल आ रही थी। इने से लछमी आ रही थी। आपस में दोनों का टक्करा होग्या। अकल कहन लागी कि मैं तेरे नो बड़ी हूँ। अब रास्ता दे, दे मेरे नू। बा कहन लगी, "मैं बड़ी हूँ, तू रास्ता दे दे।" अब दोनों बहने लड़ पड़ी। बीच में कोई समझदार आदमी आग्या। अकल कहन लगी कि हमारा फेसला कर भाई साब। लछमी कहन लगी अकल कै फैसला करेगी, मैं बड़ी हूँ, तेरे से। यो के फैसला करेगी। वो इन्सान कहन लग्या कि फैसला तो तेरा हो गयो, जिन्दगी का। तम दोनों देवता मिलग्ये और फैसला तुम कुछ करकै दिखाओ। जै कोए बड़ी है, तो पता लग जाएगा, अपने आप। जो अकल एक माणस के घर जा बढ़ी। उस माणस की अकल निकाळ ली उसने। वो वापस जंगम ग्या। एक लकड़ी का भरोंटा ल्याके घर पटक दिया। अर लक्षमी ने अपणा हात उठाया सो लकड़ी का भरोंटा सोने का हो ग्या। अब अकल थी नहीं माणस में। अब माणस वो भरोंटा ले कै चल पड्या बाजार में। बोले–'लक्कड़ लै ले, लक्कड़ ले ले!' कोई सोनार था। उसने देख्या, हाँ! या तो सोणे का है, गुटका। सोनार कहन लग्या, "मांग माणस के मांगेगा इसकै?" बोलया, "भाई मैं रपिये ल्यूंगा पूरे नौबीसी। एक आणा कम कोन्या ल्यूं।" सोनार कहन लग्या "इस माणस में अकल तो सै कोनी। फेर दुबारा हट के सोनार कहन लग्या, "बोल के लेगा इसका?' 'रपिये पूरे नौबीसी ही लूगा। जांदा करे, तो दो बळद और एक मण ज्वार खरीद दे।" सोनार ने लड़के को भेज दिया "इसको दो बळद ले ले और एक मण ज्वार खरीद दे, बणिये तै।"

अच्छी बिरखा हुई। ज्वार बीज दी गी। ज्वार पक गई। उसके लागे मोटे-मोटे दुम्बे। दुम्बे लागै तो माणस सोच्या कि दुम्बे के लागे मोटे-मोटे। उसने सोच्या, फोड़ के देख! एक दुम्बा फोड़ के देख्या, उसने–हीरा-मोती! माणस अपने दिमाग में सोचन लाग्या "बनिये तैने बीज बेकार दे दिया, पत्थर दे दिया। अपनी घरवाली ने जाकै कहन लाग्या कि बणिये ने बीज बेकार दे दिया और वो तो सारे पत्थर-ई-पत्थर हो ग्या। अब बाकी घरवाळी कहण लागी, "अपने सुबेरे जाइयो और बणिये ने ल्याकै उलाभा दियो।" "रात में जाऊँगा, जाकै बोल के ने सोउँगा, मैं।" तो रात ने माणस चल पइया, जैली ठाकै। उन्नै बीज ऐसे लाग्ये जैसे आग जले। अब माणस मन में

सोचये कि ये बणिये की भारी हेरा-फेरी है और तेरे बोल में आग लग ग्या। वा फुर्ती करी, भागण की। जल्दी-जल्दी भाग्या। आगे जाके देख्या, तो बोल ठंडे ही ठंडा था। उसमें कोण सी आग। वो कहन लग्या। पत्थर क्या के, ये तो जगे सै, रोशनी बड़ी आवै। तो कोई राजा के बनजारे ज्वार खरीदे फिरें। चार बजे का टेम था, सुबह का। उसकी रोशनी देख वो बनजारा आ ग्या। वो माणस को कहण लाग्या, "भाई, ये सौदा बेचे है के तु? बोले जरूर! बोल कितने पिसै लेगा तूं। जो कुछ तनै मागणा है, माँग ले आज। तेरे जितने भी साधन है गाम में सारे के सारे भर दूगा।" माणस बोल्या, "तीन-पाँच तो करे ना रपिये ल्यूंगा पूरे नौबीसी। अर ज ले जा यो अडंगा घर कै।" बनजारा मन में सोच्या भई ये तो जमा बेवकूफ है। अकल जरा नई इसके। बंजारा फुर्ती करी यो कोई दूसरा ना टोह जा आके। अब तु जल्दी कर। अर तू फटाफट यो सामान अपने बलदा में डाल दे। बालदा भर ली अर चल पड़े। जा के राजा के पेश करया—हीरा-मोती। राजा हीरा-मोती देख के एक दम चकरा ग्या। बोले, "मै कोण सा देस है? कौणसा जमीदार है? जिसके खेत में यो हीरा-मोती नीपजे है। मैं तो मेरी लड़की ब्याहूँगा।" अब बनजारा मन में सोची उसमें अकल के दाने नहीं अर यो कहे मैं लड़की ब्याहूँगा। खैर चल भई तू। आके बनजारे ने माणस तही कह्या, "माणस चाल तन्नै राजा याद करै।" माणस के खटका हो ग्या। तै पत्थर दे दिया, उसने। यो तनै भुला के ले जा है, तनै पाड़ेगा, पीसे दे दिया उसने। माणस बोल्या, "मैं तो कोनी जाऊँ।" बनजारा ने तरकीब सोची, तो जाय कोनी यो। बाने एक भैंस खरीदी। बोल्या, थोड़ी दूर पहुँचा दे रपिये दस ले ले। माणस बोल्या, "ल्या पहले ल्या। पहले दे दिये दस रपिये। गाम आ गया कोए। बोले आगे ताई और चल रपिये ले ले बीस ओर। यूँ करके बनजारा उसने अपने देश लेग्या। अच्छा मुह्वाया-धुहाया। माणस ने अच्छी पोशाक सिलवाई दर्जी करूँ। जाके तेल चौपड़ के बाल बुल बहाके अच्छी तरह। राज के पेश करया, "ये वो है जमीदार जिसके खेत में हीरे-मोती निपजे से।" राजा कह, "भई तू तो भोत नामी जमींदार है। तेरे खेत में हीरे-मोती निपजै। मारे तो दर्सन करने को कोनी हो रहे। अब जो लड़की थी राजा की, उसने हीरे- मोती के हार बनाए बहोत जोर को और उसने डालन लगी गल में। वो माणस कहन लग्या, "ए राण्ड परे हो जा। ये क्यूं घालै मेरे गल में। मैं तो मसै (बड़ी मुश्किल से) पांण्डा छुड़ाए हूँ। जब वहाँ लछमी कहन लगी अकल को, "अकल, मेरी बेज्जती होवै।" बोले ना तू बड़ी है। बोले—ना बहन तू ही बड़ी। जिब अकल नहीं है, तो लछमी के करेगी।

4.7.2 लोक गीत

बागड़ क्षेत्र में धार्मिक और सामाजिक दोनों प्रकार के लोगगीत मिलते है। प्राचीन परंपराओं और धार्मिक भावना से जुड़े होने के कारण यहाँ के लोक-गीतों में धार्मिक

स्वर की प्रधानता है। इन गीतों को परम आकर्षक आरोह-अवरोह के साथ गाया जाता है। प्रस्तुत कुछ गीतों को मैंने बागड़ी बोली के सर्वेक्षण में टेप किया है।

1 जसोदा तेरे किरसन ने समझा ले तन्नै छेड़-छेड़गे।
मैं गउ् चरावण जाऊँ, मन्नै आगे किरसन पावै।
या चरती अउ का सैटी मारे तन्नै छेड़-छेड़गे।।
जसोदा तेरे किरसन...
मैं दूधा काढ़न जाऊँ, मन्नै आगे किरसन पावै।
या दूधा, कढ़ती गऊ खिडावै, तन्ने छेड़-छेड़गे।।
जसोदा तेरे किरसन...
मैं दूध बिलोवण जाऊँ, मन्ने आगे किरसन पावे।
सारा मक्खन खा ग्या, किरसन चोर-चोर गे।
जसोदा तेरे किरसन...

2 मेरे धोरे अइयो रे किरसन, केळे की फळियाँ द्यूँगी।
केळ की फळियाँ द्यूँगी, मिसिरी की डालियाँ द्यूँगी।
मेरे धोरे अइयो...
कमरे में दूध विलाउँगी, माखण खाकै जाइए।
मेरे धोरे अइयो रे किरसन, केळे की फळियाँ द्यूँगी।

3 दरबार खड़े जुग बीत गये, कुछ संकट काट्टो बाल्ला जी।
ताता सा पाणी लिया खड़ी थै नैयण सिजोओ बाल्ला जी।
ताता सा भोजन लिया खड़ी में, भोग लगाओ बाल्ला जी।
दरबार खड़े जुग...
में घस-घस चंदण लिया खड़ी, ये तिलक लगाओ बाल्ला जी।
दरबार खड़े जुग बीत गये, कुछ संकट काो बाल्ला जी।।

4. बागड़-क्षेत्र में 'गूगापीर' और 'जाहरपीर' को विशेष महत्त्व दिया जाता है। इनसे संबंधित गीतों का अभिनयात्मक प्रदर्शन किया जाता है। भक्त समूह में इक्ट्ठे होकर बाजे की धुनि पर झूम-झूम कर गाते-नाचते हैं। गूगापीर से संबंधित लोक-गीतों में उनकी कहानी भी चलती है। (यहाँ ये लोक-गीत 'हरियाणा की उपभाषाएँ' पुस्तक से साभार लिया जा रहा है)।

मेरो गढ़ ददरेड़ो बड़ो शहर हिन्दुवाना
अमर का पोता जेबर सिंह चौहाना
मरद निछत्तर दत्तरधरी राणा
बादशाही सूबा आम खास में थाना
मदद इलाही कला सवाई नौबल में लागी धाई
जाहरपीर मरद अवतारी

जगजीत पीरी पाई
कजली बन सूँ गौरख आया चौदह सौ चेला संग लाया
आ बागां में डेरा लाया बारह बरस का सूखा बाग हराया
फूलों का डौना माली भर के ल्याया अम्बा बाछल जाए दिखाया
ओधड़ चेला ने जाए अलख जगाया राणी भिच्छा लाई गुर की रिच्छा
सेवा में बाछल[7] आई
जाहरपीर मरद अवतारी
जगजीत पीरी पाई
बाछल माता जनमत की बांझ कहावै
पुत्र की खातिर सेवाहित कहलावे
मौला गोद भरेगो न्यू सतगुर समझावे
सेवा सहणी गुरू की करणी खुशी रही बाछल माई।।
जहरपीर मरद अवतारी...
बारह बरस तक सेवा साछी गहरी
गोरखनाथ का परचा हरदम हाल हजूरी
काछल[8] का जोड़ा[9] जिनै भी मजबूरी
बाछल का गूगा लिखी अरस ने पीरी
जोड़ा ने वाद मंडायो धुन्ध मचावो
दिल्ली में चुगली खाई
जाहरपीर मरद अवतारी...
चढ़ा बादशाह ले ली फौज अमोही
बदरेड़े छाया जित गूगा सिहं की रोही
चढ़ा बाला भाणजा ले ली हाथ सरोही
चढे वाला भाणजा ले ली हाथ सिरोली
चढे हिसाबा लशकर दाना इंदल कर दिया राही राही
जाहरपीर मरद अवतारी...
चढ़ा मज्जू भाई जिनने लोथण कर दिया धारा
चढ़ा पीर बाह्मण नरसिंह मतवारा
वा फतेसिंह ने रण में खड्ग संभाला
वा गूगा जी के गले में भूमति माला
गुरू गोबिंद रण जूझा जिनकी वणी रहे चतुराई
जाहर पीर मरद अवतारी...
गूगा जी की मदद पीरणी राणी
समसेर उठाई जागी बामी भजा भवानी

धड़ शीश उड़ायो जिनै बार करो हकानी
चौहान गौत्र की कर गयो अमर निशानी
गूगा ने सेर बैर जब लिया जिनों की तड़पाई
जाहरपीर मरद अवतारी...
बादशाह के जी पै वह बई कारी
लीला ने दोनों टाप धरी अम्बारी
गूगा ने आया लटका नीचे पटका काण करूँ तेरे तखत की
तो को कहा मारूँ बादशाह भाई
जाहरपीर मरद अवतारी...
जगजीत के सिर जेड़ा का ल्याया
इनको विसवा दे दे ले मेरी बाछल माता
गुगा तनें बुरी करी ये मेरी सगी बाहण का जाया
ददरेड़ा ते सुण कै कारण पुरे मैं आया
अर्जुल्ला[10] पाटी अब लीला[11] सुधा समाया
मूड़ा बीच मैड़ी छाई
जाहरपीर मरद अवतारी...
जाहरपरी (मुख्यतः श्रावण मास में गाया जाने वाला लोक-गीत)
और जाल[12] सब भिणभिणी[13] तू क्यों रे हरियाणली?
कै तू माली सींचिया के तेरी जड़ पैताल
न मैं माली सींचिया न मेरी जड़ पैंताल
बारी मेरा जाहर मिल गईयाँ
मेरे तले जाहर सो रहा सूत्या है वो चादर ताण, बारी मेरा...
मूँधे हुए विलोवणे रीती है वै जा चकिहार,[14]
ढाणा राभै बाछड़ूँ डहराँ की वे लागड़ गाय, बारी मेरा...
जाहर उठा भड़के कै टूटे री पिलंगा के साल, बारी मेरा...
पाँचों ल्यावो कापड़े तीनों ल्यावो हैथियार। बारी मेरा...
सीम सिमै पर नावड्या ल्यया रीवो गऊ छटाय। बारी मेरा...
अर्जुन माइया बड़ तले सर्जुन री बो सरवर पाल। बारी मेरा...
खाई के ओल्हे मौसी खड़ी कह दे रे बीरा मन की बात, बारी मेरा...
उठ उठ री माँ हाथ धुवा मारे री मैसी के लाल। बारी मेरा...
बुरी करी रे मेरे लाडले मारे रे मौसी कै लाल। बारी मेरा...
मौसी कर दी ऊतणी भावज रे तने कर दी राँड। बारी मेरा...
सूधे हुए बिलोवणे भर भर हे वे जाँ चकिहार। बारी मेरा...

संदर्भ

1. डॉ. जयनारायण कौशिक, हरियाणवी हिंदी कोश, भूमिका, पृ. 28
2. डॉ. जयनारायण कौशिक, हरियाणवी हिंदी कोश, भूमिका, पृ. 593
3. डॉ. भोलानाथ तिवारी, भाषाविज्ञान कोश, पृ. 396-97
4. डॉ. कैलाश चंद्र भाटिया, भाषा भूगोल, पृ. 273
5. डॉ. एल.डी. जोशी, बागड़ी बोली का स्वरूप, संपा. परमानंद—सप्तसिंधु, उपभाषा विशेषांक, पृ. 190
6. संपा. परमानंद, सप्तसिंधु (डॉ. एल.ड जोशी, बागड़ी का स्वरूप), पृ. 190
7. गूगा की मां
8. बाछल की बहन
9. काछल के अर्जुन सुर्जुन दो जुडुवा पुत्र
10. भूमि
11. घोड़ा
12. एक दरखत
13. रूखी-सूखी
14. दही बेचने वाली

पंचम अध्याय

मानक हिंदी कौरवी हरियाणवी : व्यतिरेकी अध्ययन

कुरु के क्षेत्र या प्रदेश के नाम पर 'कौरवी' नाम पड़ा है। पौराणिक काल के संदर्भ में कुरु प्रदेश और कौरव की चर्चा होती है। महाभारत में कुरु प्रदेश के साथ कौरव और पांडव के संघर्षशील कथानक का प्रस्तुतीकरण होता है।

5.1 नामकरण

कौरवी के लिए कई नाम दिए जाते रहे हैं। जिनमें खड़ी बोली, हिंदुस्तानी, जनपदीय हिंदुस्तानी (डॉ. सुनीतिकुमार चटर्जी द्वारा प्रदत्त), सरहिंदी, सिरहिंदी, वर्नाकुलर हिंदुस्तानी (जार्ज इब्राहीम द्वारा प्रदत्त) आदि प्रमुख हैं।[1] हिंदी को खड़ी बोली (मानक हिंदी) का स्वरूप कौरवी को आधार रूप में अपना कर निर्धारित किया गया है। इसलिए इसे खड़ी बोली नाम दिया गया है। इस बोली के नाम को 'खड़ी बोली' नाम देने के समर्थकों में डॉ. धीरेंद्र वर्मा, डॉ. बाबूराम सक्सेना, आचार्य किशोरीदास वाजपेयी और डॉ. तेजपाल चौधरी के नाम विशेष रूप में उल्लेखनीय हैं। डॉ. उदय नारायण तिवारी ने भी इस नाम का समर्थन करते हुए लिखा है, "खड़ी बोली के व्याकरण के अध्ययन से यह सरलतया प्रमाणित हो जाता है कि वास्तव में बात भी ऐसी ही है।"[2] भाषा की पहचान क्रिया शब्द या पद से होती है। कौरवी की क्रिया में खड़ी पाई का प्रयोग होता है; यथा—करना, चढ़ना, टहलना, तोड़ना, पकड़ना आदि। इसे खड़ी बोली नाम देने का एक अन्य आधार यह है कि हिंदी की विभिन्न बोलियों में इसे खरी (शुद्ध) बोली का स्थान दिया गया। इसी आधार पर इसे खड़ी बोली नाम दिया गया। इसके खरेपन के ही कारण इसे हिंदी के स्वरूप निर्धारण में इसको ही आधार बनाया गया। खड़ी बोली का प्रयोग भारतेंदु युग से होने लगा है। इसे हिंदी के निर्धारित मानक के पर्यायी रूप में अपना लिया गया है। यह भी सुनिश्चित तथ्य है कि इस क्षेत्र के किसी भी गाँव में खड़ी बोली (मानक हिंदी) का प्रयोग नहीं होता है। डॉ. भोलानाथ तिवारी ने खड़ी बोली के वर्तमान चर्चित

स्वरूप पर गंभीरता से विचार करते हुए स्पष्ट किया है, "वस्तुतः खड़ी बोली में पूर्वी पंजाब, दिल्ली और पश्चिमी उत्तर प्रदेश की बोलियों के मिश्रण का यह एक परिनिष्ठित रूप है...इस प्रकार मेरे विचार में हिंदी-उर्दू का आधार खड़ी-बोली मूलतः एकाधिक भाषा रूपों पर आधारित है। इसे मात्र कौरवी, मात्र बाँगरू या मात्र व्रज पर आधारित कहना ठीक नहीं है।"[3] इस विश्लेषण के आधार पर उक्त क्षेत्र की बोली को 'कौरवी' नाम देना अधिक वैज्ञानिक है।

हिंदी के विकास में फोर्ट विलियम कालेज की विशेष भूमिका रही है। लल्लू लाल और सदल मिश्र दोनों ही इस संस्था से संबंधित रहकर हिंदी भाषा के विकास पर लगातार विचार करते रहे हैं। इन्होंने हिन्दुस्तानी में पुस्तक रचना के समय खड़ी बोली का शब्द प्रयोग किया है। जान गिल क्राइस्ट ने हिंदुस्तानी के स्थान पर 'खड़ी बोली' शब्द का प्रयोग किया है–

"Many of those are in the Kharee Bolee or the pure Hindavee style of the Hindustanee."[4]

उन्होंने कुछ अन्य स्थानों पर भी 'खड़ी बोली' का इसी संदर्भ में प्रयोग किया है; यथा–

"The real 'Kharee Bolee' is distinguished by the general observance of Hindustanee grammer and rearly a total exclusion of Arbic and persion words."[5]

प्रसिद्ध भाषा वैज्ञानिक डॉ. भोलानाथ तिवारी ने भी विभिन्न नामों में 'कौरवी' को अधिक सार्थक और वैज्ञानिक नाम होने का मंतव्य दिया है, "खड़ी बोली आदि की तुलना में कौरवी नाम अधिक अच्छा है। इसके लिए दो कारण दिए जा सकते हैं। एक तो यह कि यह क्षेत्र प्रायः वही है, जिसे पहले 'कुरु' जनपद कहते थे, अतः जनपदीय आधार पर 'कौरवी' नाम उचित है और दूसरे यह कि 'खड़ी बोली' मूलतः उसे कहते हैं, जिस पर आधुनिक साहित्यिक हिंदी तथा उर्दू आदि आधारित हैं, तथा जो अनेक मूल बातों (जैसे–ण-न, मूल-द्वित्व आदि) में इस कौरवी से सर्वथा भिन्न है और भिन्नता के होते इस जनबोली को भी उसी नाम से पुकारना बहुत भ्रामक तथा अवैज्ञानिक है।"[6]

प्रयोग क्षेत्र

हिंदी की बोली कौरवी गाज़ियाबाद, मेरठ, मुजफ्फर नगर, रामपुर, मुरादाबाद, बिजनौर, देहरादून के साथ हरियाणा के सोनीपत, पानीपत, कुरुक्षेत्र और यमुनानगर के कुछ भागों में प्रयोग होता है।

हरियाणा क्षेत्र में प्रयुक्त कौरवी को 'कौरवी हरियाणवी' नाम से अभिहित किया जाता है। इस क्षेत्र में प्रयुक्त कौरवी हरियाणवी की अपनी विशेषताएँ हैं।

5.2 व्यतिरेकी विश्लेषण

भाषा संरचना की दृष्टि से जब मानक हिंदी और कौरवी हरियाणवी का व्यतिरेकी अध्ययन करते हैं, तो निम्नलिखित उल्लेखनीय तथ्य सामने आते हैं–

5.2.1 मानक हिंदी–कौरवी हरियाणवी : ध्वनि व्यतिरेक

ध्वनि, भाषा की लघुतम, स्वतंत्र और महत्त्वपूर्ण इकाई है। विभिन्न बोलियों में प्राचीन और परंपरागत ध्वनियाँ किसी न किसी रूप में मिल जाती हैं। कौरवी हरियाणवी में भी मानक हिंदी की ध्वनियों में यदि परंपरागत ध्वनियाँ हैं, तो समय, परिस्थिति और शासन-प्रशासन के परिवर्तन के साथ देशी और विदेशी ध्वनियों का आगमन होता रहता है। जिस प्रकार दो भाषाओं में जहाँ कुछ समानताएँ होती हैं, वही कुछ भिन्नता भी होती है, उसी प्रकार मानक हिंदी और उसकी प्रमुख बोली हरियाणवी की उपबोली कौरवी हरियाणवी में भी व्यतिरेकी रूप सामने आते हैं। मानक हिंदी और कौरवी हरियाणवी की ध्वनियों के विशद विश्लेषण से दोनों में व्यतिरेकी स्वरूप उभर कर सामने आते हैं। यह उल्लेखनीय है कि मानक हिंदी की ध्वनियों को निर्धारित कर दिया गया है, जब की कौरवी हरियाणवी में ध्वनियों का वैविध्य रूप व्यतिरेक का आधार बना है।

5.2.1.1 मानक हिंदी–कौरवी हरियाणवी : स्वर व्यतिरेक

अ - अॅ

मानक हिंदी में मध्य और अर्ध विवृत उदासीन 'अ' का प्रयोग होता है। यह ध्वनि कौरवी हरियाणवी में समान रूप से प्रयुक्त होती है। कौरवी हरियाणवी में इससे निकट किंतु भिन्न–कुछ अग्र और विवृत प्रवृत्ति-स्वर 'अॅ' का प्रयोग मिलता है; यथा–

मानक हिंदी	**कौरवी हरियाणवी**	
कहना	कॅहना	(क् अॅ ह् अ न् आ)
पहल	पॅहल	(प् अॅ ह् अ ल् अ)
पहरा	पॅहरा	(प् अॅ ह् अ र् आ)

कौरवी हरियाणवी की 'अॅ' स्वर ध्वनि की यह विशेषता है कि इसका प्रयोग प्रायः 'ह' व्यंजन ध्वनि के पूर्व होता है।

आ - ऑ

मानक हिंदी का 'आ' विवृत स्वर है। कौरवी हरियाणवी में भी इसका प्रयोग होता है, किंतु इसके साथ ही प्रबल विवृति के साथ उच्चरित दीर्घ स्वर 'ऑ' का भी प्रयोग होता है। अंग्रेजी के शब्दों में इससे मिलती जुलती 'ऑ' ध्वनि सुनाई देती है; यथा– College (कॉलेज), Doctor (डॉक्टर), Ball (बॉल) आदि। यहाँ यह उल्लेखनीय

5.2.1.1 मानक हिंदी–कौरवी हरियाणवी : स्वर व्यतिरेक

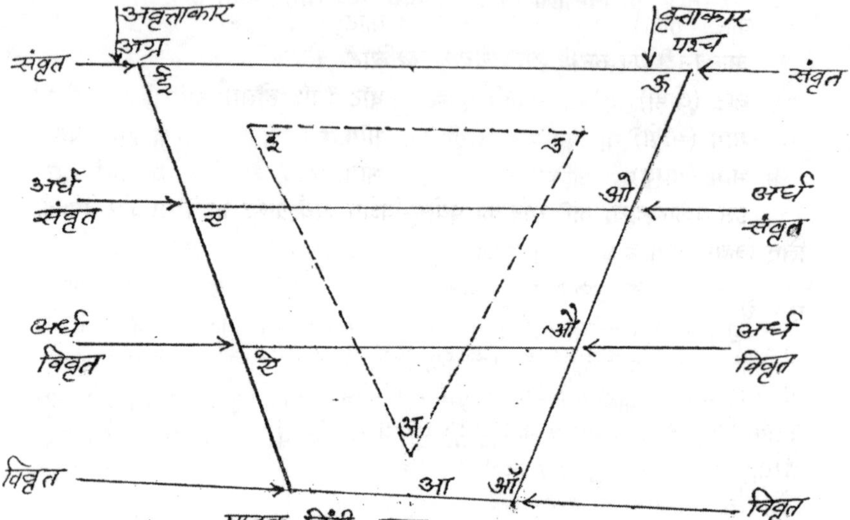

मानक हिंदी स्वर व्यवस्था

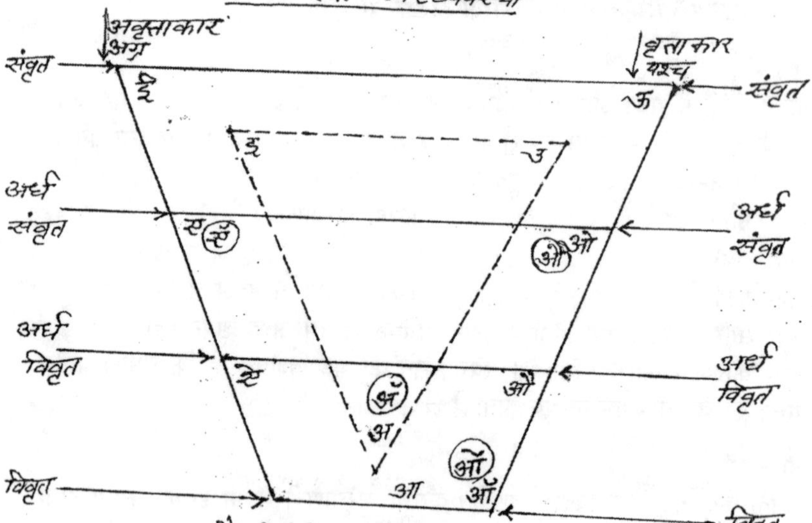

कौरवी हरियाणवी स्वर व्यवस्था

है कि कौरवी हरियाणवी में 'आ' ध्वनि पर जोर देने के लिए प्रबल विवृत रूप में प्रयोग किया जाता है; यथा—

मानक हिंदी	कौरवी हरियाणवी
काट (काटो)	कॉट
घाट (नदी का तट)	घॉट
घाट (थोड़ा)	घॉट (घॉट तोला)
भाग (भागो)	भॉग
भाग (भाग्य)	भॉग

इस प्रकार दीर्घ 'ऑ' स्वर का प्रयोग विशेष अर्थ प्रकट करने या जोर देने के लिए किया जाता है।

ए - ऍ

मानक हिंदी में अग्र, अवृत्ताकार, अर्ध संवृत दीर्घ 'ए' स्वर का प्रयोग कौरवी हरियाणवी 'ए' स्वर से पूर्ण समानता प्रकट करता है। कौरवी हरियाणवी में इससे भिन्न मूल या मानक हिंदी के 'ए' स्वर से कम समय लगता है। इस स्वर के उच्चारण में कौरवी हरियाणवी का विशेष लहजा होता है। इस 'ऍ' स्वर ध्वनि का प्रयोग प्रायः द्वित्व व्यंजन के पूर्व होता है; यथा—

मानक हिंदी	कौरवी हरियाणवी
केला	कैंल्ला
चेला	चैंल्ला
पेठा	पैंट्ठा
बेटा	बैंट्टा
बेटी	बैंट्टी

ओ - ओं

कौरवी हरियाणवी की पश्च, वृत्ताकार, अर्ध संवृत्त और दीर्घ 'ओ' ध्वनि मानक हिंदी स्वर ध्वनि के ही समान होती है, किंतु कभी-कभी इसमें परिवर्तन होकर अर्ध विवृत और कंठोष्ठ्य का रूप विकसित हो जाता है। इसमें मानक हिंदी के 'ओ' स्वर के उच्चारण में लगनेवाले समय से कम समय लगता है। 'ओं' स्वर ध्वनि का प्रयोग प्रायः द्वित्व व्यंजन के पूर्व होता है; यथा—

मानक हिंदी	कौरवी हरियाणवी
खोटा	खोट्टा
गोभी	गोंब्भी
झोटा	झोंट्टा

धोबी	धोंब्बी
धोबन	धोंब्बड़
लोटा	लोंट्टा
सोंटा	सोट्टा

स्वर अनुनासिकता व्यतिरेक

जब स्वर के उच्चारण में वायु मुख के साथ नासिका मार्ग से निकलती है, तो उसे अनुनासिक स्वर कहते हैं। मानक हिंदी में भी स्वरों की अनुनासिकता मिलती है, किंतु बोलियों में यह प्रवृत्ति विशेष मिलती है। इसे स्वरों की अकारण अनुनासिकता कहते हैं। कौरवी हरियाणवी में मानक हिंदी से स्वरों का अनुनासिक व्यतिरेक सामने आता है; यथा–

मानक हिंदी	**कौरवी हरियाणवी**	
चौक	चौंक	(च् औं क्)
महगा	मंहगा	(म् अँ ह् अ ग् आ)
बैठना	बैंठणा	(ब् ऐं ठ् अ ण् आ)
कंध	काँधा	(क् आँ ध् आ)

स्वर लोप व्यतिरेक

बोली में अभिव्यक्ति को महत्त्व देते हुए उच्चारण में सहजीकृत और सरलीकृत रूप अपनाया जाता है। इस प्रक्रिया में यत्र-तत्र स्वरों का लोप हो जाता है। कौरवी हरियाणवी में यह प्रवृत्ति विशेष होने से मानक हिंदी से व्यतिरेकी रूप सामने आता है; यथा–

आदि स्वर लोप

मानक हिंदी	**कौरवी**	**लोप**
आकाश	अकास > कास	अ
अकेला	केला	अ
अखबार	खबार	अ
अचार	चार	अ
अनाज	नाज	अ
अनार	नार	अ
अवाज	वाज	अ
उजाड़	जाड़	उ
उठाना	ठाना	उ
उतार	तार	उ

उधार	धार	उ
उबाल	बाल	उ

इन कौरवी हरियाणवी शब्दों में आदि स्वर अ और उ के लोप होने से व्यतिरेकी स्वरूप सामने आता है।

मध्य स्वर लोप व्यतिरेक

मानक हिंदी के शब्दों में प्रयुक्त स्वर ध्वनियाँ जब मध्य स्थिति में हों और उनका कौरवी हरियाणवी शब्द से लोप हो जाए, तो उसे मध्य स्वर लोप व्यतिरेक के अंतर्गत रखते हैं। स्वर संबंधी ऐसा व्यतिरेक उल्लेखनीय है; यथा–

मानक हिंदी	**कौरवी हरियाणवी**	**लोप**
गोलाई (ग् ओ ल् आ ई)	गुलाई (ग् उ ल् आ ई) गलाई	उ
जाना	जाण (ज् अ् ण्) जण	आ
तौला (तौलाना)	तुला (त् उ ल् आ) तला	उ
पुराना (प् उ र् आ न् आ)	पराणा (प् अ र् आ ण् आ)	उ
मुकाबला (म् उ क् आ ब् अ ल् आ)	मकाबला (म् अ क् आ ब् अ ल् आ)	उ
रोजगार (र् ओ ज् अ ग् आर र).	राजगार (र् आ ज् अ ग् आ र्)	ओ
सुना (स् उ न आ)	सना (स् अ न् आ)	उ

अंत्य स्वर लोप व्यतिरेक

कौरवी हरियाणवी शब्दों में कभी-कभी अंतिम स्वर का लोप हो जाता है। इससे मानक हिंदी के शब्द से अंत्य स्वर लोप का व्यतिरेक दिखाई देता है; यथा–

मानक हिंदी	**कौरवी हरियाणवी**	**लोप**
जाति (ज् आ त् इ)	जात (ज् आ त्)	इ
मति (म् अ त् इ)	मत (म् अ त्)	इ
योनि (य् ओ न् इ)	जून (ज् ऊ न्)	इ

स्वर परिवर्तन

कौरवी हरियाणवी के शब्दों में मानक हिंदी के स्वरों से परिवर्तित रूप प्रयुक्त होने से व्यतिरेकी रूप सामने आता है; स्वर-परिवर्तन से होने वाले व्यतिरेक को मुख्यतः निम्नलिखित संदर्भों में देख सकते हैं–

ह्रस्वीकरण

जब मानक हिंदी के शब्द में प्रयुक्त दीर्घ स्वर का कौरवी हरियाणवी में ह्रस्व स्वर रूप सामने आता है, तो ह्रस्वीकरण व्यतिरेक होता है; यथा—

मानक हिंदी	कौरवी हरियाणवी	ह्रस्वीकरण
आशा	आस	आ > अ
बारात	बरात	आ > अ
बाजार	बजार	आ > अ
भूसा	भुस	ऊ > उ एवं आ > अ

दीर्घीकरण

जब मानक हिंदी के शब्द की ह्रस्व ध्वनि कौरवी हरियाणवी में दीर्घ स्वर प्रयुक्त हो, तो दीर्घीकरण व्यतिरेक होता है; यथा—

मानक हिंदी	कौरवी हरियाणवी	दीर्घीकरण
कल	काल	अ आ
पुत्र	पूत	उ ऊ
लड्डू	लाड्डू	अ आ

आगम

कौरवी हरियाणवी में कभी-कभी अतिरिक्त स्वर का प्रयोग होता है। इसे स्वरागम व्यतिरेक कहते हैं। यथा—

मानक हिंदी	कौरवी हरियाणवी	आगम
स्त्री	इस्त्री	इ (आदि)
कर्म	करम	म (मध्य स्वरागम)
बापू	बाप्पू	प् (मध्य स्वरागम)
सास	सास्सू	स् (मध्य), उ (अंत्य स्वरागम)

इस प्रकार मानक हिंदी और कौरवी हरियाणवी स्वरों और उनके प्रयोग का विवेचन-विश्लेषण करते हैं, तो उनमें वैविध्यपूर्ण व्यतिरेकी स्वरूप सामने आते हैं। इससे कौरवी हरियाणवी के स्वरों की प्रवृतियों का स्पष्ट ज्ञान होता है।

5.2.1.2 मानक हिंदी–कौरवी हरियाणवी : व्यंजन व्यतिरेक

मानक हिंदी के ही समान कौरवी हरियाणवी में कंठ्य (क् ख् ग् घ् ङ्) से लेकर ऊष्म (स् ह्) व्यंजन ध्वनियों का प्रयोग होता है। इनमें ङ्, ञ्, श् और ष् व्यंजन ध्वनियों को छोड़कर शेष ध्वनियों का स्वतंत्र उच्चारण मानक हिंदी के लगभग समान उच्चारण होता है।

डॉ. भोलानाथ तिवारी ने कौरवी में महाप्राणीकृत व्यंजन ध्वनियों - ण्ह, न्ह, म्ह, ऱ्ह, ल्ह, व्ह की ओर संकेत किया है–

"व्यंजनों के महाप्राण रूप ण्ह (ण्हाण = नहान), न्ह (कान्ह), म्ह (म्हारा), ल्ह (कूल्हा, कल्ह), टह (टहंस्सै = यहाँ से), ऱ्ह (ऱ्हेतड़ = बुरा, बेकार), व्ह (व्हंस्सै = वहाँ से) भी प्रयुक्त होते हैं।"[7]

डॉ. भोलानाथ तिवारी का मंतव्य कौरवी के ध्वन्यात्मक स्वरूप को प्रभावी रूप में अभिव्यक्ति प्रदान करता है। यहाँ यह विचारणीय है कि इन्हें कौरवी के स्वतंत्र व्यंजनों में स्थान दिया जाए या ध्वन्यात्मक विश्लेषण हेतु संयुक्त व्यंजन रूप में अपनाया जाए। ये महाप्राणात्मक संयुक्त व्यंजन ध्वनियाँ कौरवी हरियाणवी में भी मिलती हैं। इस प्रकार इन पर विचार अपेक्षित है। हिंदी की संयुक्त व्यंजन ध्वनियों को हिंदी वर्णमाला में स्थान नहीं दिया गया है। इसका मुख्य कारण है कि हिंदी में अर्धव्यंजन लेखन का विस्तृत और उपयोगी स्वरूप है। यदि इसे वर्णमाला में स्थान दिया जाएगा, तो व्यंजन वर्णों की संख्या में अति विस्तार हो जाएगा। यहाँ यह उल्लेखनीय है कि इसी तथ्य को दृष्टिगत कर हिंदी वर्णमाला में पूर्व में प्रयुक्त संयुक्त व्यंजनों–क्ष, त्र और ज्ञ को निकाल दिया गया है। कौरवी हरियाणवी का महाप्राणीकरण संदर्भ से विचार करना उपयोगी होगा।

व्यंजन परिवर्तन व्यतिरेक

मानक हिंदी शब्द के व्यंजन कौरवी हरियाणवी शब्दों में विविध परिवर्तन के साथ प्रयुक्त होते हैं। यह व्यंजनात्मक व्यतिरेक कौरवी हरियाणवी की पहचान है। इसका विश्लेषण व्यंजनों के घोषत्त्व, प्राणत्त्व, समीकरण, विषमीकरण, लोप और आगम आधार पर कर सकते हैं।

प्राणत्त्व व्यतिरेक

मानक हिंदी के शब्दों में प्रयुक्त अल्पप्राण व्यंजन ध्वनियाँ कभी महाप्राण होकर तो कभी महाप्राण व्यंजन ध्वनियाँ अल्पप्राण होकर व्यतिरेक का आधार बन जाती है; यथा–

महाप्राणत्त्व व्यतिरेक

मानक हिंदी के शब्दों की अल्पप्राण व्यंजन ध्वनि कौरवी हरियाणवी में महाप्राण के रूप में प्रयुक्त होती है; यथा–

मानक हिंदी	कौरवी हरियाणवी	महाप्राणीकरण व्यतिरेक
लाश	ल्हास	ल > ल्ह
वेश	भेश	व > भ
स्तन	थन	त > थ

अल्पप्राणीकरण व्यतिरेक

मानक हिंदी के शब्दों की महाप्राण ध्वनियाँ कभी-कभी अल्पप्राण में परिवर्तित होकर व्यतिरेकी रूप में सामने आती हैं; यथा—

मानक हिंदी	कौरवी हरियाणवी	अल्पप्राणीकरण व्यतिरेक
घाट	गाट	घ > ग
घास	गास	
घड़ी	गड़ी	
घी	गी	
झगड़ा	जगड़ा	झ > ज
झुमका	जुमका	
सांझी	सांजी	
उलझाना	उलजाना	
झूठ	जूठ	
गढ़ंत (मनगढ़ंत)	गडंत	
ढाई	डाई	ढ > ड
कढ़ी	कड़ी	ढ़ > ड
चढ़ी	चड़ी	ढ़ > ड़
ढूंढ	डूंड	
....		
अंधा धुंध	अंदादुंद	ध > द
दूध	दूद	ध > द
धर्म	दरम	
धेला	देला	
साथ	सात	थ > त
हाथ	हात	
फाड़ना	पाड़ना	फ प
जीभ	जीब	भ ब
गोभी	गोब्बी	
लोभी	लोब्बी	
भाभी	भाब्बी	

लोप व्यतिरेक

मानक हिंदी के शब्द में कई बार व्यंजन ध्वनियों का लोप हो जाता है। इससे व्यतिरेकी रूप सामने आता है। व्यंजन लोप प्रायः त्वरित उच्चारण या मुख सुख

के कारण होता है। कौरवी हरियाणवी के शब्दों में कुछ प्रमुख व्यंजन ध्वनियों का लोप उल्लेखनीय है—

मानक हिंदी	**हरियाणवी कौरवी**	**लोप व्यतिरेक**
उजाड़ (उजाड़ू)	जाड़ (जाड़ू)	उ लोप
स्तन	थन	स् लोप
नाम	नाँ	म् लोप
गाय	गाँ	य लोप
काष्ठ	काठ	ष् लोप
स्टेशन	टेशन	स् लोप
मुँह	मूँ	ह लोप
छाँह	छाँ	ह लोप
हमारी	मारी	ह लोप
मेंहदी	मैंदी	ह लोप
हिंदी	इंदी	ह लोप
राह	राअ	ह लोप
बहन	बअण	ह लोप
दही	दई	ह लोप

आगम व्यतिरेक

कौरवी हरियाणवी में यदि कभी व्यंजन का लोप होता है, तो उच्चारण अनुकूल या सुविधा के लिए शब्द में यदा-कदा व्यंजन का आगम होता है; उदाहरणार्थ—

मानक हिंदी	**कौरवी हरियाणवी**	**आगम व्यतिरेक**
आलस्य	आलकस	क आगम
और	होर	ह आगम
धुँआ	धुम्मा	म आगम

समीकरण व्यतिरेक

कौरवी हरियाणवी शब्दों की एक व्यंजन ध्वनि अपनी निकटवर्ती ध्वनि से प्रभावित होकर उसी के रूप में बदल जाती है। इसे समीकरण की संज्ञा दी जाती है। समीकरण की इस प्रक्रिया से मानक हिंदी और कौरवी हरियाणवी शब्दों में व्यंजन व्यतिरेक दिखाई देता है; यथा—

मानक हिंदी	**कौरवी हरियाणवी**	**समीकरण व्यतिरेक**
तप्त	तत्ता	प्त > त्त
दंड	डंडा	द > ड

युद्ध	युद्द	ध्व > द्द
शुष्क	सुक्का	ष्क > क्क

विषमीकरण व्यतिरेक

मानक हिंदी के शब्द हरियाणवी कौरवी में यदा-कदा विषमीकृत रूप में प्रयुक्त होते हैं अर्थात् शब्द में दो बार प्रयुक्त एक ध्वनि या वर्ण में से एक परिवर्तित होकर भिन्न व्यंजन ध्वनि बन जाती है। इससे विषमीकरण व्यंजन व्यतिरेक सामने आता है; यथा—

मानक हिंदी	कौरवी हरियाणवी	विषमीकरण व्यतिरेक
काक	कागा / कग्गा	कक > कग
दरिद्र	दलिद्दर	दर > दल्

घोषत्त्व व्यतिरेक

मानक हिंदी के शब्द के घोष व्यंजन वर्ण कभी अघोष में परिवर्तित हो जाते हैं, तो कभी अघोष व्यंजन घोष में बदल जाते हैं। इससे दोनों में व्यतिरेकी स्वरूप सामने आते हैं। इसे हम दो रूपों में इस प्रकार देख सकते हैं।

घोषीकरण व्यतिरेक

यदा-कदा हिंदी शब्द की अघोष व्यंजन ध्वनियाँ हरियाणवी कौरवी में घोष व्यंजन ध्वनि हो जाती हैं, तो ऐसा व्यतिरेक होता है; यथा—

मानक हिंदी	कौरवी हरियाणवी	घोषीकरण व्यतिरेक
काक	काग	क > ग
शाक	शाग	क > ग

अघोषीकरण व्यतिरेक

हिंदी शब्द की घोष व्यंजन ध्वनियाँ कभी-कभी अघोष व्यंजन रूप में प्रयुक्त होती है। इससे दोनों में अघोषीकरण व्यतिरेक का रूप सामने आता है; यथा—

मानक हिंदी	कौरवी हरियाणवी	अघोषीकरण व्यतिरेक
धागा	तागा	ध > त
मदद	मदत	द > त
अमरूद	अमरूत	द > त

द्वित्तीकरण व्यतिरेक

मानक हिंदी के शब्द की व्यंजन ध्वनि हरियाणवी में कभी-कभी द्वित्त्व रूप में प्रयुंक्त होती है। इससे दोनों में व्यतिरेकी स्वरूप उभर आता है; यथा—

मानक हिंदी	कौरवी हरियाणवी	द्वित्तीकरण व्यतिरेक
ऊँचा	ऊँच्चा	च > च्च
खाट	खाट्ट	ट > ट् ट
खूटी	खूँट्टी	ट > ट्ट
तेली	तेल्ली	ल > ल्ल
धोबी	धोब्बी	ब > ब्ब
नीचा	नीच्चा	च > च्च
बूट	बूट्ट	ट > ट्ट
बेटा	बेट्टा	ट् > ट्ट
बेटी	बेट्टी	ट् > ट्ट
मैला	मैल्ला	ल > ल्ल
लोटा	लोट्टा	ट > ट्ट

इस प्रकार मानक हिंदी की व्यंजन ध्वनियों के प्रयोग और कौरवी हरियाणवी की व्यंजन ध्वनियों के प्रयोग में पर्याप्त व्यतिरेक दिखाई देता है। यह व्यतिरकी स्वरूप हरियाणवी कौरवी की विशेषता या पहचान है।

5.2.2 मानक हिंदी–कौरवी हरियाणवी : अक्षर व्यतिरेक

अक्षर भाषा की उच्चारणात्मक इकाई है। शब्द के उच्चारण में जितनी बार वायु का प्रवाह होता है या मुँह के खुलने की प्रक्रिया होती है, शब्द में उतने ही अक्षर की संभावना होती है। मानक हिंदी और कौरवी हरियाणवी के शब्दों की संरचना में होनेवाली भिन्नता अक्षर व्यतिरेक का कारण है। यह व्यतिरेकी विश्लेषण शब्द में अक्षर की सीमा का चिंतन कह सकते हैं।

अक्षर व्यतिरेक को निम्नलिखित वर्गों में विभक्त कर विवेचन कर सकते हैं–

5.2.2.1 एकाक्षरी शब्द

जब शब्द का उच्चारण एक ही झटके में या एक ही बार मुख-खुलने के वायु प्रवाह से हो, तो एकाक्षरी शब्द होता है। उच्चारण प्रक्रिया में सामान्यतः एक ही स्वर का होना भी एकाक्षरी शब्द का आधार है। यह ध्यातव्य है कि यदि शब्द में स्वर गुच्छ या एक साथ दो या दो से अधिक स्वर आ जाए, तो एक ही अक्षरात्मक शब्द होगा; यथा–आओ, आइए, जाइए आदि।

एकाक्षरी समरूपता

मानक हिंदी और कौरवी हरियाणवी में एकाक्षरी शब्दरूपता में स्वरूप व्यतिरेक देख सकते हैं–

मानक हिंदी	कौरवी हरियाणवी	मानक हिंदी	कौरवी हरियाणवी
खेत्	खेत्	गाय	गाँ
छाँह्	छाँ	जाट्	जाट्
दूध्	दूद्	मुँह्	मूँ
लाश्	ल्हास्	वह्	वो

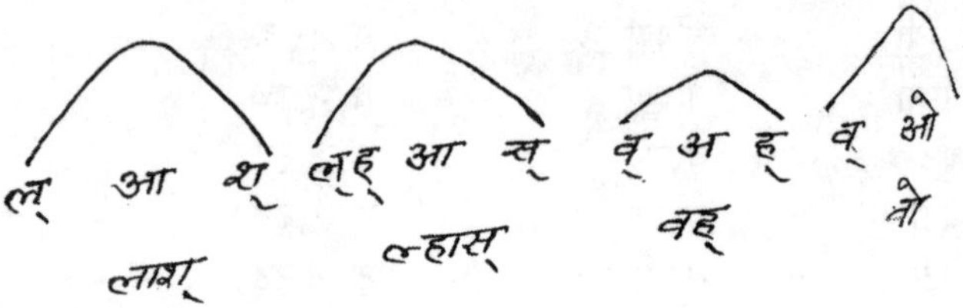

एकाक्षरी >द्वयाक्षरी

मानक हिंदी में प्रयुक्त एकाक्षरी शब्दों में द्वयाक्षरी होने का व्यतिरेकी रूप बहुलता में मिलता है।

मानक हिंदी	कौरवी हरियाणवी	मानक हिंदीं	कौरवी हरियाणवी
काक्	कागा / काग्गा	दंड्	डंडा
धर्म्	धरम् / दरम्	शुष्क्	सुक्का
तप्त्	तत्ता		

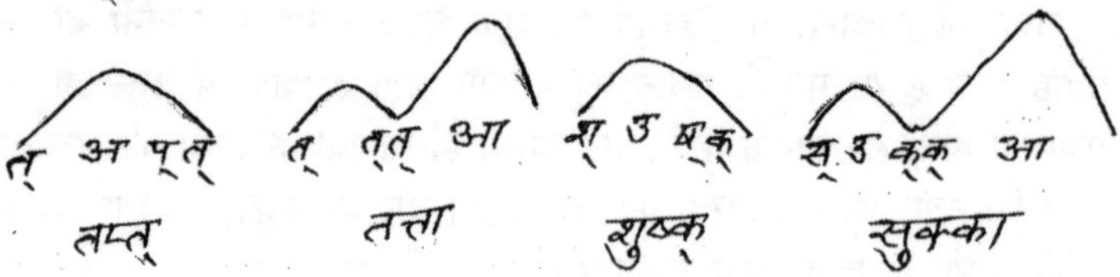

एकाक्षरी शब्द कौरवी हरियाणवी में समानार्थी, किंतु यदा-कदा पर्यायी रूप में प्रयुक्त होने पर द्वयाक्षरी बन जाते हैं; यथा–

मानक हिंदी (एकाक्षरी)	कौरवी हरियाणवी (द्वयाक्षरी)
प्याज्	गंठा
शोर्	रोला

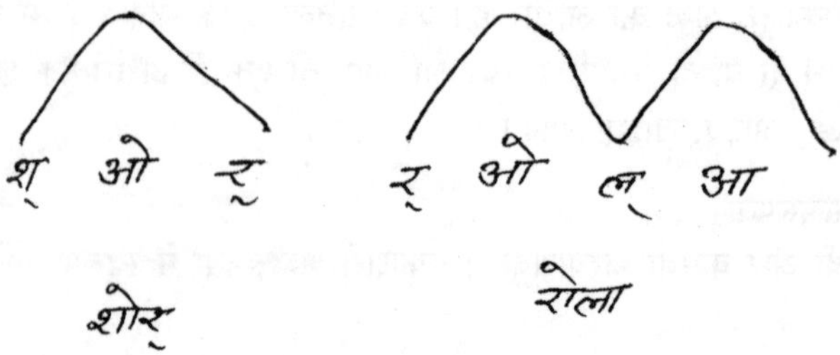

5.2.2.2 द्वयाक्षरी शब्द

मानक हिंदी के द्वयाक्षरी शब्द कौरवी हरियाणवी में कभी समान द्वयाक्षरी रूप में प्रयुक्त होते हैं, तो कभी आंचलिक रंग पाकर त्रयाक्षरी हो जाते हैं; इनके स्वरूप में व्यतिरेक संभावित होता है।

द्वयाक्षरी समरूप

मानक हिंदी	कौरवी हरियाणवी	मानक हिंदी	कौरवी हरियाणवी
गोभी	गोब्बी	चुका	चुक्या
धुँआ	धुम्मा	बहन	बअण
भाभी	भाब्बी	रोटी	रोट्टी
स्टेशन्	टेशन्		

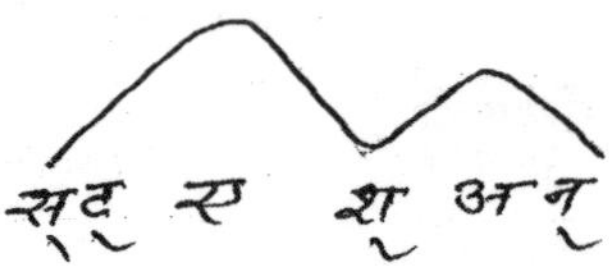

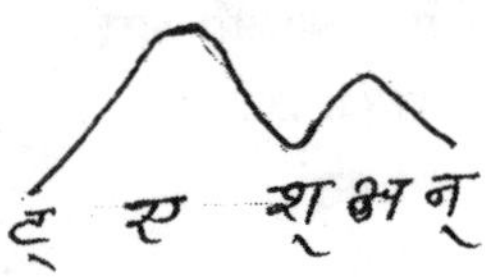

द्वयाक्षरी > त्रयाक्षरी शब्द

मानक हिंदी	कौरवी हरियाणवी	मानक हिंदी	कौरवी हरियाणवी
आलस्य्	आलकस्	त्रिलोक्	तिरलोक्
दरिद्र्	दलिद्दर	स्वागत्	सुआगत

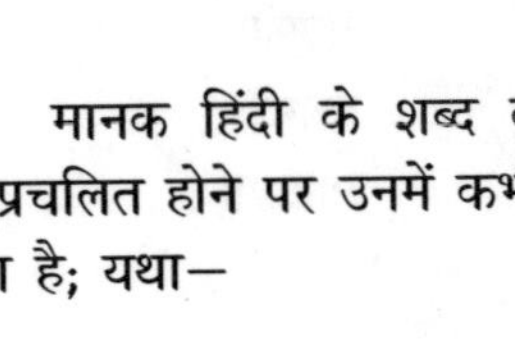

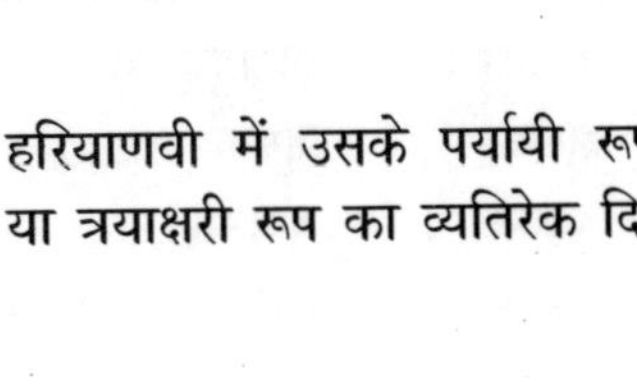

मानक हिंदी के शब्द को कौरवी हरियाणवी में उसके पर्यायी रूप में बहुप्रचलित होने पर उनमें कभी एकाक्षरी या त्रयाक्षरी रूप का व्यतिरेक दिखाई देता है; यथा—

द्वयाक्षरी > एकाक्षरी शब्द

मानक हिंदी	कौरवी हरियाणवी	मानक हिंदी	कौरवी हरियाणवी
गया	ग्या	आटा	चून्
गर्दन्	नाड़्	नमक्	नूण्
नाखून्	नोह्		

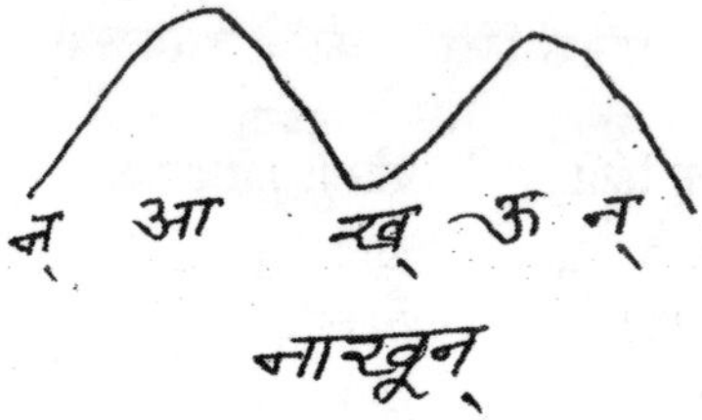

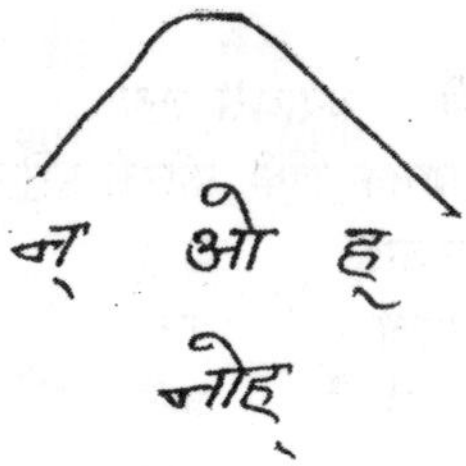

द्वयाक्षरी > त्रयाक्षरी शब्द

मानक हिंदी	कौरवी हरियाणवी
गिलास्	बखोरा
रस्सी	जेवड़ी

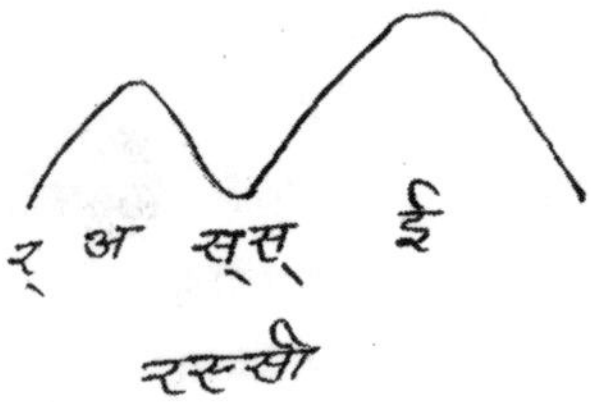

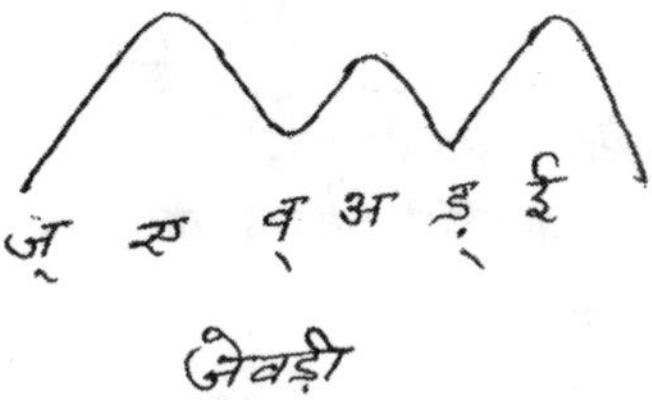

5.2.2.3 त्रयाक्षरी शब्द

मानक हिंदी के त्रयाक्षरी शब्द कौरवी हरियाणवी में कभी समरूप त्रयाक्षरी में प्रयुक्त होते हैं, तो बहुल संख्या में द्वयाक्षरी बन जाते हैं; यथा–

त्रयाक्षरी समरूप

मानक हिंदी	कौरवी हरियाणवी	मानक हिंदी	कौरवी हरियाणवी
अंधाधुंध्	अंदादुंद्	चटनी	चटणी
झुमका	जुमका	दसवाँ	दसमाँ
बुढ़ापा	बुढ़ाप्पा	मोटापा	मोटाप्पा
रुपया	रपया		

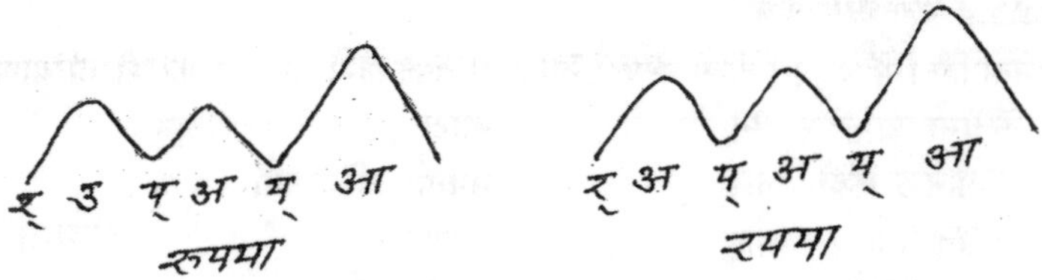

त्रयाक्षरी > द्वयाक्षरी शब्द

मानक हिंदी	कौरवी हरियाणवी	मानक हिंदी	कौरवी हरियाणवी
उजाड़्	जाड़्	खाती है	खावै
गाती है	गावै	चिल्लाहट्	चिल्लाट्
जाती है	जावै	धोती है	धोवै
भगदड़	भग्दड़्	मेंहदी	मैंदी
हमारी	मारी / म्हारी		

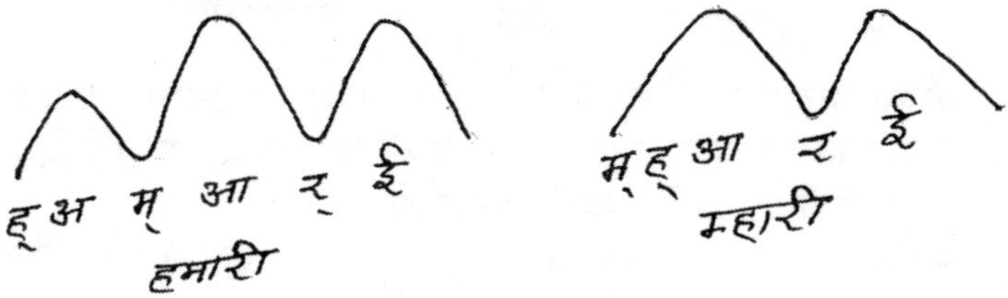

कौरवी हरियाणवी में मानक हिंदी के पर्यायी शब्द प्रयोग में त्रयाक्षरी का एकाक्षरी शब्द प्रयोग भी मिल जाते हैं; यथा

झगड़ा (मानक हिंदी) राड़् (कौरवी हरियाणवी)

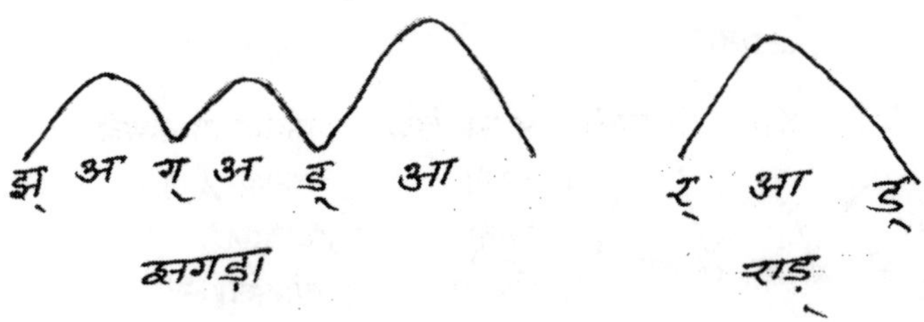

5.2.2.4 बहुअक्षरी शब्द

मानक हिंदी में प्रयुक्त चार, पाँच, छह अक्षर वाले शब्द कभी-कभी कौरवी हरियाणवी में संरचना व्यतिरेक होने पर भी समान अक्षरी रह जाते हैं; यथा–

मानक हिंदी	**कौरवी हरियाणवी**	
अनहोनी	अणहोणी	चतुराक्षरी
आपाधापी	आप्पादप्पी	चतुराक्षरी
बड़बोला	बड़बोल्ला	चतुराक्षरी
सरमीला	सरमिल्ला	चतुराक्षरी
हथकड़ी	अतकड़ी	चतुराक्षरी
अधकचरा	अदकचरा	पंचाक्षरी
हरफरमौला	अरपरमौला	षटाक्षरी

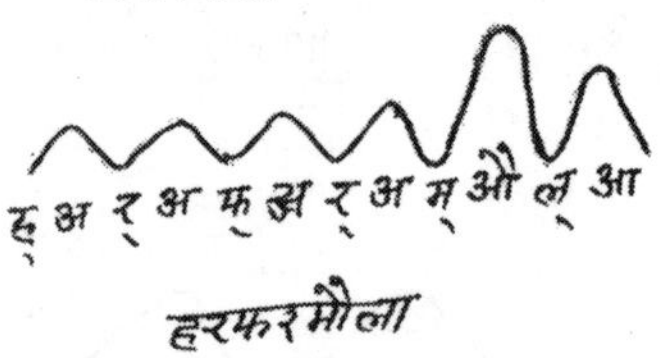

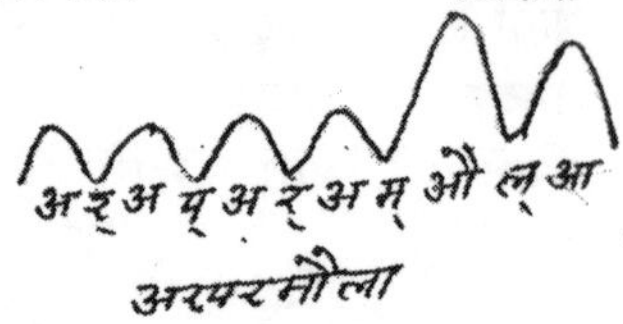

कौरवी हरियाणवी में मानक हिंदी के चतुराक्षरी शब्द मुख-सुख में त्रयाक्षरी और द्वयाक्षरी हो जाते है। इनमें अक्षर व्यतिरेक प्रयत्नलाघव के कारण होता है; यथा–

मानक हिंदी	**कौरवी हरियाणवी**	
घबडाहट्	घबडाट्	चतुराक्षरी> त्रयाक्षरी
सूखागया	सूकग्या	चतुराक्षरी> त्रयाक्षरी
हँसता है	हँसे	चुराक्षरी> द्वयाक्षरी

अक्षर व्यतिरेक को रेखांकित कर स्पष्ट कर सकते हैं–

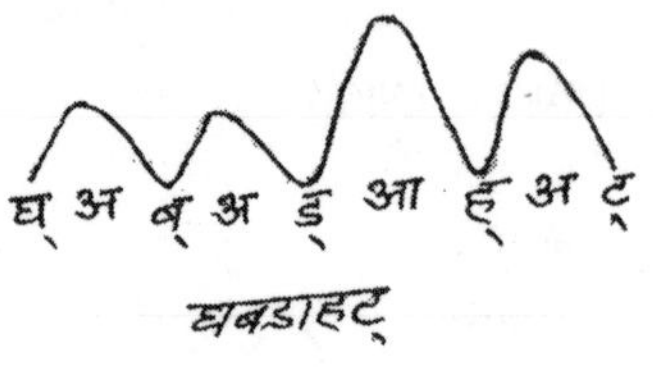

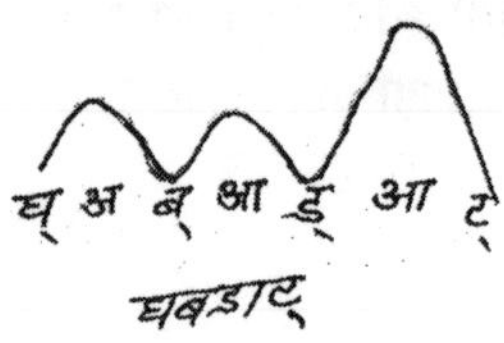

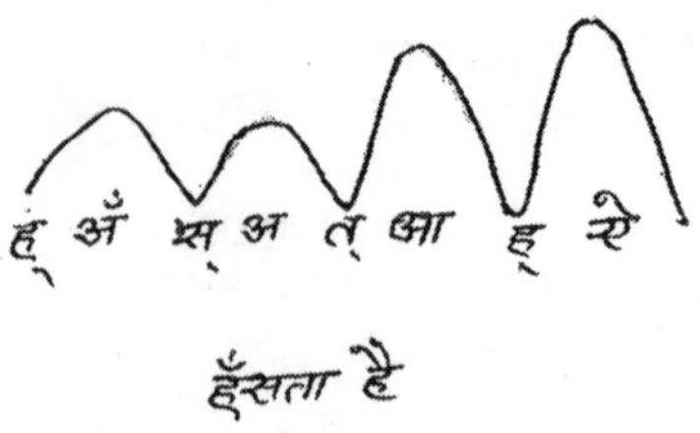

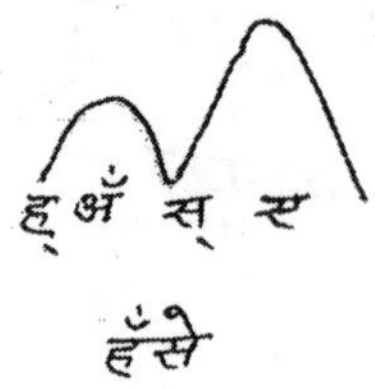

5.2.3 मानक हिंदी–हरियाणवी कौरवी : शब्द व्यतिरेक

भाषा में मूल शब्दों के साथ यौगिक, योगरूढ़ और सामासिक आदि शब्दों का प्रयोग होता है। यौगिक शब्दों में उपसर्ग और प्रत्यय की योजना होती है। इन दोनों के प्रत्यय और उपसर्ग भिन्नता के आधार पर व्यतिरेकी रूप सामने आता है।

उपसर्ग आधारित व्यतिरेक

मानक हिंदी और कौरवी हरियाणवी के उपसर्ग की भिन्नता से शब्द-संरचना में व्यतिरेक दिखाई देता है; यथा–

उपसर्ग		शब्द-प्रयोग	
मानक हिंदी	**कौरवी हरियाणवी**	**मानक हिंदी**	**कौरवी हरियाणवी**
अन	अण	अनजान	अणजान
		अनचाही	अणचाई
		अनखाई	अणखाई
		अनमोल	अणमोल
अव	औ	अवगुण	औग्गण
		अवघड़	औग्घड़
अध	अद	अधकचरा	अद्दकचरा
		अधपका	अदपका
ना	न	नाराज	नराज

प्रत्यय आधारित व्यतिरेक

मूल शब्द के साथ अंत में प्रत्यय के योग से यौगिक शब्द की रचना होती है। यदा-कदा हरियाणवी कौरवी के प्रत्यय की संरचना मानक हिंदी के प्रत्यय से भिन्न होती है। इससे शब्द संरचना में व्यतिरेक का आभास होता है; यथा–

प्रत्यय		प्रयोग	
मानक हिंदी	**कौरवी हरियाणवी**	**मानक हिंदी**	**कौरवी हरियाणवी**
आहट	आट	झल्लाहट	झल्लाट
		घबड़ाहट	घबड़ाट
		चिल्लाहट	चिल्लाट
अन	अण	जलन	जलण
		मिलन	मिलण
		हरण	अरण
		आन	आण
	उड़ान	उड़ाण	

		चलान	चलाण
		भुगतान	भुगताण
		आपा	आप्पा
	बुढ़ापा	बुढ़ाप्पा	
		मोटापा	मोटाप्पा
गीरी	गरी	दादागीरी	दादागरी
		बाबूगीरी	बाबूगरी
		औना	औणा
	खिलौना	खिलौणा	
		बिछौना	बिछौणा
		नी	णी
	ओढ़नी	ओढ़णी	
		चटनी	चटणी
		फिरनी	फिरणी
वाँ	माँ	पँचवाँ	पाँचमाँ
		सातवाँ	सातमाँ
		आठवाँ	आठमाँ
		नौवाँ	नोमाँ
		दसवाँ	दसमाँ
ईला	इल्ला	चमकीला	चमकिल्ला
		भड़कीला	बड़किल्ला
	रंगीला	रंगिल्ला	
		शर्मीला	सरमिल्ला

मानक हिंदी–कौरवी हरियाणवी : समासिक शब्द व्यतिरेक

भाषा में दो शब्द या शब्दांश आपस में मिलकर सामासिक शब्द की संरचना करते हैं। ऐसे शब्दों में उभरी भिन्नता व्यतिरेक का आधार बन जाती है। मानक हिंदी और कौरवी हरियाणवी के सामासिक शब्दों की व्यतिरेकी संरचना में उभरी समान अभिव्यक्ति का स्वरूप निम्नलिखित संदर्भों में देख सकते हैं–

अव्ययीभाव समास संदर्भ व्यतिरेक

मानक हिंदी और कौरवी हरियाणवी के सामासिक शब्दों की अव्ययी प्रवृति मूल शब्द संरचना की भिन्नता से व्यतिरेकी रूप सामने आता है–

मानक हिंदी	कौरवी हरियाणवी	व्यतिरेक
अनहोनी	अणओणी	न > ण, ह > अ
अनजान	अणजाण	न > ण
अधकचरा	अदकचरा	ध > द
अंधाधुंध	अंदादुंद	ध > द
आपाधापी	आपादाप्पी	ध > द
बेधड़क	बेदड़क	ध > द
भरपेट	बरपेट	भ > ब

द्वंद्व समास संदर्भ व्यतिरेक

सामासिक शब्द के पूर्व और उत्तर दोनों पदों की प्रधानता के संदर्भ से मानक हिंदी और कौरवी हरियाणवी में यत्र-तत्र व्यतिरेकी रूप सामने आते हैं; यथा—

मानक हिंदी	कौरवी हरियाणवी	व्यतिरेक
आबोहवा	आबोवा	ह लोप
घी-शक्कर	गी-सक्कर	घ > ग, श > स
दूध-दही	दूद दई	ध > द, ही > ई
थोड़ा-बहुत	थोड़ा-बोत	हु > ओ
भगदड़	बगदड़	भ > ब
भाई-बहन	बाई-बअण	भ > ब, ह > अ, न > ण

द्विगु समास संदर्भ व्यतिरेक

सामासिक शब्द के पूर्व पद के संख्यावाचक होने पर यदि मानक हिंदी और कौरवी हरियाणवी में भिन्नता दिखाई दे, तो उसे द्विगु समास संदर्भ का व्यतिरेक कहते हैं; यथा—

मानक हिंदी	कौरवी हरियाणवी	व्यतिरेक
त्रिफला	तिरफ़ला	त् > त, फ > फ्
त्रिलोक	तिरलोक	त् > त

तत्पुरुष समास व्यतिरेक

समस्त पद के पूर्वपद विशेषण और उत्तर पद विशेष्य होने से उत्तर पद प्रधान हो, तो तत्पुरुष समास होता है। इन दोनों पदों के मध्य से परसर्ग का लोप हो जाता है। मानक हिंदी और हरियाणवी कौरवी के ऐसे समस्त पदों में संरचनात्मक व्यतिरेक दिखाई देता है।

1 करण संदर्भ

मानक हिंदी	**कौरवी हरियाणवी**	**व्यतिरेक**
कपड़छान (कपड़े से छानना)	कपड़छाण	न > ण
कष्टकमाई (कष्ट से कमाई)	कस्टकमाई	ष् > स्
बाढ़पीड़ित (बाढ़ से पीड़ित)	बाडपीड़त	ढ़ > ड, इ लोप
मनगढ़ंत (मन से गढ़ा हुआ)	मनगडंत	ढ़ > ड
मदांध (मद से अंधा)	मदांद	ध > द
मुँहमाँगा (मुँह से माँगा हुआ)	मुमांगा	ह लोप

2 संप्रदान संदर्भ

गुरुदक्षिण (गुरु के लिए दक्षिणा)	गुरुदिछना	इ विपयय (दक्षि दिछ) क्ष > छ
युद्धभूमि (युद्ध के लिए भूमि)	जुद्दभोमी	बहुल परिवर्तन
रसोईघर (रसोई के लिए घर)	रसोईगर	घ > ग
राहखर्च (राह के लिए खर्च)	राअखर्च	ह > अ
रोकड़बही (रोकड़ के लिए बही)	रोकड़बई	ह् लोप
हथकड़ी (हाथ के लिए कड़ी)	अत्तकड़ी	ह् लोप, थ > त्त

3 अपादान संदर्भ

कर्महीन (कर्म से हीन)	कर्मीन	ह लोप
आकाशवाणी (आकाश से वाणी)	कासवाणी	आ लोप, श > स
धर्मभ्रष्ट (धर्म से भ्रष्ट)	दर्मभिस्ट	इ आगम, ष > स्

4 संबंध संदर्भ

अमृतधारा (अमृत की धारा)	इमरतदारा	बहुल परिवर्तन
घुड़दौड़ (घोड़ों की दौड़)	गुड़दौड़	घ > ग
चरणधूलि (चरण की धूलि)	चरणदुल	ध > द, ऊ > उ
पवनपुत्र (पवन के पुत्र)	पवनपुत्तर	त् > त्त
राजरानी (राजा की रानी)	राजराणी	न > ण
ससुराल (ससुर का आलय)	सुसराल	विपर्यय स><सु

5 अधिकरण संदर्भ

मानक हिंदी	कौरवी हरियाणवी	व्यतिरेक
घुड़चढ़ी (घोड़े पर चढ़ाई)	गुड़चढ़ी	घ ग
घुड़सवार (घोड़े पर सवार)	गुड़सवार	घ ग
हरफरमौला (हर फल में मौला)	अरफरमौला	ह अ

नञ तत्पुरुष संबंध

अधर्म	न (बिना) धर्म	अदरम	ध >द, र् > र
अनपढ़	बिना पढ़ा	अनपड	ढ़ > ड
निर्दोष	बिना दोष	निर्दोस	ष > स
निर्धन	बिनाधन	निर्दन	ध > द

कर्मधारय समास संदर्भ

जब समस्त पद का पूर्वपद विशेषण और उत्तर पद विशेष्य हो और पूर्व एवं उत्तर पद में उपमेय–उपमान संबंध होने पर मानक हिंदी और कौरवी हरियाणवी में भिन्नता हो, तो कर्मधारय समास संदर्भ का व्यतिरेक होता हैं; यथा–

मानक हिंदी	कौरवी हरियाणवी	व्यतिरेक
कालापानी	कालापाणी	न > ण
घनश्याम	गनस्याम	घ > ग, श > स्
प्राणप्यारी	पराण प्यारी	प् > प
स्वागत	सुआगत	उ स्वर आगम, व लोप

बहुब्रीहि समास संदर्भ

जब समस्तपद के दोनों पद गौड़ हों और तीसरा पद प्रधान हो, ऐसे में यदि मानक हिंदी और कौरवी हरियाणवी शब्द में भिन्नता हो, तो बहुब्रीहि समाज संदर्भ का व्यतिरेक होगा; यथा–

मांनक हिंदी	कौरवी हरियाणवी	व्यतिरेक
गलघोटू	गलगोटू	घ > ग
बडबोला	बडबोल्ला	ल् आगम
मिठबोला	मिठबोल्ला	ल् आगम

मानक हिंदी–कौरवी हरियाणवी शब्द : स्पष्ट व्यतिरेक

मानक हिंदी में एक भाव के लिए जिस शब्द का प्रयोग किया जाता है, तो कौरवी हरियाणवी में उसी भाव के लिए यदा-कदा पूर्ण भिन्न या स्पष्ट व्यतिरेकी शब्द का प्रयोग किया जाता है; यथा–

मानक हिंदी	कौरवी हरियाणवी	मानक हिंदी	कौरवी हरियाणवी
आटा	चून	कपड़ा	लत्ता
गर्दन	नाड़	गिलास	बखोरा
घुटना	गोड्डा	चलनी	छलगी
चींटी	कीड़ी	चूहा	मूस्सा
छाछ	सीत	जंजीर	सांकल

झगड़ा	राड़	नमक	नूण
नाखून	नोह	नितंब	ढुंगा
पति	खसम	प्याज	गंठा
बेटा	लौडा	बेटी	लौडी
रस्सी	जेवड़ी	रोटी	टिक्कण
शोर	रोला		

5.2.4 मानक हिंदी–कौरवी हरियाणवी : पद व्यतिरेक

वाक्य में प्रयुक्त शब्द को पद की संज्ञा दी जाती है या जिन शब्दों में वाक्य बनाने की क्षमता आ जाती है, उन्हें पद कहते हैं। मानक हिंदी और कौरवी हरियाणवी के पदों की रचना में पर्याप्त भिन्नता दिखाई देती है। दोनों की यह पद भिन्नता पद व्यतिरेक है।

पद-निर्माण में वचन, लिंग, पुरुष, काल और कारक आदि व्याकरणिक कोटियों का आधार लिया जाता है।

5.2.4.1 वचन व्यतिरेक

मानक हिंदी और कौरवी हरियाणवी में एकवचन और बहुवचन अर्थात् दो वचनों की व्यवस्था है। व्यतिरेकी अध्ययन संदर्भ में मानक हिंदी के कभी एकवचन और बहुवचन दोनों में भिन्नता दिखाई देती है, तो कभी एकवचन में समानता होने पर बहुवचन में व्यतिरेक होता है। वचन संदर्भ में कुछ प्रमुख व्यतिरेकी रूप अवलोकनीय हैं–

मानक हिंदी	कौरवी हरियाणवी		मानक हिंदी	कौरवी हरियाणवी
संज्ञा				
आम	आम्ब	>	आमों	आम्बों
ईंट	ईट	>	ईंटों	ईटां / इटों
किताब	कताब	>	किताबों	कताबों
कनागत	कनागत	>	कनागतों	कनाग्तों
काम	काम	>	कामों	काम्मों
खेत	खेत	>	खेतों	खेत्वों
चीज	चीज	>	चीजों	चीज्जों
लड़की	छोरी	>	लड़कियाँ	छोरियाँ
जाट	जाट	>	जाटों	जाट्टों
पैसा	पीसा	>	पैसे	पीसे
रुपया	रपया	>	रुपये	रपये
लड़का	लोंडा / छोरा	>	लड़के	लोंडे / छोरे

सर्वनाम

हमारा	म्हारा	>	हमारे	म्हारे
वह	वो	>	वे	वें

क्रिया

आया	आग्या	>	आ गये	आग्ये
है	अै	>	हैं	अैं
गया	ग्या	>	गये	ग्ये
चंगा है	चंगा अै	>	चंगा है	चंगा अैं
चला गया	चलाग्या	>	चले गये	चलेग्ये
जाएगा	जाग्या	>	जांएगे	जांग्ये
बोला	बोल्या	>	सूख गये	सूकग्ये

यहाँ देख सकते हैं कि संज्ञा नाम, कताब, पैसा, रुपया, लड़का, लड़की, सर्वनाम उत्तम पुरुष, क्रिया–आना, है, गया, जाएगा, बोला, सूख गया आदि के एक और बहुवचन दोनों रूपों में व्यतिरेक मिलता है, तो कनागत, काम, खेत, चीज और जाट आदि के एकवचन रूप में समरूपता है, तो बहुवचन में व्यतिरेक होता है।

5.2.4.2 कारक व्यतिरेक

मानक हिंदी और कौरवी हरियाणवी में विभक्तियाँ कर्ता, कर्म, करण, संप्रदान, अपादान संबंध, अधिकरण और संबोधन सात ही हैं। इनके कारक चिह्नों के स्वरूप में भिन्नता होने से कारक संदर्भ के पद व्यतिरेक सामने आते है। इस संदर्भ के व्यतिरेक को इस प्रकार व्यक्त कर सकते हैं।

कर्ता

मानक हिंदी के कर्ता पद में प्रायः शून्य प्रत्यय का प्रयोग होता है; यथा–बालक आम खाता है। श्याम पत्र लिखता है। सकर्मक क्रिया प्रयोग में ने का प्रयोग होता है; यथा–मुन्ना ने जामुन खाया। कौरवी हरियाणवी में नैं / ने का प्रयोग होता है; मुन्ना नैं जाम्मण खाया।

मानक हिंदी	–	ने	लड़के ने लाठी दी।
कौरवी हरियाणवी	–	नैं	छोरे नैं सोट्टा दिया।

कर्म

मानक हिंदी के कर्म आधारित पद में 'को' परसर्ग का प्रयोग किया जाता है। यदा-कदा शून्य प्रत्यय का प्रयोग मानक हिंदी और कौरवी हरियाणवी में होता है;

यथा—वह दवा पीएगा। कौरवी हरियाणवी में मुख्यतः बलाघात में कैं, नै, तै, कू पर सर्ग का प्रयोग होता है; यथा—राधा कूँ बहोत समझाया।

मानक हिंदी	—	को	कुत्ते को घुमा लाओ।
कौरवी हरियाणवी	—	कैं, नैं, तै, कूँ	कुत्ते नैं घुमा ल्या।

करण

मानक हिंदी के करण आधारित पद में 'से' (के द्वारा) का प्रयोग होता है, तो कौरवी हरियाणवी में से, सैं, सू, सूँ, ते तै, तैं आदि का प्रयोग होता है; लाठी सै, कलम ते, पुस्तक तैं आदि।

मानक हिंदी	—	से	चौधरन लात से पिटाई करने लगी।
कौरवी हरियाणवी	—	तै	चौधरन लात तै पिटाई करन लाग्गी।

संप्रदान

मानक हिंदी में संप्रदान आधार पर पद निर्माण के लिए 'के लिए' परसर्ग का प्रयोग करते है, तो कौरवी हरियाणवी में 'की लियर', 'की लियो', 'की खात्तिर', 'ताई' आदि का प्रयोग करते हैं।

मानक हिंदी	—	के लिए	बंशीधर के लिए मेरे पास पैसे नहीं हैं।
कौरवी हरियाणवी	—	खात्तर, ताई, नैं, तैं	बंसीधर खात्तर मेरे धोरे पीसे ना हेंगे।

अपादान

मानक हिंदी में अपादान आधार पर निर्माण हेतु 'से' (अलगाव) का प्रयोग किया जाता है, तो कौरवी हरियाणवी में से, सै, सू, सूँ, ते, तैं आदि का प्रयोग होता है; यथा—वो आप्पे से बाहर हो ग्या।

मानक हिंदी	—	से	सुखबीर घर से एकदम चल दिया।
कौरवी हरियाणवी	—	तै	सुखवीरी घर तै एकदम चल दी।

संबंध

मानक हिंदी में संबंध द्योतक का, के, की के अतिरिक्त ना, नी, ने और रा, री, रे के प्रयोग होते हैं। कौरवी हरियाणवी में का, की, के, के अतिरिक्त णा (ना), णे (ने), नी, रा, रे, री पसर्गों के प्रयोग होते हैं; यथा—अपणी, अपणे, म्हारा, म्हारी, बाप्पू के।

मानक हिंदी	—	का	मां का दुःख दूर करने के लिए बड़ा आदमी बनूंगा।
	—	के	सब बुढ़िया के घर घुस गए।
	—	की	वंशीधर कपड़ों की खुशी में नाचने लगा।

कौरवी हरियाणवी	–	का	मां का दुःख खतम करने खातिर बड़ा आदमी बनूंगा।
	–	के	सब बुढ़िया के घर घुस ग्ये।
	–	की	बंधीधर लत्तों की खुसी में कूदन लगा।

अधिकरण

मानक हिंदी में अधिकरण पद रचना में 'में' और 'पर' का प्रयोग होता है। कौरवी हरियाणवी में में, माँ और पर के प्रयोग मिलते हैं; यथा–दो रपया माँ का आवै?

मानक हिंदी	–	में	शेख चिल्ली को रास्ते में कुआँ दिखाई दिया।
	–	पर	उसने घर आकर देखा।
कौरवी हरियाणवी	–	माँ	शेख चिल्ली कू रास्ते माँ एक कुआँ दिख्या।
	–	पर	वाने घर पै आऩ के देखा।

संबोधन

मानक हिंदी के संबोधनात्मक पदों में हे, अरे आदि के प्रयोग होते हैं, तो कौरवी हरियाणवी में हे, ऐ, अरी, अरै, एरी, ओ आदि के प्रयोग मिलते हैं।

मानक हिंदी	–	हे, अरे	अरे, तुम कहाँ चले?
कौरवी हरियाणवी	–	री, एरी, ओ	एरी,तू खीर हथेली पै धरेगी! ओ दादा!, री छोरी!

5.2.4.3 काल व्यतिरेक

सभी भाषा और बोलियों में वर्तमान, भूत और भविष्यत् तीन कालों की योजना होती है। इसका मुख्य कारण है कि जीवन में तीन मुख्य स्थितियाँ हैं–जो चल रही है–वर्तमान, जो बीत गई स्थिति–भूत और जो आनेवाले समय की स्थिति है–भविष्य।

भाषा के क्रिया पद में व्याकरणिक कोटि काल का प्रयोग होता है। क्रिया के सकर्मक और अकर्मक रूपों के आधार पर काल का विवेचन कर सकते हैं। सकर्मक क्रिया में कर्म विद्यमान होता है; यथा–'वह आम खाता है' में 'खाता है' सकर्मक क्रिया है। इसमें 'आम' कर्म है। यदि प्रश्न किया जाए कि 'क्या' अर्थात् 'क्या खाता है', तो उत्तर मिलता है–'आम'। इस प्रकार 'आम' कर्म है और 'खाता है' या 'खाना' क्रिया सकर्मक है।

'सोना' अकर्मक किया है। इस वाक्य ले 'वह सोता है'। यदि प्रश्न किया जाए 'क्या' अर्थात् क्या सोता है? तो उत्तर नहीं मिलेगा। इसलिए सोना अकर्मक क्रिया है।

मानक हिंदी और कौरवी हरियाणवी के क्रिया पद स्वरूप के व्यतिरेक को इस प्रकार रेखांकित कर सकते हैं–

सकर्मक क्रिया व्यतिरेक

मानक हिंदी	कौरवी हरियाणवी
कपड़े धोती है	कपड़े धोवै
गीत गाता है	गीत गावै
रोटी खाती है	रोट्टी खावै

अकर्मक क्रिया व्यतिरेक

मानक हिंदी	कौरवी हरियाणवी
वह जाता है।	वो जावै।
वह सोती है।	वो सोवै।
वह हँसता है।	वो हँसै।

मानक हिंदी और कौरवी हरियाणवी के काल संदर्भ के व्यतिरेक तीनों कालों के स्वरूप के आधार पर इस प्रकार विश्लेषण कर सकते हैं।

वर्तमान काल संदर्भ व्यतिरेक

काल की विवेचना में सामान्य, अपूर्ण और पूर्ण स्थितियों को अपनाया जाता है। इसी आधार पर मानक हिंदी और कौरवी हरियाणवी का व्यतिरेकी विश्लेषण कर सकते हैं।

1 सामान्य वर्तमान संदर्भ व्यतिरेक

जब वर्तमान काल की क्रिया का सामान्य अर्थात् करते रहने का बोध होता है, तो सामान्य वर्तमान स्वरूप होता है। मानक हिंदी और कौरवी हरियाणवी में उभरे इस संदर्भ के व्यतिरेक को इस प्रकार प्रकट करते सकते हैं—

'पीना' क्रिया (आज्ञार्थक)

	मानक हिंदी	कौरवी हरियाणवी
उत्तम पुरुष	पीऊँ / पीएँ	पीऊँ / पीवैं
मध्यम पुरुष	पी / पीओ	पी / पीओ / पीवो
अन्य पुरुष	पीए / पीएँ	पीवै / पीवैं

ध्यातव्य है कि सामान्य वर्तमान के सामान्य क्रिया रूपों में समानता होती है; यथा—पीती है / पीते हैं आदि।

2 अपूर्ण वर्तमान संदर्भ व्यतिरेक

जब वर्तमान काल क्रिया से कार्य के लगातार चलते रहने का बोध हो और कार्य पूरा न हुआ हो, तो अपूर्ण वर्तमान काल कहा जाता है। इस संदर्भ से मानक हिंदी और कौरवी हरियाणवी काल संदर्भ का व्यतिरेक इस प्रकार स्पष्ट कर सकते हैं—

'जाना' क्रिया

	मानक हिंदी		कौरवी हरियाणावी	
	एकवचन	**बहुवचन**	**एकवचन**	**बहुवचन**
उत्तम पुरुष	जा रहा हूँ	जा रहे हैं	जा रह्या हूँ	जा रहे हैं
मध्यम पुरुष	जा रहे हो	जा रहे हो	जा रहे हो	जा रह्हो
अन्य पुरुष	जा रहा है	जा रहे हैं	जा रह्या है	जा रहे हैं

3 पूर्ण वर्तमान संदर्भ व्यतिरेक

जब क्रिया की संपन्नता का बोध हो, तो काल की ऐसी स्थिति होती है। ऐसे पद-रचना में वृत्ति द्योतक लेना, चुकना, देना आदि सहायक क्रियाओं का प्रयोग किया जाता है। मानक हिंदी और कौरवी हरियाणवी के व्यतिरेकी स्वरूप को इस प्रकार रेखांकित कर सकते हैं–

मानक हिंदी	**कौरवी हरियाणवी**
वह खा चुका है।	वो जीम चुका।
	वो जीम चुक्या है।
	उन्नै खा लिया।
भैंसा मर गया है।	झोंटा मर ग्या है।
उसने मीठा चावल उठा लिया।	उन्नै मीट्ठा चावल ठा लिया।
वहीं पर खा लिया।	वहीं पै खा लियो।

भूतकाल संदर्भ व्यतिरेक

बीते हुए काल को भूतकाल की संज्ञा दी जाती है। मानक हिंदी और कौरवी हरियाणवी के भूतकालिक व्यतिरेकी स्वरूप को निम्नलिखित आधारों पर विश्लेषित किया जा सकता है।

1 सामान्य भूत संदर्भ व्यतिरेक

कौरवी हरियाणवी का यह रूप लगभग मानक हिंदी के समान होता है। इसमें सीमित व्यतिरेक मुख्यतः 'य' ध्वनि का होता है; यथा–

मानक हिंदी	**कौरवी हिंदी**	**मानक हिंदी**	**कौरवी हरियाणवी**
चला	चल्या	पढ़ा	पढ़्या
लिखा	लिख्या	सरका	सरक्या
हँसा	हँस्या		

सकर्मक क्रिया सदा मानक हिंदी के ही समान कौरवी हरियाणवी में भी कर्म अन्विति पर ही प्रयुक्त होती है; यथा–

मानक हिंदी	कौरवी हरियाणवी
मैंने आम खाया।	मैंन्ने आम खाया।
मैंने रोटी खाई।	मैंन्ने रोटी खाई।
मैंने दाल पी।	मैंन्ने दाल पी।

अकर्मक वाक्य का क्रियापद कर्ता की अन्विति पर होता है; यथा–

मानक हिंदी	कौरवी हरियाणवी
श्याम खूब चला।	श्याम खूब चल्या।
सविता खूब चली।	सविता खूब चल्ली।

2 अपूर्ण भूत संदर्भ व्यतिरेक

कौरवी हरियाणवी में मानक हिंदी के ही लगभग समान रूप से क्रिया का प्रयोग होता है। व्यतिरेकी रूप उसमें प्रयुक्त सहायक क्रिया में मिलता है; यथा–

मानक हिंदी	कौरवी हरियाणवी
वह पढ़ रहा था।	वो पढ़ रह्या था।
लड़के पढ़ रहे थे।	छोरे पढ़ रहे थे।

विशेष भावात्मक वृत्ति के संदर्भ में मानक हिंदी के ही समान 'लगना' के साथ संयुक्त क्रिया का प्रयोग होता है। ऐसे में भी सहायक क्रिया का व्यतिरेकी रूप प्रयुक्त होता है; यथा–

मानक हिंदी	कौरवी हरियाणवी
श्याम दूध पीने लग रहा था।	सामू दूद पीण लग रहा था।
लड़की पत्र लिखने लग रही थी।	छोरी चिट्ठी लिखण लग रही थी।

3 पूर्ण भूत संदर्भ व्यतिरेक

कौरवी हरियाणवी के पूर्ण भूत में मूल क्रिया के साथ चुकना, देना और लेना आदि सहायक क्रियाओं का प्रयोग किया जाता है। इसमें यत्र-तत्र मानक हिंदी से कुछ व्यतिरेकी रूप सामने आते है; यथा–

मानक हिंदी	कौरवी हरियाणवी
तुम घर आ गई थी।	तू घर आ गी थी।
वह रुपया दे चुका था।	वा रपया दे चुका था।
वह घर की ओर चल दिया।	वा घर की ओडकू चल दिया।
उसने रुपये निकालने शुरु कर दिए।	उन्नैं रपये निकालने शुरु कर दिए।
उसने वे रुपये चुरा लिए।	उन्नै वो रुपये चुरो लिए।
मैंने सुन लिया था।	मैंन्ने सुण लिया था।

भविष्यत् संदर्भ व्यतिरेक

मानक हिंदी में भविष्यत् काल संरचना के लिए काल द्योतक प्रत्यय गा, गी और गे का प्रयोग किया जाता है। इसके साथ ऊँ, ए, एँ, ओ आदि विकरण की योजना भी की जाता है। कौरवी हरियाणवी में गा, गी और गे का प्रयोग मानक हिंदी के ही समान होता है, किंतु विकरणों में व्यतिरेकी रूप सामने आते हैं; यथा–

'खाना' क्रिया

	मानक हिंदी	**कौरवी हरियाणवी**
उत्तम पुरुष	खाऊँगा (खा + विकरण ऊँ + गा)	खाऊँगा (खा + विकरण ऊँ + गा)
	खाएँगे (खा + विकरण एँ + गे)	खावैंगे (खा + विकरण वैं + गे)
मध्यम पुरुष	खाओगे (खा + विकरण ओ + गे)	खावैंगा (खा + विकरण वै + गा)
	खाओगे (खा + विकरण ओ + गे)	खाओगे (खा + विकरण ओ + गे)
अन्य पुरुष	खाएगा (खा + विकरण ए + गा)	खावैगा (खा + विकरण वै + गा)
	खाएँगे (खा + विकरण एँ + गे)	खावैंगे (खा + विकरण वैं + गे)

इस विवेचन–विश्लेषण से स्पष्ट होता है कि मानक हिंदी और कौरवी हरियाणवी की सभी व्याकरणिक कोटियाँ समान हैं, किंतु उनके आधार पर निर्मित पद संरचना में रेखांकन योग्य व्यतिरेक है। यह पद व्यतिरेक कौरवी हरियाणवी प्रवृत्ति और पहचान के द्योतक हैं।

5.2.5 मानक हिंदी–कौरवी हरियाणवी : वाक्य व्यतिरेक

वाक्य भाषा की सहज पूर्ण सार्थक महत्त्वपूर्ण इकाई है। आचार्य विश्वनाथ ने वाक्य के स्वरूप को स्पष्ट करते हुए लिखा है–"वाक्यं स्याद् योग्यताकांक्षासत्तियुक्तपदोच्चयः।"[8]

मानक हिंदी के वाक्यों की तुलना कौरवी हरियाणवी से करें, तो प्रमुख विशेषता यह सामने आती है कि कौरवी हरियाणवी बोल-चाल की भाषा होने कारण इसके वाक्य मानक हिंदी के वाक्यों से कहीं अधिक छोटे होते हैं।

मानक हिंदी और कौरवी हरियाणवी के वाक्यों की रचना लगभग समान होती है, किंतु उनके पदों के साथ उनकी आपसी योजना में रेखांकन योग्य व्यतिरेक होता है। मानक हिंदी और कौरवी हरियाणवी के वाक्यों के व्यतिरेकी स्वरूप को निम्नलिखित संदर्भों में विश्लेषित कर सकते हैं–

5.2.5.1 वाक्य में पदक्रम और अन्विति

मानक हिंदी के वाक्यों में पदक्रम का विशेष महत्त्व होता है, जबकि बोली-कौरवी हरियाणवी में पदक्रम को अधिक महत्त्व नहीं दिया जाता है। वैसे सामान्य रूप में दोनों में समानता दिखाई देती है। पद संरचना के व्यतिरेक का रूप अवश्य सामने आता है; यथा–

कर्ता, कर्म क्रिया

मानक हिंदी	**कौरवी हरियाणवी**
मैंने रोटी खा ली। (कर्ता, कर्म, क्रिया)	मैंन्ने रोट्टी खाली। (कर्ता, कर्म, क्रिया)
तू हलवा खाएगा। (कर्ता, कर्म, क्रिया)	तू हलवा खावैगा। (कर्ता, कर्म, क्रिया)

विशेषण-विशेष्य

कौरवी हरियाणवी में विशेषण को विशेष्य के पूर्व मानक हिंदी के ही अनुरूप प्रयोग किया जाता है। विशेषण-विशेष्य के पदक्रम में व्यतिरेक नहीं होता है, वरन पद रचना में व्यतिरेक होता है; यथा–

मानक हिंदी	-	मेरे पास बहुत सारा पैसा है।
कौरवी हरियाणवी	-	मेरे धोरे भतेरे पैसे हेंगे।
मानक हिंदी	-	तुम्हारी कृपा से एक दिन बड़ा आदमी बनूँगा।
कौरवी हरियाणवी	-	तेरो किरपा से एकदिन बड़ा मानस बनूँगा।
मानक हिंदी	-	वह भूखा आदमी मर गया।
कौरवी हरियाणवी	-	वो भुक्खा आदमी मर ग्या।

विशेष्य-विशेषण

मानक हिंदी के ही समान कौरवी हरियाणवी में विशेषण-विशेष्य का क्रमिक प्रयोग यदा-कदा बदल जाता है। इसमें भी पदक्रम नहीं पद संरचना का व्यतिरेक दिखाई देता है; यथा–

मानक हिंदी	कौरवी हरियाणवी
लड़का सुंदर है।	छोरा सुथरा है।
शेख चिल्ली की आँखे लाल-लाल हैं।	शेख चिल्ली की आँखे लाल लाल अै।
यह घी देशी है।	या गी देसी अै।

क्रियाविशेषण क्रिया

कौरवी हरियाणवी में मानक हिंदी के ही समान क्रिया विशेषण पद का प्रयोग क्रिया के पूर्व होता है। यहाँ पद क्रम में व्यतिरेक न होकर पद संरचना की भिन्नता के आधार पर व्यतिरेकी रूप सामने आता है। इस संदर्भ के कुछ प्रयोग उद्धरणीय है–

मानक हिंदी	कौरवी हरियाणवी
वह धीरे-धीरे चलने लगा।	वो धीरे-धीरे चलन लग्या।
वह तेज चलता है।	वो तेज चले।
तुम तो बहुत बोलते हो।	तू तो घड़ा बोलै।
वह तालाब में बहुत नहाता है।	वो जोहड़ में बहोत नहाता है।

मूल क्रिया-सहायक क्रिया

कौरवी हरियाणवी के क्रिया पद की मूल और सहायक क्रियाओं का प्रयोगक्रम मानक हिंदी के क्रियापद के लगभग समान होता है। इसकी संरचना में व्यतिरेक संभावित होता है। कौरवी हरियाणवी में कभी-कभी मुख्य (मूल) क्रिया और सहायक क्रिया एक शिरोरेखा में लिखी और संयुक्त रूप में उच्चरित होती हैं।

मानक हिंदी	कौरवी हरियाणवी
तुम तो बहुत बोलते हो।	तू तो घड़ा बोलै।
उसकी मां को फिकर होने लगा।	वाकी माँ कूं फिकर होवन लगा।
उसका दम ही निकल जाएगा।	वाको दम ही निकळ जाग्गा।
बंशीधर को हजूर कहकर बुलाता है।	वंशीधर कू हजूर कहके बुलावे।

प्रश्नवाचक वाक्य

मानक हिंदी में प्रश्नवाचक पद वाक्य के प्रारंभ, मध्य और अंत तीनों स्थितियों में प्रयुक्त होते हैं, किंतु कौरवी हरियाणवी में ऐसे पद प्रायः मध्य और अंत प्रयुक्त होते हैं। प्रश्नवाचक पद की प्रयोग स्थिति के साथ वाक्य के विभिन्न पदों के व्यतिरेकी स्वरूप की विवेचना की जा सकती है; यथा—

मानक हिंदी	कौरवी हरियाणवी
क्या तू पानीपत गया था?	तू पानीपत ग्या था के?
तुम कहाँ गये थे?	तम कहाँ ग्या था?
तुम कब आ जाएगी?	तम कद आ ज्यागी?
वह क्यों चला गया?	वो क्यूँ चला ग्या?

ऐसा प्रयोग सामान्य स्थिति में होता है, किंतु किसी पद पर जोर देने या विशेष भावाभिव्यक्ति अर्थात् वाचक पद पर बलाघात की स्थिति में मानक हिंदी के ही समान प्रश्नवाचक पद का प्रयोग वाक्य के आदि में किया जाता है; यथा—

मानक हिंदी	कौरवी हरियाणवी
कहाँ चला गया था, वह?	कहाँ चला ग्या था, वो?
क्यों चला गया, वह?	क्यूँ चलाग्या, वो?
कब आ जाएगी, वह?	कद आ ज्यागी वो?

निषेधात्मक वाक्य

मानक हिंदी के वाक्य में निषेधात्मक पद का प्रयोग प्रायः क्रिया के पूर्व किया जाता है। लगभग यही प्रवृत्ति कौरवी हरियाणवी के वाक्य में दिखाई देती है। मानक हिंदी के कुछ निषेधात्मक पद कौरवी हरियाणवी में समान होते हैं, तो कुछ का व्यतिरेकी स्वरूप सामने आता है; यथा–

मानक हिंदी	कौरवी हरियाणवी
तुम वहाँ न जाओ।	तम वा न जाओ।
हम गोभी नहीं खाते हैं।	अम गोब्बी नई खाते।
मैं चाय नहीं पीता हूँ।	मैं चा ना पीऊँ।
तू तेज मत चल।	तू तेज मत चल।

अन्विति

मानक हिंदी के वाक्यों की वचन, पुरुष और लिंग के अनुरूप अन्य पदों की योजना की जाती है। लगभग यही प्रक्रिया कौरवी हरियाणवी में अपनाई जाती है। व्यतिरेकी संरचना को इस प्रकार रेखांकित कर सकते हैं; यथा–

लिंग अन्विति

लिंग

	मानक हिंदी	कौरवी हरियाणवी
पुल्लिंग	सारा काम बिगड़ जाएगा।	सारा काम बिगड़ जागा।
	वह तेरे रुपये चुराएगा।	वो तेरे रपये चुराएगा।
स्त्रीलिंग	मा आराम के साथ रहने लगी।	मा अराम के साथ रहण लागी।
	सारी दुनिया बदल गई।	सारी दुनिया बदल गी।

वचन

	मानक हिंदी	कौरवी हरियाणवी
एकवचन	मनोहरी का जी बहुत दुखी हुआ।	मनोहरी का जी बहोत दुखी होया।
	वह कार में घूमने लगा।	वो कार में घूमण लग्या।
बहुवचन	बंशी ने रुपये गुल्लक में रख दिए।	बंसी ने रपये गल्लक में धर दिए।
	आप उनके पैर छूते हैं।	आप वाके पाँव छूवें हैं। (आदरसूचक वाक्य)

5.2.5.2 वाक्य संरचनात्मक व्यतिरेक

वाक्य को संरचनात्मक आधार पर तीन भागों में विभक्त कर सकते हैं—सरल वाक्य, संयुक्त वाक्य और मिश्र वाक्य। वाक्य की संरचना—आधार पर भाषा के दोनों रूपों का व्यतिरेकी अध्ययन किया जा सकता है—

सरल वाक्य

मानक भाषा की अपेक्षा उसकी बोलियों और उप-बोलियों में सरल वाक्य का प्रयोग अपेक्षाकृत कहीं अधिक होता है। इसका मुख्य कारण है कि बोल-चाल में साँस सीमा में छोटे-छोटे बोलने में मुखसुख का आभास होता है। ऐसे वाक्यों में भी व्यतिरेकी रूप देख सकते हैं। कौरवी हरियाणवी के सरल वाक्य छोटे ही होते है। एक पदीय वाक्य की बहुलता होती है।

मानक हिंदी	**कौरवी हरियाणवी**
वह गया।	वो ग्या।
वह स्कूल गया।	वो स्कूल ग्या।
वह अपने स्कूल गया।	वो अपने स्कूल ग्या।
भैंसा मर गया	झोट्टा मर ग्या।
वह घर की ओर चल दिया।	वा घर की ओड कूं चल दिया।

बोली और उपबोली के संवाद में एकपदीय वाक्य की बहुलता होती है; यथा—

मानक हिंदी	**कौरवी हरियाणवी**
बैठो। (तुम बैठो।)	बैठ। (तू बैठ)
बैठिए। (आप बैठिए)	बैठो। (तुम बैठो।)
भागो। (तुम भागो।)	भाग्गो। (तुम भागो।)
स्नेह, "इस लोटे में क्या रखा है?"	स्नेह, "इस लाटे में के धर्‌या है?"
निधि, "मट्‌ठा।"	निधि, "सीत।"
(इस लोटे में मट्‌ठा रखा है।)	(इस लोटे में सीत धर्‌या है।)

संयुक्त वाक्य

मानक हिंदी के ही समान कौरवी हरियाणवी में दो या दो से अधिक प्रधान वाक्यों की योजना से संयुक्त वाक्य की रचना होती है। मानक हिंदी के संयुक्त वाक्य रचना में दोनों प्रधान वाक्यों के मध्य और तथा, या, अन्यथा योजक चिह्नों का प्रयोग होता है। कौरवी हरियाणवी में इन योजक चिह्नों के स्थान पर अर (और), कै (या), नतर (अन्यथा) का प्रयोग होता है। मानक हिंदी और कौरवी हरियाणवी के संयुक्त वाक्य के व्यतिरेकी रूप का विवेचन इस प्रकार कर सकते हैं—

मानक हिंदी — वह पानीपत गया और मैं आ गया।

कौरवी हरियाणवी – वो पानीपत ग्या अर मैं आ ग्या।

मानक हिंदी – दूसरी ने दूध दिया तथा तीसरी ने एक तस्तरी दी।

कौरवी हरियाणवी – दूसरी ने दूद द्या अर तीसरी ने एक तस्तरी दी।

मानक हिंदी – दो को खाऊँ या तीन को खाऊँ या चार को खाऊँ!

कौरवी हरियाणवी – दो क् खाऊँ तीन को खाऊँ कै चार को खाऊँ!

अंतिम वाक्य में तीन मुख्य वाक्यों की योजना है। इस प्रकार विश्लेषित कर सकते हैं–

मानक हिंदी : वाक्य संरचना

दो को खाऊँ या तीन को खाऊँ या चार को खाऊँ!

प्रधान उप-वाक्य	**योजक चिह्न**
(1) दो को खाऊँ!	या
(2) तीन को खाऊँ!	या
(3) चार को खाऊँ!	

कौरवी हरियाणवी : वाक्य संरचना

प्रधान उप-वाक्य	**योजक चिह्न**
(1) दो कू खाऊँ!	कै
(2) तीन कू खाऊँ!	कै
(3) चार कू खाऊँ!	

मिश्रवाक्य

इस वाक्य की रचना–जटिलता को देखते हुए इसे जटिल वाक्य भी कहा जाता है। ऐसे वाक्य में एक प्रधान वाक्य और इसके साथ एक या एक से अधिक आश्रित वाक्यों की योजना होती है; यथा–

मानक हिंदी – चोरों ने कहा, ''दोस्त यह तो तुम्हारी गलत बात है।
चोरों ने कहा–प्रधान उप-वाक्य
दोस्त यह तो तुम्हारी गलत बात है–आश्रित उप वाक्य

कौरवी हरियाणवी– चोरों ने कह्या, ''यार ई तो तेरी भुंडी बात अै।''
चोरों ने कह्या–प्रधान उप-वाक्य
यार ई तो भुंडी बात अै–आश्रित उप-वाक्य

मानक हिंदी – मैंने सोचा कि तुम रुपया जरूर दोगे।
मैंने सोचा–प्रधान उप-वाक्य
तुम रुपया जरूर दोगे–आश्रित उप-वाक्य
कि–योजक

कौरवी हरियाणवी– मैंन्ने सोचा था क तम रपया जरूर दोगे।
मैंन्ने सोचा था–प्रधान उप-वाक्य
तम रपया जरूर दोगे–आश्रित उप-वाक्य
क–योजक

मानक हिंदी–परी ने कहा, जो भी तुम्हारा रुपया चुराएगा, तो यह डंडा उसकी पीठ पर जाकर बजने लगेगा।

परी ने कहा–प्रधान उप-वाक्य
जो भी तुम्हारा रुपया चुराएगा–आश्रित उप-वाक्य
यह डंडा उसकी पीठ पर जाकर बजने लगेगा–आश्रित आश्रित उप-वाक्य
तो–योजक

परी ने कहा, जो भी तुम्हारा रुपया चुराएगा, तो यह डंडा उसकी पीठ पर जाकर बजने लगेगा।

कौरवी हरियाणवी–परी ने कह्यो, जो बी तेरे रपये चुरायेगा, तो यू सोट्टा उसकी पुटपुटी पै जाके बजणे लगेगा।

परी ने कह्या–प्रधान उप-वाक्य
जो बी तेरे रपये चुरायेगा–आश्रित उप-वाक्य
यू सोट्टा उसकी पुटपुटी पै जाके बजणे लगेगा–आश्रित आश्रित उप-वाक्य
तो–योजक

परी ने कह्यो जो बी तेरे रपये चुराएगा, तो यू सोट्टा उसकी पुटपुटी पै जाके बजणे लगेगा।

इस प्रकार मानक हिंदी और कौरवी हरियाणवी के ध्वनि, शब्द, अक्षर, पद और वाक्य व्यतिरेकी अध्ययन से दोनों स्वरूपगत भिन्नता का ज्ञान होता है, वहीं मानक हिंदी की संरचना के साथ कौरवी हरियाणवी की प्रवृत्तिगत पहचान होती है। भाषा-शिक्षण का यह वैज्ञानिक आधार है।

5.3 कौरवी हरियाणवी

5.3.1 लोक कथा

(1) जट् बिद्या

एक राज्जा ता। ओ सारे पण्डतां नै बुला कै पूछदा के कोए इसी कॉअणी सणाओ जो कदे बी ना सामड़ै। सारे पण्डत अपणी-अपणी बात सणांदे-सणांदे आरग्ये। एक दन् सारे पण्डता नै सलाअ मिलाई के के करणा चइए।

इतणैं मैं एक जाट आग्या। बोल्या, ''बाई। तम् के मिस्कोट करो ओ? बॉअमण बोले, ''बाई, राजा इसी कॉअणी सुणना चाअवै, जो कदे वी ना सामड़ै।''

जाट बोल्या ''या तो मामूली सी बात अै। तम मन्नैं राजा लवै ले चलो।'' बॉमण जाट नै राजदरबार मैं लेगे। राजा कॅअण लग्या, ''कोए इसी बात सणाओ जो सारी उमर खतम ना ओवै।'' जाट बोल्या, 'मूआराज! बात तो मैं इसियो सणा द्यूँगा, पर आपनै उँकारा (हुँकारा) बरणा (भरणा) पड़ैगा।'' राजा बोल्या तो फिर सणा। जाट बोल्या मनै सौ बीगे बाजरा बोया ता। राजा बोल्या, ''उँ''। फेर ओ बिलात्-बिलात् का होग्या ''उँ''। फेर मनैं नला दिया ''उँ''। फेर उसे पै सिरटेआगे ''उँ''। फेर मनै ओ काट लिया ''उँ''। फेर मनै ओ चूँड्या ''उँ''। फेर गाअ कै काड लिया ''उँ''। फेर गाम मैं ल्या कै कोट्ठा बर (भर) लिया ''उँ''। कोट्ठै मैं एक छोटा-सा मोख रख दिया ''उँ''। उस मोख मैं तै एक चिड़िया आवै अर एक दाणा ठावै फुर् ''उँ''। फुर् ''उँ'' फुर् ''उँ''। राजा बोल्या आग्गै बी तो सणा। जाट बोल्या, ''मआराज! चिड़िया कोट्ठे से सारे दाणे काडलेंगी तो बात आग्गै चलैगी। आप उँकारा बरते (भरते) रओ, जब तक चिड़ियाँ ''फुर्'' फुर् करती रअै। इबी तो कोट्ठा आदा बी नीं रीत्या अै।'' राजा नै जाट तै आर (हार) मान ली अर बोत सा न्याम दे कै बिदा कर दिया। बॉमण बी जाट का उनर देख कै ''वॉअ! वॉअ!'' करण लगे।

5.3.2 लोक गीत

(1) तीज का गीत

हे अपणे हिन्दस्तान की बेटी लिहाज राखिये
हे सिर पर धरया पिटारा हे बेटी प्याज बेचिये
हे डोळे के म्हा बैठ हे बेटी रोइये मत ना
हे पके धरे अंगेर लाडली खाइए मत ना
हे अपणे घर की बात किसे तै ए कहिए मत ना
हे खुले कुवाड़ा हे मेरी बेटी सोइए मत ना
हे गैर आदमी आगै हे बेटी रोइये मत ना
हे कुए पर चढ़कै पां मेरी बेटी धोइए मत ना
हे तीजां का त्यौंहार बड़ा हे तनै बुला ल्यूंगी
हे छोरियां कै बीच लाडली हे तनै झुला दयूंगी
हे तेरी भाभी कै छोरा हो ज्या मैं तीळ बंधा दयूंगी
हे चूंची धुवाई गळ का हे चन्दन हार दिवां दयूंगी
हे चारुं वेद पढ़ाई मेरी बेटी भूलिये मत ना
हे मेरी कोख कै एक बट्टा हे बेटी लाइए मत ना

(2) बगीजी की जकड़ी

छोटे टोटी बड़ी क्यारी नीम्बूआ की
छोरे नीम्बू लग रे पचास बगीची नीम्बूआ की
छोरी घूंघट के बळ खोलिये
छोरे घूंघट के बळ ना खुलै
छोरे घूंघट म्है बड़ा हो मसाला बगीची नीम्बूआ की
छोरे छोटी बड़ी क्यारी नीम्बूआ की
छोरे नीम्बू लग रे पचास बगीची नीम्बूआ की
छोरी कुरती के बळ खोल दे
छोरे कुरती के बळ ना खुलै
छोरे कुरती म्है बड़ा हो मसाला बगीची नीम्बूआ की
छोरे-छोटी बड़ी क्यारी नीम्बूआ की
छोरे नीम्बू लग रे पचास बगीची नीम्बूआ की
छोरी दामण के बळ खोलिये
छोरे दामण का बळ ना खुलै
छोरे दामण म्है बड़ा हो मसाला बगीची नीम्बूआ की
छोरे छोटी बड़ी क्यारी नीम्बूआ की
छोरे नीम्बू लग रे पचास बगीची नीम्बूआ की।

(3) चुंदड़ी

सुसरा जी दिल्ली जाइयो
म्हारे लिये ल्याइया दमक चुन्दड़ी
बहुअड़ ए हमनै ना बेरा
कैसी वो होती दमक चुन्दड़ी
सुसरा जी अल्लो पल्लो
डिब्बे में होती है दमक चुन्दड़ी
सीसे से जड़ी हो दमक चुन्दड़ी
जेठा जी दिल्ली जाइयो
म्हारे लिये ल्याइयो दमक चुन्दड़ी
बहुअड़ ए हमनै ना बेरा
कैसी वो होती दमक चुन्दड़ी
जेठा जी अल्लो पल्लो
डिब्बे में होती है दमक चुन्दड़ी

सीसे से जड़ी हो दमक चुन्दड़ी
देवर जी दिल्ली जाइयो
म्हारे लिये ल्याइयो दमक चुन्दड़ी
भाभी ए हमनै ना बेरा
कैसी वो होती दमक चुन्दड़ी
देवर जी अल्लो पल्लो
डिब्बे में होती है दमक चुन्दड़ी
सीसे से जड़ी हो दमक चुन्दड़ी
कंथा जी दिल्ली जाइयो
म्हारे लिये ल्याइयो दमक चुन्दड़ी
गौरी र दिल्ली जांगे
थारे लिये लाएं दमक चुन्दड़ी

संदर्भ

1. प्रो. दीपचंद्र एवं डॉ. कैलाश तिवारी, हिंदी और उसकी विविध बोलियाँ, पृ. 77
2. डॉ. उदय नारायण तिवारी, हिंदी भाषा का उद्‌भव और विकास, पृ. 229
3. डॉ. भोलानाथ तिवारी, हिंदी भाषा, पृ. 212-13
4. जान ग्रिलक्राइस्ट, दि हिंदी टैंलर, भाग-II, पृ. 4
5. वही, पृ. 5
6. डॉ. भोलानाथ तिवारी, हिंदी भाषा, पृ. 186
7. डॉ. भोलानाथ तिवारी, हिंदी भाषा, पृ. 187-88
8. आचार्य विश्वनाथ, साहित्य दर्पण, 2/1

षष्ठ अध्याय

मानक हिंदी और अहीरवाटी हरियाणवी : व्यतिरेकी अध्ययन

अहीरवाटी को संक्षिप्तीकरण में 'हीरवाटी' नाम से भी संबोधित किया जाता है। इस क्षेत्र को अहीरवाल भी कहा जाता है।

अहीरवाटी शब्द 'अहीर' और 'वाटी' दो शब्दों के योग से बना है। अहीरवाटी की व्युत्पत्ति इस प्रकार कर सकते हैं-आभीर + पट्टी–अभीर बट्टी-अहीरवाटी / अहीर शब्द संस्कृत के अभीर से बना है। वामन शिवराम आप्टे ने संस्कृत हिंदी कोश में अभीर शब्द के दो अर्थ दिए हैं–ग्वाला, एक देश और उसके निवासी।[1]

6.1 अहीरवाटी : नामकरण

डॉ. रामचंद्र वर्मा ने अभीर शब्द के लिए 'एक जाति, अहीर, ग्वाल, गोप' अर्थों का संकेत किया है।[2] उन्होंने मानक हिंदी कोश में 'आभीर' के लिए 'अहीर, गोप, ग्वाला, एक प्राचीन जनपद या देश, जिसमें गोप जाति के लोग रहते थे' अर्थों का उल्लेख किया है।[3]

डॉ. शशिभूषण सिंहल ने अहीर शब्द की उत्पत्ति और अहीरों की वीरता को रेखांकित करते हुए लिखा है, "आभीर शब्द से अहीर" या 'हीर' शब्द का विकास माना गया है। अभीर गण का वर्णन महाभारत काल में मिलता है। स्वभाव और गुण की दृष्टि से यह जाति गोपालक और युद्धप्रिय रही है।"

'अहीर' शब्द आभीर से विकसित तद्भव शब्द है। इनके कार्यक्षेत्र को रेखांकित करते हुए मानक हिंदी कोश में इसका परिचय इस प्रकार दिया गया है, "एक प्रसिद्ध जाति जो गौएँ, भैसें आदि पालती और दूध, दही के व्यवसाय से जीविका निर्वाह करती है।"[4]

इतिहास साक्ष्य है कि अहीर जनपद और अहीर जाति का गौरवपूर्ण अनुकरणीय

इतिहास है। आभीर गण महाभारत काल में ही महत्त्वपूर्ण स्थान प्राप्त कर चुके थे। वीर योद्धाओं में उनको शीर्ष स्थान प्राप्त कर चुका था। द्रोण के सुपर्ण व्यूह में उनको गौरवपूर्ण स्थान मिला था। ईशा के पूर्व आभीरों ने पंजाब के एक भाग को अपने अधिकार में ले लिया था। दूसरी से आठवीं सती तक आभीर लगभग समस्त भारत में पहुंच गए हैं। कुछ स्थानों पर ये सामूहिक रूप से बस गए हैं। हरियाणा का यह क्षेत्र इसी प्रकार है।

'आभीर' शब्द तत्सम अर्थात् संस्कृत से परंपरागत रूप में हिंदी में आया है। इसका प्रयोग संस्कृत काल से होता रहा है। वामन शिवराम आप्टे ने संस्कृत हिंदी कोश में 'आभीर' शब्द के प्रयोग संदर्भ को प्रस्तुत करते हुए लिखा है–[5]

''आभीरवामननयनाहृदयतमानसाय दत्तं मनो यदुपते तदिदं गृहाण।'' पंचतंत्र में 'आभीर' शब्द का प्रयोग प्रदेश या स्थान विशेष के संदर्भ से किया गया है–

''आभीर देशे किल चंद्रकान्तं त्रिभिर्वराटैर्विपणन्ति गोपाः।''

इस क्षेत्र की भाषा की समृद्ध परंपरा रही है। माना आज यह हरियाणा की हरियाणवी की एक उपबोली है, किंतु अपभ्रंश काल में भी इसका प्रभावशाली रूप रहा है। हिंदी साहित्य के मूर्द्धन्य विद्वान आचार्य हजारी प्रसाद द्विवेदी ने अभीरों की भाषा के विषय में लिखा है, 'यह उस युग के पंडितों की दृष्टि से अपभ्रंश का, प्रभावशाली रूप रहा है।'[6]

आचार्य द्विवेदी के अनुसार अभीरों का भाषा अभिव्यक्ति की दृष्टि से विशेष उपयोगी रही है। यह तथ्य इससे भी स्पष्ट होता है कि संस्कृत के नाटकों में भी प्रभावशाली अभिव्यक्ति के लिए अपभ्रंश का प्रयोग मिलता है। प्रकृति की सतत परिवर्तनशीलता के समान भाषा के स्वरूप और प्रयोग में परिवर्तन अवश्यंभावी है। वर्तमान समय में अभीरों की भाषा की श्रेष्ठ परंपरा से विकसित अहीरवाटी हरियाणवी एक उपबोली के रूप में अहीरवाल के जन सामान्य के भावाभिव्यक्ति का आधार बनी हुई है। इसमें पर्याप्त और अनुप्रेरक लोक साहित्य मिलता है। अहीरवाटी लोक साहित्य पीढ़ी दर पीढ़ी मौखिक परंपरा से चला आ रहा है। लोक साहित्य के महत्त्व को रेखांकित करते हुए डॉ. साधुराम शारदा ने लिखा है, ''लोक साहित्य अनपढ़ जनता की भावनाओं तथा समाज का दर्पण होता है। लोक साहित्य तो उस पौधे के समान है, जिसे किसी माली ने न तो सींचा है न काटा-छाँटा है। वह तो बिना किसी विशेष परिपोषण से पुष्पित होता है।''[7]

6.2 अहीरवाटी हरियाणवी : क्षेत्र

अहरीवाटी नाम से पूर्ण स्पष्ट है कि हरियाणा के अहीर बहुल क्षेत्र को अहीरवाल और उस क्षेत्र की भाषा को अहीरवाटी नाम दिया गया है। अहीरवाटी हरियाणवी की भौगोलिक सीमा के विषय में विभिन्न विद्वानों के मंतव्य लगभग समान हैं। शैल

गौतम ने इस उपबोली की सीमा निर्धारित करते हुए लिखा है, ''पश्चिमी गुडगाँव में रेवाड़ी को अहीरवाटी का केंद्र माना जा सकता है। इसके अतिरिक्त नारनौल का अधिकांश भाग भी इसकी सीमा परिधि में आ जाता है। यहाँ दादरी इसकी अंतिम सीमा मानी जा सकती है।''[8]

डॉ. कृपाल चंद्र यादव ने 'अहीरवाल के इतिहास' में अहीरवाटी के हरियाणा और राजस्थान क्षेत्र तक विस्तीर्ण भौगोलिक सीमा का उल्लेख इस प्रकार किया है, ''हरियाण प्रांत के अंतर्गत गुड़गांव जिले के उत्तरी तथा पश्चिमी भाग, महेंद्रगढ का पूरा जिला, रोहतक जिले की झज्जर तहसील तथा हिसार व भिवानी जिले के कुछ भाग तथा राजस्थान के बहरोड़, मुंडावर तथा बानसूर तहसील और कोटिकासिम के परगने को 'अहीरवाल' के नाम से पुकारा जाता है। चुंकि यहाँ सबसे अधिक जनसंख्या अहीर लोगों की है, अतः इसी कारण इस क्षेत्र का नाम अहीरवाल अथर्ति 'अहीरों का प्रदेश' पड़ा है।''[9]

डॉ. मनमोहन स्वरूप माथुर ने 'हरियाणवी बोली और संस्कृति' में 'अहीरवाटी' के भौगोलिक क्षेत्र के विषय में लिखा है, ''इसमें हरियाणा के जिला महेंद्रगढ़, रोहतक की तहसील झज्जर, हॉसी (हिसार), गुड़गांव, फरूखनगर, सोहना, तावडू, पटौदी, रेवाड़ी, बावल एवं नजफगढ़ (दिल्ली) बहरोड़ (राजस्थान) को परिगणित किया जाता है।''[10]

अहीरवाटी हरियाणवी, उपबोली का केंद्र कोसली रेवाड़ी है। महेंद्रगढ़ रेवाड़ी, झज्जर और दादरी की सीमा से गुडगाँव के उत्तरी- पश्चिमी भाग तक इसका प्रयोग होता है।

अहीरवाल के चर्चित लोक कवि कल्लू भाट ने लोकभाषा में अहीरवाटी क्षेत्र की चर्चा लयात्मक रूप में की है–

''अहीरवाल नौखा भाइयो देवता का देस-बास।
सुणो भाइयों करके ख्याल कोसली कनीना खास।
डैरोली और नांगल कहिए, गढ़ी कोठडी साहरणवास।
गंडराला बहरोड़ कहिए, आसिया की पीथड़ास।
जोडिया नसीपुर कहिए, मीरपुर रेवाडी पास।
पांछापुर गुरावड़ा, धारूहेड़ा पाल्हावास।
नंगली निसाल नाहड़ गाम मैं गिणऊं खास।''

अहीरवाटी हरियाणावी की समीपस्थ भाषा बोली और उपबोलियाँ हैं–केंद्रीय हरियाणवी, मेवाती, ब्रज हरियाणवी और राजस्थानी। इनका अल्पधिक प्रभाव होना स्वाभाविक है।

6.3 मानक हिंदी–अहीरवाटी हरियाणवी : व्यतिरेक

मानक हिंदी और अहीरवटी हरियाणवी स्वर और व्यंजन ध्वनियाँ लगभग समान

हैं। इनके शब्दों, पदों और वाक्यों के प्रयोग में व्यतिरेक का स्पष्ट रूप सामने आता है। यह व्यतिरेक स्वर और व्यंजन ध्वनियों के संदर्भ में देख सकते हैं।

6.3.1 मानक हिंदी–अहीरवाटी : स्वर व्यतिरेक

मानक हिंदी की स्वर ध्वनियाँ अहीरवटी हरियाणवी के प्रयोग में व्यतिरेकी भाव से सामने आती हैं। यह स्वर प्रयोग मुख्यतः निम्नलिखित व्यतिरेकी रूपों में होता है–

6.3.1.1 आ > ओ

अहीरवाटी हरियाणवी में मानक हिंदी की 'आ' ध्वनि प्रायः पश्च, वृत्ताकर अर्ध संवृत 'ओ' स्वर ध्वनि हो जाती; यथा–

मानक हिंदी	**अहीरवाटी हरियाणवी**	**मानक हिंदी**	**अहीरवाटी हरियाणवी**
अच्छा	आच्छो	अपना	अपणो
आना	आणो	आया	आयो
खाया	खायो	गया	गयो
गाना	गाणो	घोड़ा	घोड़ो
चाचा	चाचो	छोटा	छोटो
जीजा	जीजो	दादा	दादो
नाना	नानो	पूछता	पूछतो
फूफा	फूफो	बेटा	बेटो
मांगता	मांगतो		

6.3.1.2 ऐ > इ/ई

अहीरवाटी हरियाणवी में मानक हिंदी की अवृत्ताकार, अग्र और अर्ध विकृत स्वर 'ऐ' ध्वनि संवृत, अग्र और अवृताकार इ अथवा ई ध्वनि हो जाती है; यथा–

मानक हिंदी	**अहीरवाटी हरियाणवी**	**मानक हिंदी**	**अहीरवाटी हरियाणवी**
कैसा	किसो	जैसे	जिसो
पैसा	पीसो/पिसो		

6.3.1.3 औ > ओ

मानक हिंदी की पश्च, वृत्ताकार अर्ध विवृत 'औ' स्वर ध्वनि अहीरवाटी हरियाणवी में यदा-कदा पश्च, वृत्ताकार अर्ध संवृत रूप ओ में बदल कर प्रयुक्त होती है; यथा–

मानक हिंदी	अहीरवाटी हरियाणवी	मानक हिंदी	अहीरवाटी हरियाणवी
जौ	जो	दौड़	दोड़
रौनक	रोनक		

6.3.1.4 स्वरागम

अहीरवाटी हरियाण्वी के शब्दों में स्वरागम से व्यतिरेकी स्वरूप उभर आता है। इससे स्वर ध्वनि के प्रभाव, अहीरवाटी ध्वन्यात्मकता का स्पष्ट बोध होता है; यथा–

मानक हिंदी	अहीरवाटी हरियाणवी	स्वागम
चित्र	चित्तर	अ
कब	किब	इ
कल	काल	आ
धर्म	धरम	अ
पगड़ी	पागड़ी	आ
समर्थ	समरथ	अ

6.3.1.5 स्वरलोप

मानक हिंदी और अहीरवाटी हरियाणवी शब्दों के स्वर ध्वनि व्यतिरेक का स्वरूप उस समय सामने आता है जब आहीरवाटी हरियाणवी के शब्दों के सरल, सहज और मुख-मुखात्मक उच्चारण में स्वर ध्वनि का लोप हो जाता है; यथा–

मानक हिंदी	अहीरवाटी हरियाणवी	स्वर लोप
आशीष	आसीस	आ
चाहिए	चहिए	आ
तालाब	तलाब	आ
बाजार	बजार	आ
पंडित	पंडत	इ

6.3.1.6 अहीरवाटी हरियाणवी के 'आकार' का उच्चारण यत्र-तत्र बिलंबिल, मंद और लगभग दीर्घ रूप में होता है। इससे मानक हिंदी से व्यतिरेकी रूप सामने आता है; यथा–

मानक हिंदी	अहीरवाटी हरियाणवी
कल (क्अल्)	का ल (क् आ...)
चलना (चूल्अनूआ)	चा लणो (च् आ...)
नहीं (न्अह्ई)	ना हीं (न् आ...)
पगड़ी (प्अग्अड़ई)	पा गड़ी (प् आ...)

6.3.1.7 अकारण अनुनासिक प्रयोग व्यतिरेक

आंचलिक भाषाओं में अकारण अनुनासिकता का प्रयोग मिलता है। मानक हिंदी में सुनिश्चित स्थानों पर अनुनासिक प्रयोग होता है, किंतु अहीरवाटी हरियाणवी में यत्र-तत्र अकारण अनुनासिक प्रयोग किया जाता है; यथा–

मानक हिंदी	अहीरवाटी हरियाणवी
उसने	ऊँ ने (लिख्या करै थो)
उसको	अंहनै (अंहनै घाल दे)
तूने	तूंनैं (तूं नैं लिख्यो थो)
मैंने	मन्नैं (मन्नैं लिख लियो होगो)
वह	वैंह (वैंह लिखद्या सैं)
वह	ऊँ (ऊँ नै लिख लियो होगो)
से	सैं (पाप्पू बस सैं आयो)
से	तैं (साब्बण तै हाथ धो ले)

6.3.2 मानक हिंदी–अहीरवाटी : व्यंजन व्यतिरेक

मानक हिंदी के ही समान अहीरवाटी हरियाणवी में व्यंजन चिह्नों और ध्वनियों का प्रयोग होता है, किंतु उनके प्रयोग की भिन्नता व्यतिरेकी स्वरूप प्रस्तुत करती है। अहरीरवाटी शब्दों में प्रयुक्त व्यंजनों से उभरने वाले व्यतिरेक को इस प्रकार रेखांकित कर सकते हैं–

6.3.2.1 ल और ळ ध्वनियों के प्रयोग में व्यतिरेक

हिंदी में अंतस्थ 'ल' का प्रयोग होता है, जबकि अहीरवाटी हरियाणवी में 'ल' और 'ळ' दोनों ध्वनियों का प्रयोग होता है। ये दोनों अंतस्थ ध्वनियां भिन्नार्थक रूप में प्रयुक्त होती हैं। यह अहीरवाटी हरियाणवी का विशेष व्यतिरेकी स्वरूप है; यथा–

मानक हिंदी	अहीरवाटी हरियाणवी
ल	ल–आलो (भीगा हुआ)
(आला)	ळ–आळो (दीवार का ताख)
ल	ल–गाल
(गाल)	ळ–गाळ (गाली)
ल	ल–खाल (चमड़ी)
	ळ–खाळ (छोटी नाली)
ल	ल–टाल (घंटा)
(टाल)	ळ–टाळ (रोकना, रद्द करना)

6.3.2.2 अल्पप्रणीकरण व्यतिरेक

मानक हिंदी के दो स्वरों के मध्य और शब्दांत में आनेवाली महाप्राण ध्वनि अहीरवाटी हरियाणवी के उच्चारण में अल्पप्राण हो जाती है। मानक हिंदी और अहीरवाटी हरियाणवीं का यह व्यतिरेक स्पष्ट रूप से देख सकते हैं।

मानक हिंदी	**अहीरवाटी हरियाणवी**	**अल्प्राणीकरण**
आधा	आदो	ध > द
जाँघ	जांग	ध > ग
दूध	दूद	ध > द
धंधा	धंदा	ध > द
बढ़ (आगे बढ़ना)	बड़	ढ़ > ड़
भूख	भूक	ख > क
सूखा	सूका	ख > क

6.3.2.3 द्वित्तीकरण व्यतिरेक

अहीरवाटी हरियाणवी में दीर्घस्वर के बाद आनेवाले व्यंजन प्रायः द्वित्तीकरण में बदल जाते हैं। यह मानक हिंदी से व्यतिरेकी स्वरूप है; यथा–

मानक हिंदी	**अहीरवाटी हरियाणवी**	**द्वित्तीकरण**
गोदी	गोद्दी	द > द्द
डोला	डोल्ला	ल > ल्ल
तेली	तेल्ली	ल > ल्ल
धोबी	धोब्बी	ब > ब्ब
बड़ा	बड्डा	ड > ड्ड
बोला	बोल्लो	ल > ल्ल
रोटी	रोट्टी	ट > ट्ट

अहीरवादी हरियाणवी में द्वित्तीकरण भी प्रबल प्रवृत्ति में यदाकदा उच्चारण में दीर्घ स्वर बदल कर ह्रस्व स्वर होने के बाद भी ऐसे प्रयोग मिल जाते हैं; यथा–

मानक हिंदी	**अहीरवाटी हरियाणवी**	**द्वित्तीकरण**
ऊपर	उप्पर	प्प
मीठा	मिठ्ठन	ठ्ठ

6.3.2.4 मूर्द्धन्य नासिक्य 'ण' का बहुल प्रयोग

अहीरवाटी हरियाणवी के शब्दों में मूर्द्धन्य नासिक्य 'ण' ध्वनि का बहुलता में प्रयोग होता है। मानक हिंदी में प्रयुक्त दंत्य नासिक्य की यह व्यतिरेकी स्थिति विशेष रूप में उल्लेखनीय है–

मानक हिंदी	अहीरवाटी	अल्प्राणीकरण हरियाणवी
अपना	अपणा	न > ण
करना	करणो	न > ण
खाँसना	खाँसणो	न > ण
गर्जना	गर्जणो	न > ण
धोबन	धोब्बण	न > ण
बोलना	बोलणो	न > ण
भूँकना	भोंकणो	न > ण
मीमाना (भेड़ का बोलना)	मीम्मणो	न > ण
सेठानी	सेठाणी	न > ण

6.3.2.5 संयुक्त वर्ण 'र' का संयुक्त रूप लोप

मानक हिंदी में र के साथ विभिन्न व्यंजनों का संयुक्त रूप प्रयुक्त होते हैं; यथा– क्र, ग्र, ट्र, ड्र, द्र, ध्र, प्र, भ्र, म्र, स्र, र्म (कर्म) र्य (कार्य) आदि। अहीरवाटी हरियाणवी में संयुक्त वर्ण का स्वरूप लुप्त हो जाता है। दोनों की यह व्यतिरेकी प्रकृत्ति स्पष्ट रूप में सामने आती है; यथा–

मानक हिंदी	अहीरवाटी हरियाणवी	परिवर्तन
कर्म (र्म)	करम	र्म > रम
क्रम (क्र)	करम	क्र > कर
ड्रम (ड्र)	डरम	ड्र > डर
धर्म (र्म)	धरम	र्म > रम
नम्र (म्र)	नरम	म्र > रम
प्रसाद (प्र)	परसाद	प्र > पर
प्रहलाद (प्र)	पहलाद	प्र > प
ब्राह्मण (ब्र)	बाहमण (बांमण)	ब्र > ब
भ्रम (भ्र)	भरम	भ्र > भर

6.3.2.6 सकार प्रयोग व्यतिरेक

मानक हिंदी के ऊष्म तालव्य 'श' मूर्द्धन्य 'ष' और दंत्य स, तीनों ध्वनियों का स्पष्ट लेखन और उच्चारण होता है, किंतु अहीरवाटी हरियाणवी में प्रायः तालव्य 'श' और मूर्द्धन्य 'ष' के स्थान पर भी दंत्य 'स' का प्रयोग होता है। अहीरवाटी हरियाणवी की यह ध्वन्यात्मक और लेखीय व्यतिरेकी पहचान है। इस प्रकार दंत्य 'स' व्यंजन के बहुल और सहज प्रयोग देख सकते हैं; यथा–

मानक हिंदी	अहीरवाटी हरियाणवी	सकार परिवर्तन
बेशक	बेसक	श > स
मनुष्य	मानस	ष > स
विष्णु	विस्नु	ष > स
शहद	सहत	श > स
शाबाश	साबस	श > स
शासन	सासन	श > स

6.3.2.7 शब्द-निर्माण में हकार व्यतिरेक

शब्द निर्माण में विभिन्न व्यंजन ध्वनियों की अपनी भूमिका होती है। अहीरवाटी हरियाणवी का शब्द संरचना में ऊष्म व्यंजन 'ह' की भूमिका विशेष रूप में उल्लेखनीय है। इसे मानक हिंदी की व्यंजन ध्वनियों से व्यतिरेकी रूप में देख सकते हैं; यथा–

मानक हिंदी	अहीरवाटी हरियाणवी
इनको	यह्नै
इनके लिए	अह्नै
इनका	अंहको
इनकी	अंहकी
इनमें	अंहनै
इन पर	अंह पै

इस प्रकार मानक हिंदी और अहीरवाटी हरियाणवी के ध्वन्यात्मक और लेखीम व्यतिरेक के स्वर और व्यंजन विश्लेषण से एक ओर भाषायी विकास का ज्ञान होता है, तो दूसरी ओर अहीरवाटी हरियाणवी के स्वानात्मक स्वरूप को स्पष्ट अभिव्यक्ति मिलती है। यह स्पष्ट तथ्य है कि स्वनात्मक विवेचन और विश्लेषण से भाषा की आधारभूत संरचना सामने आ जाती है।

6.3.1 मानक हिंदी–अहीरवाटी हरियाणवी : अक्षर व्यतिरेक

मानक हिंदी और अहीरवाटी हरियाणवी के शब्दों की अक्षरों की व्यवस्था कभी समान होती है, कभी भिन्नता दिखाई देती है। इसे एकाक्षरी, द्वयाक्षरी, त्रयाक्षरी आदि आधारों पर विवेचन कर सकते हैं।

6.3.1.1 एकाक्षरी शब्द में व्यतिरेक

मानक हिंदी और अहीरवाटी हरियाणवी के एकाक्षरी शब्दों में स्वरूप व्यतिरेक इस प्रकार विश्लेषित कर सकते हैं–

मानक हिंदी	अहीरवाटी हरियाणी	मानक हिंदी	अहीरवाटी हरियाणी
आँख	आँख्य	और	अर्
खाट्	खाट्ट्	यह्	यो

6.3.1.2 द्वयाक्षरी शब्द में व्यतिरेक

मानक हिंदी और अहीरवाटी हरियाणवी के द्वयाक्षरी शब्दों का संरचनात्मक व्यतिरेक इस प्रकार प्रस्तुत किया जा सकता है–

मानक हिंदी	अहीरवाटी हरियाणी	मानक हिंदी	अहीरवाटी हरियाणी
काढ़ा	काढ़्यो	गया	गयो
चला	चल्यो	चुका	चुक्यो
छोटा	छोटो	जगह	जग्हो
देखा	देख्यो	धरा	धार्‍य
पड़ा	पड़्या	बड़ा	बड़्या/बड़ो
बहुत्	बोहत्	बेगन्	भटा
भूखा	भूक्खा	मनुष्य	माणस्
मृत्यु	मिरत्	लाया	ल्याया
लिखा	लिख्या	विष्णु	बिस्नु
हक्का	हाक्का		

हक्का 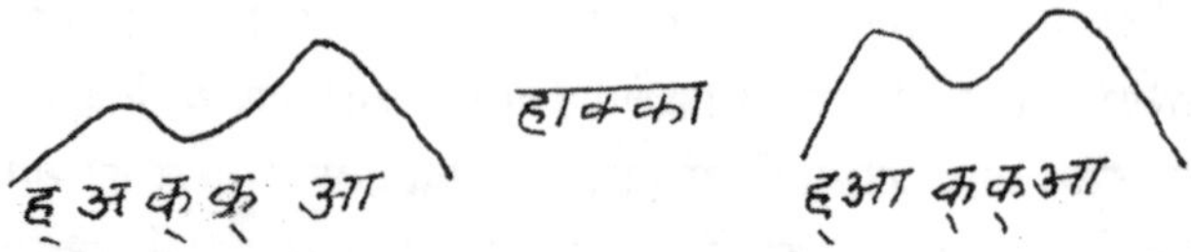

6.3.1.3 त्रयाक्षरी शब्द में व्यतिरेक

मानक हिंदी और अहीरवाटी हरियाणवी के त्रयाक्षरी शब्दों का संरचानात्मक व्यतिरेक बहुलता में मिलता है; यथा–

मानक हिंदी	अहीरवाटी हरियाणी	मानक हिंदी	अहीरवाटी हरियाणी
अपना	अपणा	इतना	इतणो
खेलेगा	खेलैगो	चलेगा	चलेगो
चौगुना	चौगुणो	डरता	डरतो
लगता	लगतो		

लगता 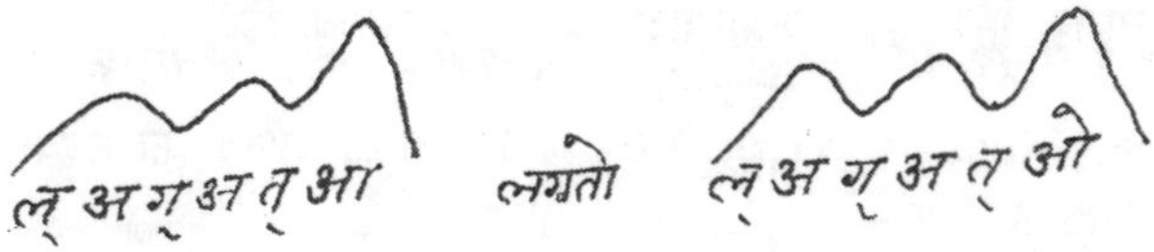

6.3.2 मानक हिंदी–अहीरवाटी : अक्षर संक्षिप्तीकरण

मानक हिंदी के शब्द में अक्षर की सीमा अहीरवाटी हरियाणवी में यत्र-तत्र सीमित हो जाती है; यथा–

- **2 अक्षर > 1 अक्षर**

मानक हिंदी	**अहीरवाटी हरियाणवी**
उठा	ठा
नहीं	नॉय
लस्सी	छाय्

लस्सी 

- **3 अक्षर > 2 अक्षर**

मानक हिंदी	**अहीरवाटी हरियाणवी**
उलटा	उल्टो
सेवई	सेई
हमारा	म्हारा

हमारा 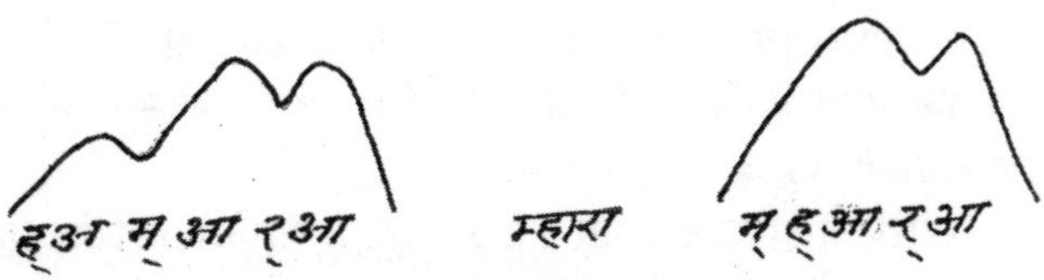

- **4 अक्षर > 3 अक्षर**

मानक हिंदी	**अहीरवाटी हरियाणवी**

इकहरा 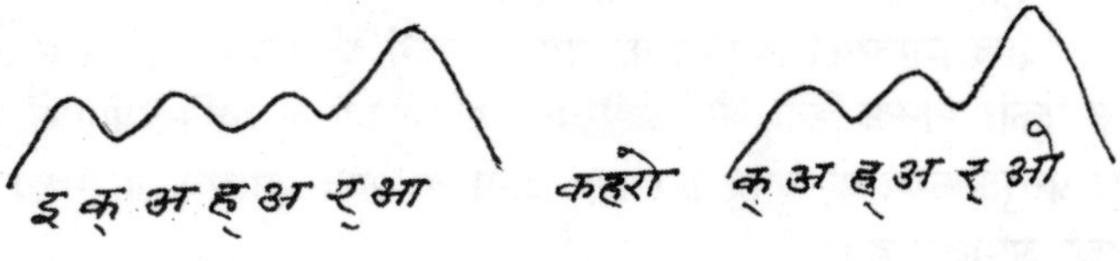

6.3.3 मानक हिंदी–अहीरवाटी हरियाणवी : अक्षर विस्तारीकरण

मानक हिंदी के शब्द का अक्षरी रूप अहीरवाटी हरियाणवी की संरचना में विस्तारीकृत हो जाता है; यथा–

- **2 अक्षर > 3 अक्षर**

मानक हिंदी	**अहीरवाटी हरियाणवी**
तप्त्	ताता
पाव्	पावाँ
प्यारा	पियारा

प्यारा 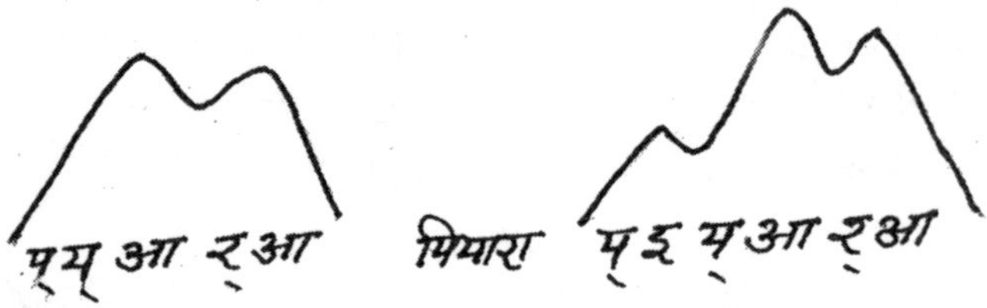

मानक हिंदी	**अहीरवाटी हरियाणवी**	**व्यतिरेक (विपर्यय)**
हमारे	म्हारे (म्हारे तैं)	ह > म
हमारा	म्हारो	ह > म
हमारे (हम पर)	म्हारा (म्हारा पै)	ह > म
हम (हम में)	म्हारा (म्हारा मै)	ह > म

6.3.4 मानक हिंदी–अहीरवाटी हरियाणवी : शब्द व्यातिरेक

सार्थकता की दृष्टि से भाषा की सर्वाधिक महत्त्वपूर्ण इकाई शब्द है। ध्वनि यदि भाषा की आधारभूत इकाई है, तो शब्द भावाभिव्यक्ति की दृष्टि से महत्त्वपूर्ण इकाई है। प्रत्येक भाषा के शब्दों की अपनी प्रवृत्ति होती है, जिससे उस भाषा की अपनी पहचान बनती है।

अहीरवाटी हरियाणवी शौरसेनी अपभ्रंश के आभीरी आपभ्रंश शाखा से विकसित स्वरूप है। इसके शब्दों की संरचना में परंपरागत रूप प्रभावी रूप में मिलता है। मानकीकरण प्रक्रिया में भाषा की अन्य इकाइयों के ही समान शब्दों को भी व्यवस्थित करके एकरूपता देने का प्रयास होता है। इसलिए मानक हिंदी और अहीरवाटी हरियाणवी के शब्दों में भी पर्याप्त व्यतिरेकी रूप सामने आता है।

शब्द व्यतिरेकी विवेचन का पर्याप्त संदर्भ ध्वनि-प्रयोग संदर्भ में आ जाता है। इस प्रकार मानक हिंदी और अहीरवाटी हरियाणवी के ध्वनि-प्रयोग में शब्द संरचना का प्रस्तुतीकरण हो चुका है। यहाँ दोनों के शब्द-व्यतिरेक के मुख्य स्वरूपों की चर्चा अपेक्षित है।

6.3.4.1. विपर्यय व्यतिरेक

भाषा के शब्दों में कभी-कभी ध्वनियाँ वही रहती हैं, किंतु उनका प्रयोग क्रम बदल जाता है। यह विपर्यय प्रवृत्ति दो भाषाओं के मध्य व्यतिरेकी स्वरूप हो जाता है। मानक हिंदी के शब्दों की संरचना की ध्वनियाँ अहीरवाटी हरियाणवी में वही रहती है, किंतु उनके प्रयोग क्रम में परिवर्तन हो जाता है। ऐसे में ध्वनयिों की पूर्णता या दीर्घता रूप में सीमित परिवर्तन भी संभावित होता है; यथा–

6.3.4.2 अनुनासिकता व्यतिरेक

अहीरवाटी हरियाणवी में आंचलिक ध्वन्यात्मकता के आधार पर विभिन्न वर्ग के शब्दों में अनुनासिकता का स्वरूप उभर आता है। इसके उच्चारण में मुख के साथ नाक से भी निःश्वास की वायु निकलने का व्यतिरेकी रूप सामने आता है; यथा–

मानक हिंदी	अहीरवाटी हरियाणवी	अनुनासिकता व्यतिरेक
ऊँघता है	उघैं	घ > घँ
घिया (लौकी)	घींया	घ > घँ
छोरा (लड़का)	छोराँ	र > रँ
तू (तुम)	तूँ	त > तँ
यह	न्यूँ	य > यूँ
इसी	अँही	इ > अँ

6.3.4.3 लोप व्यतिरेक

मानक हिंदी के शब्दों की एक या एकाधिक ध्वनियाँ अहीरवाटी हरियाणवी शब्दों में लुप्त हो जाती हैं। इससे दोनों में व्यतिरेकी रूप उभर आता है; यथा–

मानक हिंदी	अहीरवाटी हरियाणवी	लोप
अचानक	चानक	अ
आर्डर	आडर	र
मृत्यु	मिरत	यु
स्टेशन	टेशन	स्

6.3.4.4 आगम व्यतिरेक

आहीरवाटी हरियाणवी शब्दों के मध्य एक या एकाधिक ध्वनियों के अतिरिक्त प्रयोग से मानक हिंदी के शब्द से व्यतिरेक हो जाता है; यथा–

मानक हिंदी	अहीरवाटी हरियाणवी	आगम ध्वनि
काग	कागलो	लो
ककड़ी	काकड़ी	आ

कल	काला	आ
पगड़ी	पागड़ी	आ
मुँह	मूहड़ो	डो
सरसो	सिरस्यू	इ..यू

6.3.4.5 द्वित्तीकरण

अहीरवाटी हरियाणवी में द्वित्तीकरण की विशेष प्रवृत्ति दिखाई देती है। मानक हिंदी के शब्द में प्रयुक्त सामान्य एकल व्यंजन ध्वनि अहीरवाटी के शब्द में यत्र-तत्र द्वित्त हो जाती है। इससे व्यतिरेकी शब्द स्वरूप सामने आता है।

मानक हिंदी	अहीरवाटी हरियाणवी	ध्वनि-द्वित्तीकरण
आगे	आग्गे	ग > ग्ग
इसने	इन्ने	न > न्न
ऊपर	उप्पर	म > प्प
खातिर	खत्तर	त > त्त
गोदी	गोद्दी	द > द्द
डोला	डोल्ला	ल > ल्ल
धोबन	धोब्बन	ब > ब्ब
धोबी	धोब्बी	ब > ब्ब
नाचना	नांच्चण	च > च्च
नाची	नाच्ची	च > ज्च
पीपल	पीप्पल	प > प्प
बोला	बोल्ला	ल > ल्ल
भीतर	भीत्तर	त > त्त
मुझे	मन्नै	न > न्नै
लाठी	लठ्ठ	ठ > ठ्ठ
राजा	राज्जा	ज > ज्ज
रोटी	रोट्टी	ट > ट्ट
साबुन	साब्बण	ब > ब्ब
हुकुम	होक्कम	क > क्क

इस प्रकार मानक हिंदी के शब्दों से अहीरवाटी शब्दों में रेखांकन योग्य भिन्नता सामने आती है। शब्दांतर्गत ध्वनियों के सीमित परिवर्तन को ध्वनि (स्वर-व्यंजन) संदर्भ में विवेचन किया गया है।

6.3.5 मानक हिंदी–अहीरवाटी हरियाणवी : पद व्यातिरेक

भाषा की व्याकरणिक योग्यता प्राप्त इकाई को पद का संज्ञा दी जाती है। दूसरे शब्दों में कह सकते हैं कि जब शब्द वाक्य में प्रयुक्त हो जाए या वाक्य में प्रयुक्त होने का स्वरूप अपना ले उसे पद कहते हैं। प्रत्येक भाषा, बोली और उपबोली के पदों की संरचना की अपनी विशेषता होती है। मानक हिंदी और अहीरवाटी हरियाणवी के व्यतिरेकी स्वरूप से उनकी भाषायी विशेषताएँ सामने आती हैं, वहीं अभिव्यक्ति का अपना रंग उभर कर आता है।

भाषा की विभिन्न व्याकरणिक कोटियों के आधार पर मानक हिंदी और अहीरवाटी हरियाणवी के पद स्वरूप के व्यतिरेक को इस प्रकार रेखांकित कर सकते हैं–

6.3.5.1 लिंग व्यतिरेक

मानक हिंदी के ही समान पुल्लिंग और स्त्रीलिंग की योजना होती है। जिस प्रकार मानक हिंदी में कुछ प्राणियों के पुल्लिंग और स्त्रीलिंग दोनों में ही एक ही शब्द का प्रयोग होता है। दोनों की ऐसी लिंग-व्यवस्था में समानता होते हुए भी शब्द-स्वरूप या वर्तनी का व्यतिरेक स्पष्ट रूप से सामने आता है; यथा–

मानक हिंदी के ही समान पुल्लिंग शब्दों में स्त्रीलिंग बोधक प्रत्यय लगाकर स्त्रीलिंग पद निर्माण किया जाना है। कभी-कभी मानक हिंदी और अहीरवाटी हरियाणवी के लिंगबोधक प्रत्यय समान होने से पद संरचना के कारण व्यतिरेक होता है और प्रायः अहीरवाटी के लिंग-परिवर्तन हेतु निर्धरित प्रत्ययों की भिन्नता दोनों के पद-व्यतिरेक का कारण बनती है; यथा–

पुल्लिंग	**मानक हिंदी**	**अहीरवाटी हरियाणवी**
	काग	कागो
	गीदड़	गादड़ो
	नेवला	नेवलो
	मकोड़ा	मकोड़ो
स्त्रीलिंग		
	दीमक	डीमक
	मक्खी	माक्खी

मानक हिंदी के ही समान पुल्लिंग शब्दों में स्त्रीलिंग बोधक प्रत्यय लगाकर स्त्रीलिंग पद निर्माण किया जाता है। कभी-कभी मानक हिंदी और अहीरवाटी हरियाणवी के लिंगबोधक कारण व्यतिरेक होता है और प्रायः अहीरवाटी के लिंग-परिवर्तन हेतु निर्धारित प्रत्ययों की भिन्नता दोनों के पद-व्यतिरेक का कारण बनती है; यथा–

	मानक हिंदी			अहीरवाटी हरियाणवी		
इन > ण	पुल्लिंग	स्त्रीलिंग	प्रत्यय	पुल्लिंग	स्त्रीलिंग	प्रत्यय
	धोबी	धोबिन	इन	धोब्बी	धोब्बण	ण
	तेली	तेलिन	इन	तेल्ली	तेल्लण	ण
	भाई	बहन		भाई	बाहण	ण
	माली	मालिन	इन	माली	मालण	ण
	साथी	साथी		साथी	साथण	ण
ई > ई						
	काना	कानी	ई	काणो	काणी	ई
	लड़का	लड़की	ई	छोरो	छोरी	ई
	टोकना	टोकनी	ई	टोकणो	टोकणी	ई
	मामा	मामी	ई	मामो	मामी	ई
	रस्सा	रस्सी	ई	रस्सो	रस्सी	ई
	लगड़ा	लगड़ी	ई	लंगड़ो	लगड़ी	ई
नी > णी						
	ऊँट	ऊँटनी	नी	ऊँट	ऊँटणी	णी
	जाट	जाटनी	नी	जाट	जाटणी	णी
	भाट	भाटनी	नी	भाट	भाटणी	णी
	भूत	भूतनी	नी	भूत	भूतणी	णी
आनी > आणी						
	जेठ	जेठानी	नी	जेठ	जेठानी	आणी
	पंडत	पंडतानी	नी	पंडित	पंडिताणी	आणी
	मिश्र	मिसरानी	नी	मिसर	मिसराणी	आणी

6.3.5.2 वचन व्यतिरेक

मानक हिंदी के ही समान अहीरवाटी हरियाणवी में एक वचन और बहुवचन शब्दों का प्रयोग होता है।

मानक हिंदी के संज्ञा शब्दों के एक वचन से बहुवचन बनाने के लिए 'औ' प्रत्यय का प्रयोग किया जाता है, तो अहीरवाटी में प्रायः 'आं' का प्रयोग होता है; यथा–

	मानक हिंदी		अहीरवाटी हरियाणवी	
	एकवचन	बहुवचन	एकवचन	बहुवचन
ओं >आँ	खेत में	खेतों मे	खेत मैं	खेताँ मैं
	लड़के ने	लड़कों ने	छोरा नैं	छौराँ नैं
	कुत्ता पर	कुत्तों पर	कुत्या पै	कुत्याँ पै

अहीरवाटी हरियाणवी में सर्वत्र एक वचन से बहुवचन बनाने का स्पष्ट नियम न होकर लोक व्यवहार के आधार पर क्रिया विशेषण आदि के संदर्भ से परिवर्तन किया जाता है। जबकि मानक हिंदी में सुनिश्चित नियम है; यथा–

मानक हिंदी		अहीरवाटी हरियाणवी	
एकवचन	**बहुवचन**	**एकवचन**	**बहुवचन**
अरे लड़के!	अरे लड़को!	अरै छोरा।	अरै छोरो!
लड़का आया	लड़के आए	छोरो आयो	छोरा आया!
जाट बोला	जाट बोले	जाट बोल्यो	जाट बोल्या!
आम मीठा है	आम मीठे हैं	आम मीठो सै	आम मीठा सै

मानक हिंदी के समान अहीरवाटी हरियाणवी में भी संज्ञा शब्दों के साथ बहुवचन द्योतक अतिरिक्त शब्द का भी प्रयोग किया जाता है। उच्चारण और प्रयोग भिन्नता से व्यतिरेकी रूप सामने आता है; यथा–सब, लोग, सारी आदि।

अ	मानक हिंदी	अहीरवाटी हरियाणवी
	एकवचन	**बहुवचन**
	मैं चल रहा हूँ।	**हम** चल रहे है। या **हम सब** चल रहे हैं।
	तुम जा रहे हो।	तुम सब जा रहे हो।
		तुम लोग जा रहे हो।
	लड़की जा रही है।	**सब लड़कियाँ** जा रही हैं। **या**
		सभी लड़कियाँ जा रही हैं।

आ	अहीरवाटी हरियाणवी	
	एकवचन	**बहुवचन**
	मैं चल् रह्यों सूँ।	हाम चल रह्या साँ।
		हम सब (सारा) चल रह्या साँ।
	तू जा र्‌हयो सै।	थम सब जार्‌यों सो।
		थम सारा जणा जारयो सो।
	छोरी जारी सै।	सब छोरी जारी सी।
		सारी छोरी जारी सी।

6.3.5.3 काल व्यतिरेक

मानक हिंदी के ही समान अहीरवाटी हरियाणवी में भी भूत, वर्तमान और भविष्यत तीन कालों की ही व्यवस्था है। काल का प्रयोग क्रिया के साथ करके क्रिया पद का निर्माण किया जाता है। मानक हिंदी और अहीरवाटी क्रिया की दोनों की व्यवस्था में पर्याप्त समानता है, किंतु उच्चारण व्यतिरेक रेखांकन योग्य है–

वर्तमान काल

सामान्य वर्तमान

	मानक हिंदी	अहीरवाटी हरियाणवी
अ	**एकवचन**	**एकवचन**
	वह लिखता है।	वोह लिखै सै।
	तुम लिखते हो।	तू। तैं लिखै सै।
	मैं लिखता हूँ।	मैं लिखूँ सूँ।
आ	**मानक हिंदी**	**अहीरवाटी हरियाणवी**
	बहुवचन	**बहुवचन**
	वे लिखते हैं।	वैह लिखै सै।
	तुम सब लिखते हो।	थम लिखो सो।
	हम लिखते हैं।	हम लिखां सां।

अपूर्ण वर्तमान

	मानक हिंदी	अहीरवाटी हरियाणवी
	एकवचन	**एकवचन**
	वह लिख रहा है।	वोह लिखर्या सै।
	तुम लिख रहे हो।	तू/तैं लिखर्या सै।
	मैं लिख रहा हूँ।	मैं लिखर्या सूँ।
आ	**मानक हिंदी**	**अहीरवाटी हरियाणवी**
	बहुवचन	**बहुवचन**
	वे लिख रहे हैं।	वैह लिखर्या सै।
	तुम लिख रहे हो।	थम लिखर्ये सो।
	हम लिख रहे हैं।	हम लिखर्ये सां।

पूर्वकालिक अपूर्ण वर्तमान काल

	मानक हिंदी	अहीरवाटी हरियाणवी
अ	**एकवचन**	**एकवचन**
	वह लिखने लग रहा है।	वोह लिखाण् लाग्र्यो सै।
	तुम लिखने लग रहे हो।	तू लिखण् लाग्र्यो सै।
	मैं लिखने लग रहा हूँ।	मैं लिखण् लाग्र्यो सूँ।
आ	**मानक हिंदी**	**अहीरवाटी हरियाणवी**
	बहुवचन	**बहुवचन**
	वे लिखने लग रहे हैं।	वे लिखण लाग्र्या सै।

तुम सब लिखने लग रहे हो।	थम लिखणे लाग्र्यो सो।
हम लिखने लग रहे हैं।	हम लिखणू लाग्र्या सां।

सामान्य भूतकाल

	मानक हिंदी	अहीरवाटी हरियाणवी
अ	मानक हिंदी	अहीरवाटी हरियाणवी
	एकवचन	**एकवचन**
	उसने लिखा।	ऊँनै लिख्यो।
	तुमने लिखा।	तूँने लिख्यो।
	मैंने लिखा।	मन्नै लिख्यो।
आ	मानक हिंदी	अहीरवाटी हरियाणवी
	बहुवचन	**बहुवचन**
	उन्होंने लिखा।	वैंह ने (उननै) लिख्यो।
	तुम सब ने लिखा।	थम नै लिख्यो।
	हमने लिखा।	हमनै लिख्यो।

आसन्न भूत

अ	मानक हिंदी	अहीरवाटी हरियाणवी
	एकवचन	**एकवचन**
	उसने लिखा है।	ऊँ नै लिख्यो सै।
	तुमने लिखा है।	तू नै लिख्यो सै।
	मैंने लिखा है।	मन्नै लिख्यो सै।
आ	मानक हिंदी	अहीरवाटी हरियाणवी
	बहुवचन	**बहुवचन**
	उन्होंने लिखा है।	उनने लिख्यो सै।
	तुम सबने लिखा है।	थम नै लिख्यो सै।
	हमने लिखा है।	हम नै लिख्यो सै।

पूर्ण भूत

एकवचन

अ	मानक हिंदी	अहीरवाटी हरियाणवी
	उसने लिखा था।	ऊँ नै लिख्यो थो।
	तुमने लिखा था।	तूँ नै लिख्यो थो।
	मैंने लिखा था।	मन्नै लिख्यो थो।

पूर्ण भूत

बहुवचन

आ	मानक हिंदी	अहीरवाटी हरियाणवी
	उन्होंने **लिखा था**	उननै **लिख्यो थो।**
	तुम सब ने **लिखा था।**	थम नै **लिख्यो थो।**
	हम ने **लिखा था।**	हम नै **लिख्यो थो।**

अपूर्ण भूतकाल

एकवचन

अ	मानक हिंदी	अहीरवाटी हरियाणवी
	वह **लिखा करता था।**	वोह् **लिख्या करै थो।**
	तुम **लिखा करते थे।**	तूँ **लिख्या करैं थो।**
	मैं लिखा करता था।	**मैं लिख्या करूँ थो।**

बहुवचन

आ	मानक हिंदी	अहीरवाटी हरियाणवी
	वे **लिखा करते थे।**	वैंह **लिख्या करैं था।**
	तुम सब **लिखा करते थे।**	थम **लिख्या करो था।**
	हम **लिखा करते थे।**	हम **लिख्या करा था।**

पूर्वकालिक अपूर्ण भूत

एकवचन

अ	मानक हिंदी	अहीरवाटी हरियाणवी
	वह **लिखने लग रहा था।**	वोह् **लिखण् लाग्र्यो थो।**
	तुम **लिखने लग रहे थे।**	तू **लिखण् लाग्र्यो थो।**
	मैं लिखने लग रहा था।	**मैं लिखण् लाग्र्यो थो।**

बहुवचन

मानक हिंदी	अहीरवाटी हरियाणवी
वे **लिखने लग रहे थे।**	वै **लिखण् लाग्र्या था।**
तुम सब **लिखने लग रहे थे।**	थम **लिखण् लाग्र्या था।**
हम **लिखने लग रहे थे।**	हम **लिखण् लाग्र्या था।**

भविष्यत् काल

सामान्य भविष्यत्

एकवचन

मानक हिंदी	अहीरवाटी हरियाणवी
वह **लिखेगा**।	वोह **लिखैगो**।
तुम **लिखोगे**।	तू **लिखैगो**।
मैं **लिखूँगा**।	मैं **लिखूँगो**।

बहुवचन

मानक हिंदी	अहीरवाटी हरियाणवी
वे **लिखेंगे**।	वैह **लिखैंगा**।
तुम सब **लिखोगे**।	थम **लिखोगा**।
हम **लिखेंगे**।	हम **लिखाँगा**।

पूर्ण भविष्यत्

एकवचन

अ	मानक हिंदी	अहीरवाटी हरियाणवी
	उसने **लिख लिया होगा**।	ऊँने **लिख लियो होगो**।
	तुमने **लिख लिया होगा**।	तूँ नै **लिख लियो होगो**।
	मैंने **लिख लिया होगा**।	मन्नै **लिख लियो होगो**।

बहुवचन

आ	मानक हिंदी	अहीरवाटी हरियाणवी
	उन्होंने **लिख लिया होगा**।	वैह नै **लिख लियो होगो**।
	तुम सब ने **लिख लिया होगा**।	थम नै **लिख लियो होगो**।
	हमने **लिख लिया होगा**।	हमने **लिख लियो होगो**।

अपूर्ण भविष्य

एकवचन

अ

मानक हिंदी	अहीरवाटी हरियाणवी
वह लिख रहा होगा।	वै लिखर्‌यो होगो।
तुम लिख रहे होगे।	तू लिखर्‌यो होगो।
मैं लिख रहा हूँगा।	मैं लिखर्‌यो होऊँगा।

आ

बहुवचन

मानक हिंदी	अहीरवाटी हरियाणवी
वे लिख रहे होंगे।	वे लिखरया होगा।
तुम सब लिख रहे होगे।	थम लिखर्‌या होगा।
हम लिख रहे होंगे।	हम लिखर्‌या होगा।

पूर्वकालिक अपूर्ण भविष्यत् काल

अ.

एकवचन

मानक हिंदी	अहीरवाटी हरियाणवी
वह लिखने लग रहा होगा।	वोह लिखण् लाग्र्‌यो होगो।
तुम लिखने लग रहे होगे।	तूँ लिखण लाग्र्‌यो होगो।
मैं लिखने लग रहा हूँगा।	मैं लिखर्‌यो होऊँगो।

बहुवचन

मानक हिंदी	अहीरवाटी हरियाणवी
वे लिखने लग रहे होंगे।	वैं लिखण् लाग्र्‌या होगा।
तुम सब लिखने लग रहे होगे।	थम लिखेण लाग्र्‌या होगा।
हम लिखने लग रहे होंगे।	हम लिखण् लाग्र्‌या हो आगा।

आज्ञार्थ क्रियापद व्यतिरेक

मानक हिंदी और अहीरवाटी हरियाणवी के आज्ञार्थ क्रिया पदों में यत्र-तत्र समानता होती है, किंतु व्यतिरेकी रूप विस्तार से सामने आते हैं; यथा–

एकवचन

मानक हिंदी	अहीरवाटी हरियाणवी
वह चले।	वोह चलै।

तू **चल**/तुम **चलो**/	थम **चलो/चलियो**।
आप **चलिए**/आप **चलें**।	
मैं चलूँ।	हम **चला**।

बहुवचन

मानक हिंदी	**अहीरवाटी हरियाणवी**
वे **चलें**	वै **चलैं**।
तुम सब **चलो**।	थम **चलो/चलियो**।
हम **चलें**।	हम **चलां**।

6.3.5.4 मानक हिंदी और अहीरवाटी हरियाणवी के क्रिया पद की समापिका क्रिया

क्रिया : व्यतिरेक

क्रिया पद में मूल या संयुक्त क्रिया के साथ सहायक क्रियाओं के प्रयोग से अभिव्यक्ति को दिशा मिलती है। क्रिया पद में एक अथवा एक से अधिक सहायक क्रियाएँ संभावित होती है; यथा–

(i) वह **चला**।
(ii) वह **चलता है**।
(iii) वह **चल रहा है**।
(iv) वह **चला जा रहा है**।

यहाँ प्रथम वाक्य में केवल मूल क्रिया है। द्वितीय में चलता के साथ 'है' सहायक क्रिया है। इसी प्रकार वाक्य (iii) और (iv) में 'रहा है' और 'जा रहा है' -सहायक क्रियाएँ हैं। इसमें पद के अंतिम क्रिया रूप को समायिका क्रिया कहते है। इनमें 'है' वर्तमान काल द्योतक समापिका क्रिया है।

कालद्योतक समापिका क्रिया के मानक हिंदी और अहीरवाटी हरियाणवी का व्यतिरेकी स्वरूप इस प्रकार प्रस्तुत कर सकते हैं–

समापिका क्रिया

वर्तमान काल

	मानक हिंदी		**अहीरवाटी हरियाणवी**	
	एकवचन	**बहुवचन**	**एकवचन**	**बहुवचन**
उत्तम पुरुष	है	हैं	सूँ	साँ
मध्यम पुरुष	हो/है/हैं	हो/हैं	सै	सो
अन्य पुरुष	है	हैं	सै	सैं

समापिका क्रिया

भूतकाल

	मानक हिंदी		अहीरवाटी हरियाणवी	
	एकवचन	**बहुवचन**	**एकवचन**	**बहुवचन**
उत्तम पुरुष	था/थी	थे/थीं	थो/थी	था/थी
मध्यम पुरुष	था/थे/थी	थे/थीं	थो/थी	था/थी
अन्य पुरुष	था/थी	थे/थीं	थो/थी	था/थी

समापिका क्रिया

भविष्यत् काल

	मानक हिंदी		अहीरवाटी हरियाणवी	
	एकवचन	**बहुवचन**	**एकवचन**	**बहुवचन**
उत्तम पुरुष	गा/गी	गे/गीं	गो/गी	गा/गी
मध्यम पुरुष	गे/गी	गी/गें/गे	गो/गी	गा/गी
अनय पुरुष	गा/गी	गे/गीं	गो/गी	गा/गी

6.3.5.5 कारक व्यतिरेक

व्याकरणिक कोटियों में कारक का विशेष महत्त्व होता है। शब्द के साथ कारक चिह्न का प्रयोग कर पद रचना की जाती है। संज्ञा और सर्वनाम के साथ कारक चिह्नों की योजना की जाती है; यथा–

प्रभात ने, उस पर, चाकू से आदि। भाषाविज्ञान के अनुसार इसे क्रमशः अर्थ तत्त्व और संबंध तत्त्व कहते है–

प्रभात ने	उस पर	चाकू से
अर्थतत्त्व संबंध तत्त्व	अर्थतत्त्व संबंध तत्त्व	अर्थतत्त्व संबंध तत्त्व

मानक हिंदी और हरियाणवी में प्रयुक्त कारक चिह्नों के व्यतिरेकी रूप को इस प्रकार रेखांकित कर सकते हैं–

कर्ता–

कर्ता कारक की विभक्ति 'ने' है। इसके प्रयोग में सावधानी आवश्यक है। भूतकालिक सकर्मक क्रिया के साथ कर्ता संबंध तत्त्व (चिह्न) का प्रयोग होता है। इसके प्रयुक्त व्यतिरेक द्रष्टव्य हैं–

मानक हिंदी	अहीरवाटी हरियाणवी
राजीव ने खाना खाया।	**राजीव नै** खाणा खायो।
कुत्ते ने रोटी खाया।	**कुत्तो नै** रोट्टी खायो।

कर्म–

मानक हिंदी के कर्म कारक का चिह्न 'को' है। इसका प्रयोग कोसना, जगाना, पिलाना, पुकारना, बुलाना, भगाना, सुलाना आदि क्रियाओं के साथ लगाया जाता है। अहीवाटी हरियाणवी में इसके स्थान पर 'नै' का प्रयोग किया जाता है।

मानक हिंदी	अहीरवाटी हरियाणवी
गाय को पानी पिला लाओ।	**गामड़ी नै** पाणी प्या ल्या।
उनको मारा।	**ऊँनै** मारा।
मुझको दे दो।	**मन्नैं** दे दूयो।

करण–

'करण' का शाब्दिक अर्थ है—साधन। करण कारक का प्रयोग साधन या माध्यम के अर्थ में किया जाता है। मानक हिंदी में 'से' और अहीरवाटी हरियाणवी में 'सै' अथवा 'तै' का प्रयोग किया जाता है; यथा–

मानक हिंदी	अहीरवाटी हरियाणवी
अशोक **रेल से** आया।	अशोक **रेल सैं** आयो।
मुझ से बात करो।	**मेरा सै** बात कर।
साबुन से कपड़े धो लो।	**साब्बण तै** कपड़ों धोले।

संप्रदान–

जिस संज्ञा या प्रयोजन के लिए क्रिया आधारित हो उसे संप्रदान कारक कहते हैं। मानक हिंदी में इसके लिए 'को' अथवा 'के लिए' और अहीरवाटी हरियाणवी में 'नै' का प्रयोग व्यतिरकी रूप में होता है।

मानक हिंदी	अहीरवाटी हरियाणवी
लड़के के लिए पुस्तक ले आओ।	**छोहरे नै** किताब ल्यादे।
मेरे लिए क्या लाए हो?	**म्हारे नै** कै ल्यायो सै?
विजय को बधाई!	**विजय नै** बधाई!

अपादान–

जब वाक्य में या सर्वनाम से क्रिया के द्वारा अलग होने का भाव प्रकट होता है, तो

अपादान कारक होता है। मानक हिंदी में 'से' और अहीरवाटी हरियाणवी तै या सै अपादान कारक के प्रयोग में व्यतिरेकी रूप सामने आता है; यथा–

मानक हिंदी	**अहीरवाटी हरियाणवी**
आम **मुझसे** ले लेना।	आम **मेरे धोरे तै** ले लेना।
मैं **छत से** गिर पड़ा।	मैं **छात परसै** देपड़ा।
वह **गाड़ी से** गिर पड़ा।	वो **गाड़ी से** गिर पड़ा।

संबंध–

जहाँ संज्ञा या सर्वनाम से किसी अन्य से संबंध दर्शाया जाए, वहाँ संबंध कारक होता है। मानक हिंदी में का, के, की चिह्नों का प्रयोग होता है। आहरवाटी हरियाणवी में इनके अतिरिक्त कै, को के भी प्रयोग मिलते हैं; यथा–

मानक हिंदी	**अहीरवाटी हरियाणवी**
उसका खेत है।	**बैंह को** खेत सै।
उसकी लड़की है।	**बैंह की** छोरी सै।
आम के नीचे बैठ जाओ।	**आम के** तले बैठज्या।
वह **स्कूल के** पीछे है।	वो **स्कूल कै** पाच्छै सै।

मानक हिंदी और अहीरवाटी हरियाणवी में सर्वनाम के संदर्भ से संबंध कारक में रा, रे, री और ना, ने, नी के प्रयोग भी उल्लेखनीय हैं–

मानक हिंदी	**अहीरवाटी हरियाणवी**
हमारा खेत है।	**म्हारो** खेत सै।
मेरा नाम है।	**मेरो** नाम सै।
अपनी बस आ गई।	**आपणी** बास आग्यी।

अधिकारण–

जिस स्थान या समय पर क्रिया संपन्न हो, वह आधार अधिकारण कारक है। मानक हिंदी में 'में और' 'पर' कारक चिह्नों के प्रयोग होते हैं। अहीरवाटी हरियाणवी में 'मैं' और 'पै' के प्रयोग से व्यतिरेक सामने आते हैं–

मानक हिंदी	**अहीरवाटी हरियाणवी**
पाँव में पैजनी है।	पाँवा मैं पंजरिया सै।
बालक गद्दी पर बैठा है।	छोरा गद्दी पै बैठ्या सै।
उनके पास क्या रखा है?	उनपै के धर्‌या सै?
आसमान में बादल दिखाई देता है।	आसमान मैं बादल दीखै।

संबोधन–

जब किसी संज्ञा को संबोधित किया जाता है, तो संबोधन कारक कहते हैं। ऐसे शब्द के पूर्व विस्मयादि बोधक अव्यय की स्थिति संभावित है; यथा–

मानक हिंदी	अहीरवाटी हरियाणवी
अरे! तू कहाँ गया था?	अरै! तू कठे गयो थो?
वाह! तुमने तो कमाल किया!	वाह! तू नै तो कमाल कर दियो।
अरे! कहाँ गए थे?	अरै! कठै गयो थो?
अरे! वह कब आएगा?	अरै! वोहू किब आवैगी?

6.3.5.6 सर्वनाम पद व्यतिरेक

संज्ञा के स्थान पर प्रयुक्त शब्द को सर्वनाम कहते हैं। जब सर्वनाम शब्द में वाक्य बनाने की क्षमता आ जाती है, तो उसे सर्वनाम पद कहते हैं। मानक हिंदी और अहीरवाटी हरियाणवी के सर्वनाम पद के व्यतिरेकी स्वरूप को इस प्रकार प्रस्तुत किया जा सकता है–

उत्तम पुरुष

	मानक हिंदी		**अहीरवाटी हरियाणवी**	
	एकवचन	**बहुवचन**	**एकवचन**	**बहुवचन**
कर्ता	मैं, मैंने	हम, हमने	मैं, मन्नैं, मुनै	हम, हमनै
कर्म	मैं मुझको	हमको	मैं मनैं मन्नैं	हम, हमनैं
करण	मुझसे	हम से	मत्तै, मेरा सै	हम तै, म्हारा सै
संप्रदान	मेरे लिए	हमारे लिए	मन्नै मनै, मेरा ताई	हमनै, प्यारे ताई
अपादान	मुझ से	हमसे	मेरा तै, मत्तै	म्हारे तै, हम तै
संबंध	मेरा, मेरी	हमारा,हमारी	मेरो, मेरी	म्हारो म्हारी
अधिकरण	मुझ में,	हममें, हम पर,		मेरा पै,
			म्हारा मैं, म्हाए पै	
मुझ पर			मेरा मैं	

मध्यम पुरुष (तुम, तू)

मानक हिंदी		**अहीरवाटी हरियाणवी**		
एकवचन	**बहुवचन**	**एकवचन**	**बहुवचन**	
कर्ता	तू, तूने, तुम, तुमने	तूने, तुमने	तू, तैं, तूनैं	थम, थमनैं

कर्म	तुमको, तुझे	तुमको, तुम्हें	तैंने, तूनैं, तैं	थम, थमनैं, थानैं
करण	तुमसे	तुम से	तेरा तै, तेरा सै	थम तै, थारा सै
संप्रदान	तुम्हारे लिए, तुमको	तुम्हारे लिए, तुमको	तूने, तैंने, तेरा ताई	थमनैं, थारे ताई
अपादान	तुमसे	तुम से	तेरा तै, तेरा सैं	थारा तै, थम तै, थारा तैं
संबंध	तुम्हारा, तुम्हारे, तुम्हारी	तुम्हारा, तुम्हारे,तुम्हारी	तेरो, तेरी	थारो, थारी
अधिकरण	तुम में, तुम पर	तुम में, तुम पर	तेरा मैं, तेरा पै	थारा मैं, थारा पै

मध्यम पुरुष (आप)

मानक हिंदी में मध्यम पुरुष आप का प्रयोग एकवचन और बहुवचन दोनों में होता है, किंतु इसका प्रयोग अहीरवाटी हरियाणवी के दोनों वचनों में समान ही होता है। मानक हिंदी के आप सर्वनाम से निर्मित पद रूप प्रस्तुत है—

	एकवचन	**बहुवचन**
कर्ता	आप, आपने	आपने, आप लोगों ने, आप सब ने
कर्म	आप को	आप को, आप लोगों को, आप सब को
करण	आप से	आप से, आप लोगों से, आप सब से
संप्रदान	आप के लिए	आप के लिए, आप लोगों के लिए, आप सब के लिए
अपादान	आप से	आप से, आप लोगों से, आप सब से
संबंध	आपका, की, के अपना, अपनी, अपने	आप लोगों का, की, के
अधिकरण	आप में, आप पर	आप लोगों में, आप लोगों में, आप सब में, आप सब पर

मध्यम पुरुष (आप)

अहीरवाटी हरियाणवी

एकवचन एवं बहुवचन

कर्ता	आपू, आपू नैं
कर्म	आपू, आप्नैं, आप कै

करण	आप् सैत्ती, आप्णै सेत्ती, आप्णै तै
संप्रदान	आप्णै तै, अप्पां नै, आप्णै ताई
अपादन	आप्तै, आप सै, आप्णै तै, आप्णै सै
संबंध	आपको, की, के, आपणो, आपणी, आपणे
अधिकरण	आप पै, आपणै पै, आपणै मैं, आप्पै मैं

अन्य पुरुष

(यह : निश्चयवाचक निकटवर्ती)

मानक हिंदी के निश्चयवाचक, निकटवर्ती सर्वनाम 'यह' के पुल्लिंग और स्त्रीलिंग पद निर्माण में पूर्ण समानता होती है, किंतु अहीरवाटी हरियाणवी के पुल्लिंग और स्त्रीलिंग पद निर्माण में यत्र-तत्र संरचना भिन्नता के आधार पर व्यतिरेक सामने आता है।

	मानक हिंदी		**अहीरवाटी हरियाणवी**	
	एकवचन	**बहुवचन**	**एकवचन**	**बहुवचन**
कर्ता	यह इसके	ये इन्होंने	यो, योह्, अहवैं,	ये इन इननै
कर्म	इसको इसे	इनको इन्हें	अंह्नै, ईन्नै	इननै
करण	इससे	इनसे	अंह तै, ईं सै	इनै, इनसै
संप्रदान	इसके लिए, इसे	इसको	अंहनै, इन्है	इननै
अपादान	इससे	इनसे	ईंतै, ईंसै	इनतै,
संबंध	इसका इसके इसकी	इनका, इनके इनकी	अंहको, अह्की	ईंकी, अंहका
अधिकरण	इसमें इस पर	इनमें इन पर	अंह मैं, अंह पै	इनमैं, इनपै

अन्य पुरुष

(यह निश्चयात्मक, निकटवर्ती)

स्त्रीलिंग

	मानक हिंदी		**अहीरवाटी हरियाणवी**	
	एकवचन	**बहुवचन**	**एकवचन**	**बहुवचन**
कर्ता	यह, इसने	ये, इन्होंने	या, अंह्नैं	ये इननै
कर्म	इसको, इसे	इनको, इन्हें	अंह्नैं, ईन्नै	इननै
करण	इससे	इनसे	अंहतै, ईसै	इनतै, इनतै

संप्रदान	इसके लिए, इसे, इसको	इनके लिए इनको, इन्हें	ईन्नै, अंह्नै	इननै
अपादान	इससे	इनसे	ईतै, ईसै	इनतै, इनसै
संबंध	इसका, इसके इसकी	इनका, इनके इनकी	अंह को, ईका, ईकी	अंहकी, इनकी
अधिकरण	इसमें, इस पर	इनमें, इन पर	ईमैं, ईपै, अह्मैं	इनमैं, इनपै

अन्य पुरुष

वह (निश्चयवाचक, दूरवर्ती)

पुल्लिंग

	मानक हिंदी		**अहीरवाटी हरियाणवी**	
	एकवचन	**बहुवचन**	**एकवचन**	**बहुवचन**
कर्ता	वह, उसने	वे, उन्होंने	वो, वोह्, ऊँ	वैहँ, वैं, उन
कर्म	उसको, उसे	उनको, उन्हें	वंह, ऊँनै	उन्ननै
करण	उससे	उनसे	वंहसै, ऊँतै	उनतै, उनसै
संप्रदान	उसके लिए,	उसको उनके लिए, उन्हें, उनको	ऊंनै, वंह्नै	उन्नैनै
अपादान	उससे	उनसे	ऊंतै, ऊँसै	उनतै, उनसै
संबंध	उसका, उसके उसकी	उनका, उनके, उनकी	उहको, का, की, ऊंह् को का, की	उनको, का, की
अधिकरण	उस पर, उस में	उन पर, उनमें	वह् पै, ऊपै	उनपै

मानक हिंदी के 'वह' शब्द के पुल्लिंग पद निर्माण और अहीरवाटी हरियाणवी के पद निर्माण में उक्त व्यतिरेक सामने आता है। अहीरवाटी हरियाणवी के पुल्लिंग वो, वोह (वह) स्त्रीलिंग में वा (वह) हो जाता है। इसके पद निर्माण में केवल कर्ता के एक वचन रूप में भिन्नता होती है। शेष कारकों में समान रूप मिलते है।

अहीरवाटी हरियाणवी के वह के पुल्लिंग और स्त्रीलिंग के कर्ता के एकवचन की भिन्नता अवलोकवीय है–

अह़ीरवाटी हरियाणवी

	पुल्लिंग		**स्त्रीलिंग**	
	वो, वोट्		वा	
	एकवचन	**बहुवचन**	**एकवचन**	**बहुवचन**
कर्ता	वो, वोह्, ऊँ	वैहूँ, वैं, उन	वा, वैहं	वैं, उन

इस प्रकार मानक हिंदी और अहीरवाटी हरियाणवी की पद संरचना के विचेचन-विश्लेषण से उनकी व्यतिरेकी स्वरूप सामने आता है। इससे मानक हिंदी के साथ अहीरवाटी हरियाणवी की पद-रचना की विशेषताएँ सामने आ जाती हैं।

6.3.6 मानक हिंदी–अहीरवाटी हरियाणवी : वाक्य व्यतिरेक

भाषा की पूर्ण सार्थक महत्त्वपूर्ण इकाई वाक्य है। वाक्य की संरचना में प्रत्येक अंश की विशेष भूमिका होती है। वे अंश हैं—उद्‌देश्य और विधेय। वाक्य में जिसके विषय में कथन या जानकारी होती है, उसे उद्‌देश्य कहते हैं। उद्‌देश्य के विषय में जो कुछ कहा जाता है, उसे विधेय कहते हैं।

वाक्य में प्रयुक्त विभिन्न पदों में लिंग, वचन, पुरुष और काल के अनुसार परस्पर अन्वय या संबंध होता हे। इनमें कर्ता-क्रिया, संज्ञा-सर्वनाम और विशेष्य-विशेषण आदि अन्वय देख सकते हैं। मानक भाषा में व्याकरणिक कोटियों की व्यवस्थित योजना होती है, तो बोली या उपबोती में अपेक्षा कृत शिथिलन या वैविध्य रूप सामने आते हैं।

मानक हिंदी और अहीरवाटी हरियाणवी के वाक्यों में उद्‌देश्य–विधेय की योजना और व्यतिरेकी रूप देख सकते हैं–

मानक हिंदी		**अहीरवाटी हरियाणवी**	
एकवचन	**बहुवचन**	**एकवचन**	**बहुवचन**
उद्देश्य	विधेय	उद्‌देश्य	विधेय
कल्पना	गीत गाती है।	कल्पना	गाणो गावै से।
तू	कहाँ गया था।	तू	कठै गयो थो।
वह	कल आएगा।	वोह्	काल आवैगो।

6.3.6.1 वाक्य संरचना

संरचना की दृष्टि से मानक हिंदी और अहीरवाटी हरियाणवी में सरल, संयुक्त और मिश्र तीन प्रकार के वाक्य होते है। दोनों के वाक्यों को समग्रता की दृष्टि से इस प्रकार व्यतिरेकी रूप सामने आते हैं–

(i) सरल वाक्य

जिस वाक्य में एक मूल या संयुक्त क्रिया का प्रयोग होता है, उसे सरल वाक्य कहते हैं। मानक हिंदी और अहीरवाटी हरियाणवी के सरल वाक्यों में ध्वन्यात्मक और पद संदर्भ में व्यतिरेक प्रस्तुत है–

मानक हिंदी	**अहीरवाटी हरियाणवी**
मैं चलता हूँ।	मैं चलूँ सूँ।
एक हाथी मर गया।	एक हाथी मरग्या।
हम गाना गाएँगे।	हम गाणा गावाँगा।

(ii) संयुक्त वाक्य

जिस वाक्य में दो या दो से अधिक मूल क्रियाएँ हों, दो या दो से अधिक सरल वाक्य के योग में संयुक्त वाक्य की रचना होती है। मानक हिंदी और अहीरवाटी हरियाणवी के संयुक्त वाक्य का व्यतिरेकी रूप द्रष्टव्य है–

मानक हिंदी	**अहीरवाटी हरियाणवी**
मैं आया पर वहाँ कोई न मिला।	मैं आयो पर वोह कोनी मिल्लो।
तू इतना बड़ा है और मनुष्य इतना छोटा है।	तू इतनो बड़ो सै अर मानस इतनो छोटो सै।
बंदरिया नाची और बंदर रूठ गया।	बांदरी नाच्ची अर् बांदर रूस्यो।

(iii) मिश्रवाक्य

जिस वाक्य में एक प्रधान वाक्य और उसके साथ एक या एक से अधिक आश्रित उपवाक्य हों, तो मिश्र वाक्य की संरचाना होती है। मानक हिंदी और अहीरवाटी हरियाणवी के मिश्र वाक्यों का व्यतिरेकी रूप द्रष्टव्य है–

मानक हिंदी	–	जब उसे यमराज के सम्मुख प्रस्तुत किया गया, तो उसने झट से परवाना निकाला और यमराज को पकड़ा दिया।
अहीरवाटी हरियाणवी	–	जिब वोह् यमराज के सामणै पेस कर्यो गयो, तो ऊं नै झठ दे सी परवानो काढ्यो अर् यमराज को पकड़ा दिया।
मानक हिंदी	–	विकास बोला कि ताई मैं तो दूध लेने आया हूँ।
अहीरवाटी हरियाणवी	–	विकास बोल्या अक् ताई मैं तो दूद लेण आया सूं।

6.3.6.2 अर्थ-दृष्टि से वाक्य प्रयोग

व्यतिरेक भाषा में विविध अभिव्यक्ति के लिए कई प्रकार के प्रयोग किए जाते हैं। मानक हिंदी और अहीरवाटी हरियाणवी के ऐसे कुछ प्रमुख वाक्यों के प्रयोग द्रष्टव्य हैं–

(i) विस्मयादिबोधक वाक्य

मानक हिंदी – वाह भाई वाह! तुमने तो कमाल कर दिया।

अहीरवाटी हरियाणवी – वाह भाई वाह! तू नैं तो कमाल कर दियो।

(ii) प्रश्नवाचक वाक्य

मानक हिंदी – वह कब आएगी?

अहीरवाटी हरियाणवी – वोह किब आवैगी?

मानक हिंदी – महाराज मेरा क्या कसूर है?

अहीरवाटी हरियाणवी – महाराज मेरो के कसूर सै?

(iii) आज्ञार्थक वाक्य

मानक हिंदी – मंगता (भिखारी) को रोटी दे दो।

अहीरवाटी हरियाणवी – मंगतै नै रोट्‌टी दे दे।

(iv) निषेधार्थक वाक्य

मानक हिंदी – वह अपनी लड़की को नहीं पढ़ाएगा।

अहीरवाटी हरियाणवी – वोह् अपनी छोहरी नै कोनी पढ़ावै।

(v) विधानार्थक वाक्य

मानक हिंदी – एक बार एक हाथी मर गया।

अहीरवाटी हरियाणवी – एक बर एक हाथी मरग्यो।

प्रस्तुत विवेचन-विश्लेषण से स्पष्ट होता है कि अहीरवाटी हरियाणवी जो हरियाणवी बोली की उपबोली है और हरियाणवी बोली हिंदी से संबंधित है इसलिए मानक हिंदी और अहीरवाटी हरियाणवी की मूल संरचना और व्याकरणिक कोटियां लगभग समान है। ध्वन्यात्मक संरचना की विविधता, शब्दों की बहुल तद्‌भवता के साथ पदों की व्यवस्था के आधार पर प्रभावी व्यतिरेक सामने आता है। इस शोध से अहीरवाटी हरियाणवी उपबोली की विशेषताओं के सामने आने से इसे सीखना और अध्ययन करना सरल हो जाएगा। इस शोध से मानक हिंदी और अहीरवाटी हरियाणवी के संरचनात्मक अतःसंबंध का ज्ञान भी सहज रूप में संभव हो जाएगा।

अहीरवाटी हरियाणवी लोक कथा

एक बार एक हाथी मरग्यो। जब हाथी को जी यमराज कनै गयो तो वैह् पूछ्यौ "तू तो इतनो बडो सै अर् माणस इतनो छोटो सो सै, फेर बी तूँ वैंह् तै क्यूँ डरै से, वैह् का बस मैं क्यूं रहै सै? "हाथी को जी बोल्यों" तेरो मर्‌या माणसां तै काम पड्‌यो सै, इबी जीवता माणसां तै तेरो मुकाबलों ना हुयो। "यमराज नै सोच्यो जीवतों माणस किसो हो से पतो लगाणो चहिए। वैह् ने जमदुत्ता तै होक्कम् दियो, "जाओ धरती तै एक जींवता माणस पकड़ ल्याओ।" जम का दूत होक्कम बजाण खात्तर चाल पड्‌या अर् सोंवते हुए मिठ्‌ठन मुनीम नै खाट समेत ठा ल्याया। ऊंह् का सगला कागज-पत्तर बी खाट पै धर्‌या था। जब वैं यमलोक पोंह्च्या तो मिठ्‌ठन मुनीम नै एकड़वांसी छोड के यमराज धोरै गया।

अँही बख्त मिठ्‌ठन मुनीम की आँख्य खुली, ऊँ ने हालात को जायजो लियो अर बिस्नु जी की ओड़ तै एक झूठमाठ को (जाली) परवानो लिख्यो। जह मैं लिख्या थे अक् यमराज नौकरी तै हटायो जा सै अर् वैंह की जगहां मिठ्‌ठन लगायो जा सै। इतणो लिख कै मिठ्‌ठन त्यार हो कै बैठग्यो। जिब वोह् यमराज के सामणै पेस करयो गयो तो ऊं नै झठ दे सी परवानो काढ्‌यो अर् यमराज तै पकड़ा दियो। परवानों पढ के वो हक्को-बक्को रह्ग्यो अर् अपणो काम मिठ्‌ठन नै सौंप दिया। बापड़ो डरतो-डरतो बिस्नु धोरै गयो अर् हाथ जोड़ कै बोल्यो "महाराज मेरो के कसूर सै?"

इंधानै मिठ्‌ठन नै अपणा सारा यारा-प्यारा मिरत लोक तै बुला लिया। उनकै गेल्या खूब मौज उडाई अर फेर वै मिरत लोक मैं खंदा दिये। बिस्नु यमराज के सेत्ती यमलोक मैं अयो अर् मिठ्‌ठन तै बोल्यो, "तू नै खूब काम कर्‌यो।" अर वैंह् नै मिरत लोक मैं खंदा दिया। बिस्नु यमराज तै बौल्यो, "देख्‌यो तूनैं जींवतो माणस किसो हुवै सै? इतणो कहअर यमराज नै उसको काम देकै बिस्नु उल्टो चल्यो गयो।

अहीरवाटी हरियाणवी लोक गीत

उब घड़ी शुभ घड़ी जिस दिन होलर जनम लियो।
जब म्हारो होलर दादो कहणो सीखैगो
दादी री गोद्‌दी खेलैगो
पावा मैं पजरियाँ लालो छम्मक-छम्मक चालैगो।
उब घड़ी शुभ घड़ी जिस दिन होल जनम लिखो।।
जम म्हरो होलर ताऊ कहणो सीखैगो,
ताई री गोद्‌दी खेलैगो।।
पावा में पजरियां लालो छम्मक-छम्मक चालैगो।

इसी प्रकार चाचा, फूफो, जीजो, नानो, मामो आदि नामों को जोड़कर गीत की शृंखला और बढ़ा ली जाती है।

साथण की जकड़ी

चौड़ा पत्ता बड़ पीपल का साथण रोया ना करिए
तेरा पति न हम समझा दयां जिंदगी खोया ना करिए।
मै समझाऊं समझ मेरा जीजा समझ मत खोइए हो
बहार स मेरी सासड़ आई चाक्की छोड़ बहू मेरी
लाल मेरा तो चाल्या नौकरी मन तन की बतळा ले ना
चाक्की छोड़ बाहर न आई डांगर ज्यूं अरड़ाई हे
थम तो पति मेरा सीस तार दयो मैं थारै ब्याही आई हो।
मोटा मोटा नैण हूर का दिखै ढळता पाणी हे
कैसे धरुं कटारी नार म्हानै लागो जान स प्यारी हे
काच्चा आम किरण ना दयूं महीना भीतर आ ल्यूंगो
मत जाणे का नाम ले रे तनै अपणै पास बुला ल्यूंगो
मै समझाऊं समझ मेरी गौरी कुआं जोहड़ कोन्या
बूड्ढा स मरे मात पिता जी अण की सेवा करिए र।
जीवांगा तो फेर मिलांगा कुाबे बीच कमाइए र।

विदाई को गीत

तीतर हे तीर बैरी वण-वण बोल
चालती मावण का सूण मनाइयो
हे तीतर वण-वण बोल
चलता जंवाई न सबद सुणइयो
सूरज रे सूरज झीणी-झीणी ऊग
चलता जंवाई न ह्वे स घामड़ो
चलती मारवण न हे स घामड़ो
डूंगर ओ डूंगर बैरी नीचो सो हो जाय
चलता जंबाई की चिलकै' पागड़ी।
मारवण हे मारवण पाछै फिर क देख
ऊबी तो जिरवै तेरी मायड़ी
हम सी र अम्मा मेरी देख्यो हे ना जाय
छाती तो पाटै हे हिवड़ो ऊजळै

छातियां के हे मारवण मेरी जड़ ले किवाड़
हे हिवड़े तो जड़ ले सोरण सांकळी।

सासरे को गीत

सब सखी सब सखी भेळी होग रऊ मिल कर ल्यो त्यारी ए जा रही स आजादी
मैं समझाऊं समझ मेरी बहणों घर सुसरे के जाण ए आ रही स आजादी।
अपणा सासू सुसरा न गंगा री झाल समझिए ए आ रही स आजादी
घर त बेटी भेज देई फेर अपण काम समझ के ए आ रही स आजादी
अपण जेठ बडळिय न तं सिर का ताज समझिए ए आ रही स आजादी
अपणी बड़ी जिठाणी न बडणी बैहण समझिए ए आ रही स आजादी
अपणी छोटी नणदल न तूं गळ का हार समझिए ए आ रही स आजादी
अपणा पति प्यारा न ऊपरला रा समझिए ए आ रही स आजादी
मै समझाऊं समझ मेरी बहणों घर सुसरे क जाणा ए आ रही स आजादी।

संदर्भ

1. वामन शिवराम आप्टे, संस्कृत हिंदी कोश, पृ. 154
2. राम चंद्र वर्मा, संक्षिप्त हिंदी शब्द सागर, पृ. 92
3. -सम- मानक हिंदी कोश, पृ. 274
4. -सम-, पृ. 235
5. वामन शिवराम आप्टे, संस्कृत हिंदी कोश, पृ. 154
6. आचार्य हजारी प्रसाद द्विवेदी, हिंदी साहित्य की भूमिका, पृ. 50
7. डॉ. साधूराम शरदा (संपा.) हरियाणा की उपभाषाएँ, पृ. 380
8. सप्त सिंधू : उपभाषा विशेषांक, नवंबर-दिस. 1995 जन. 1996 (शैल गौतम, अहीरवाही) पृ. 230
9. डॉ. कृपाल चंद यादव, अहीरवाल का इतिहास, पृ. 23
10. डॉ. मनमोहन स्वरूप माथुर, हरियाणवी : बोली और संस्कृति, पृ. 4

सप्तम अध्याय

मानक हिंदी और मेवाती हरियाणवी : व्यतिरेकी अध्याय

हरियाणा की विविध उपबोलियों में मेवाती का अपना विशेष स्थान है। मेवात क्षेत्र अपनी विशेष सामाजिकता और सांस्कृतिक भाव धारा के लिए जाना जाता है। भाषाविज्ञान की दृष्टि से इस क्षेत्र की मेवाती की विशेष संरचना और अभिव्यक्ति में अपनी पहचान है।

7.1 नामकरण

हरियाणा के मेवात क्षेत्र में बोली जाने के आधार पर इसे मेवाती बोली की संज्ञा दी गई है। हिंदी भाषा की मेवाती बोली हरियाणा के अतिरिक्त राजस्थान और उत्तर प्रदेश के मेवात क्षेत्र में प्रयुक्त होती है।

डॉ. पूर्णचंद शर्मा ने मेवाती को मेव जाति के क्षेत्र को रेखांकित करते हुए लिखा है, "मेवात प्रदेश की बोली को 'मेवाती' कहा जाता है, जहाँ मेव जाति के लोग रहते हैं।"[1]

डॉ. कृपाल चंद्र यादव ने 'मेवात' शब्द की ऐतिहासिकता को स्पष्ट करने के लिखा है कि मेवात वास्तव में 'मत्स्य प्रदेश' का ही संक्षिप्त रूप बन गया है। उनके अनुसर प्राचीन काल में बौद्धकाल तक यह क्षेत्र 'मत्स्य प्रदेश' कहलाता था, अब इसे 'मेवात' के रूप में जाना जाता है।[2] दूसरे शब्दों में कह सकते हैं कि 'मेवात' शब्द की 'व्युत्पत्ति मत्स्य प्रदेश' से हुई है।

प्रो. महावीर प्रसाद शर्मा ने मेवाती के विस्तृत क्षेत्र का परिचय देते हुए विस्तार से लिखा है, "हरियाणा के जिला गुड़गाँव की तहसील झिरका-फिरोजपुर एवं नूह, उत्तर प्रदेश के जिला मथुरा की कोसी एवं छाता तहसीलों का पश्चिमी अंचल, राजस्थान के जिला अलवर की रामगढ़, तिजारा, किशनगढ़, गोविंदगढ़ तहसीलें तथा भरतपुर की कामा, डीग (पश्चिमी भाग) नगर (पश्चिमी भाग) तहसीलें आती हैं।"[3]

इस प्रकार स्पष्ट है कि मेवाती बोली का क्षेत्र हरियाणा प्रदेश के एक विशेष भाग से लेकर उत्तर प्रदेश और राजस्थान के निकटवर्ती क्षेत्र से संबंधित है।

इस शोध में हरियाणा की मेवाती बोली पर विचार किया जाएगा, क्योंकि शोध का संबंध हरियाणवी मेवाती से है। शोधकर्ता ने 'भाषा और हिंदी भाषा का इतिहास' में मेवाती को मेव क्षेत्र की बोली बताते हुए नूह, नगीना और बावल आदि से संबंधित कहा है।[4]

डॉ. जयनारायण कौशिक ने मेवाती को हरियाणवी की एक उपबोली के रूप में स्वीकार करते हुए लिखा है, 'मोटे रूप में हरियाणा का लगभग एक हजार वर्गमील का क्षेत्र है। हरियाणा में इन्हें 'मूले जाट' (मुसलमान जाट) कहते हैं। मुगल शासन काल में इस क्षेत्र के लोगों का सामूहिक धर्म परिवर्तन किया गया था। मेवों के बहुत से रीति-रिवाज हिंदुओं के समान हैं। इनकी बोली केंद्रीय हरियाणवी के लगभग समान है। इसकी शब्दावली की विशेषता उर्दू के शब्दों का अधिक प्रयोग है। राजस्थानी के शब्दों का भी इसमें मिश्रण है। यह क्षेत्र एक ओर ब्रज से सटा है, तो दूसरी ओर जटाव से। परिणामतः इसमें ब्रज और जाटू बोली का प्रभाव परिलक्षित होता है।'[5]

ईश्वरी प्रसाद शर्मा ने मेवाती हरियाणवी की परिसीमा पर विचार करते हुए लिखा है 'मेवाती भाषा जयपुरी, ब्रज, अहीरवाटी भाषाओं से घिरी हुई है। इसके सीमावर्ती रूपों में उन्हीं भाषाओं का प्रभाव स्पष्ट रूप से दृष्टिगोचर होता है। इस्लाम संस्कार इस भाषा को बहुत कम प्रभावित कर सके हैं। यद्यपि ये लोग निकाह, नमाज ताजिया, ईद, जुमैरात, दुगाण आदि शब्द अपने मुस्लिम संस्कारों के कारण ही व्यवहार में लाते हैं, किंतु ये सब लोग मूलतः हिंदू हैं और किसी मुसलमान हमलावर के प्रभाव से, इसलाम धर्म में दीक्षित हुए हैं। यही कारण है कि ये लोग मुसलमानों की तरह सगोत्रीय विवाह नहीं करते तथा इनके नामों में हिंदू धर्म एवं संस्कारों का स्पष्ट प्रभाव है'[6]

इस प्रकार स्पष्ट रूप से कहा जा सकता हरियाणा मेव क्षेत्र जो मुस्लिम संस्कृति और जनसंख्या से प्रभावित है, यहाँ पर मेवाती बोली का प्रयोग किया जाता है। हिंदी की हरियाणवी बोली के संदर्भ से इसे उपबोली के रूप स्वीकार किया है। इसका प्रयोग हरियाणा के नूह, फिरोजपुर झिरका, नगीना, हथीन, तावडू, बावल, सोहना और उजीना आदि में होता है।

7.2 क्षेत्र और सीमा

मेवाती हरियाणवी नामकरण से ही पूर्णरूपेण स्पष्ट हो जाता है कि हरियाणवी का मेवाती इसके प्रयोग का क्षेत्र है। मेवाती का स्वरूप नूह फिरोजपुर झिरका और बावल में मुख्य रूप से मिलता है। इसके साथ ही झज्जर के कुछ भाग में भी प्रयोग होता है। राम प्रकाश 'विकल' ने मेवाती क्षेत्र के विषय में अपना विचार इस प्रकार

व्यक्त किया है, "हरियाणा का एक हजार वर्गमील से भी कुछ अधिक क्षेत्र मेवाती बोली का है।"[7]

मेवाती हरियाण के एक सीमित क्षेत्र में प्रयुक्त उपबोली है। यह उपबोली कई बोलियों से घिरी हुई है। इसके पूर्व में ब्रज, पश्चिम में जयपुरी-मारवाड़ी, उत्तर में अहीरवाटी उत्तर-पश्चिम में केंद्रीय हरियाणवी, और दक्षिण में शेखावटी का प्रयोग होता है। इस प्रकार मेवाती की परिसीमा पर कई बोलियों के प्रयोग से उनके प्रभाव का स्पष्ट ज्ञान होता है। मेवाती का प्रयोग क्षेत्र विस्तृत है, किंतु शोध का संदर्भ मात्र मेवाती हरियाणवी का है। 'इस प्रकार हरियाणा के फिरोजपुर झिरका, बीमा पहाड़ी, नूह, नगीना, पुनहाना, पिनगावाँ, बीसरू, हथीन, तावडू, बावल, सोहना नीम का तिलवारा, बिछौर, नई और उजीना आदि स्थानों पर मेवाती हरियाणवी का सहज प्रयोग मिलता है।[8] इससे मेवाती हरियाणवी की संरचना या स्वरूप का भी बोध होता है।

7.3 उद्भव एवं विकास

मेवाती के उद्भव पर विद्वानों में मतैक्य नहीं है। जार्ज इब्राहीम ग्रियर्सन ने हरियाण के साथ राजस्थान के कुछ क्षेत्र से भी जुड़ी होने के कारण इसे उत्तरी-पूर्वी राजस्थानी से उद्भूत माना है। डॉ. सुनीति कुमार चटर्जी ने मेवाती की संरचना में गुजराती से समता देखते हुए उससे संबंधित किया है। इन विचारों को किसी सीमा तक महत्त्व दिया जा सकता है, किंतु उद्भव का आधार स्पष्ट होना चाहिए। यदि केंद्रीय हरियाणवी और मराठी की तुलना की जाए, तो कई ध्वनियों की समानता दिखाई देती है। इसके आधार पर केंद्रीय हरियाणवी से मराठी का उद्भव या मराठी से केंद्रीय हरियाणवी का उद्भव सिद्ध करना उचित नहीं है।

भारतीय भाषा विकास में आधुनिक भारतीय भाषाओं पर चिंतन करें, तो इनका उद्भव अपभ्रंश के विभिन्न रूपों से हुआ है। 'अपभ्रंश की शौरसेनी शाखा से पश्चिमी हिंदी, राजस्थानी और गुजराती का उद्भव हुआ है।[9]

इस प्रकार पश्चिमी हिंदी की हरियाणवी बोली की एक उपबोली मेवाती हरियाणवी में राजस्थानी और गुजराती की संरचना में कुछ समानता होना स्वाभाविक है।

मेवाती का उद्भव स्रोत-आधार पर करना उपयोगी होगा। मेवाती हरियाणवी उपबोली हरियाणवी से संबंधित है और हरियाणवी बोली पश्चिमी हिंदी से संबंधित है। पश्चिमी हिंदी का उद्भव शौरसेनी अपभ्रंश से हुआ है। इस प्रकार मेवाती हरियाणवी का उद्भव शौरसेनी अपभ्रंश से मानना अधिक तर्कसंगत और वैज्ञानिक है।

7.4 मानक हिंदी–मेवाती हरियाणवी : व्यतिरेक

मानक हिंदी और मेवाती हरियाणवी की व्याकरणिक कोटियाँ लगभग समान हैं। मानक हिंदी व्याकरणिक कोटियाँ पर लगभग पूर्णतः व्यवस्थित है, तो मेवाती हरियाणवी

उपबोली में शिथिलता होना स्वाभाविक है। दोनों की संरचना में इसी आधार पर व्यतिरेकी रूप सामने आते हैं।

7.4.1 मानक हिंदी–मेवाती हरियाणवी : ध्वनि व्यतिरेक

ध्वनि भाषा की लघुतम इकाई है। हिंदी के मानकीकारण से उसमें ध्वनियों की व्यवस्था लगभग सुनिश्चित कर दी गई है, जबकि मेवाती बोल-चाल की भाषा है। इसलिए इसकी व्यवस्था में शिथिलता और विविधता होना स्वाभाविक है। मानक हिंदी और मेवाती हरियाणवी ध्वनियों के व्यतिरेकि अध्ययन हेतु स्वर एवं व्यंजन दो वर्गों में रख कर विवेचन किया जा सकता है।

7.4.1.1 स्वर ध्वनि व्यतिरेक

मानक हिंदी और मेवाती हरियाणवी की स्वर ध्वनियों में लगभग समानता दिखाई देती है।

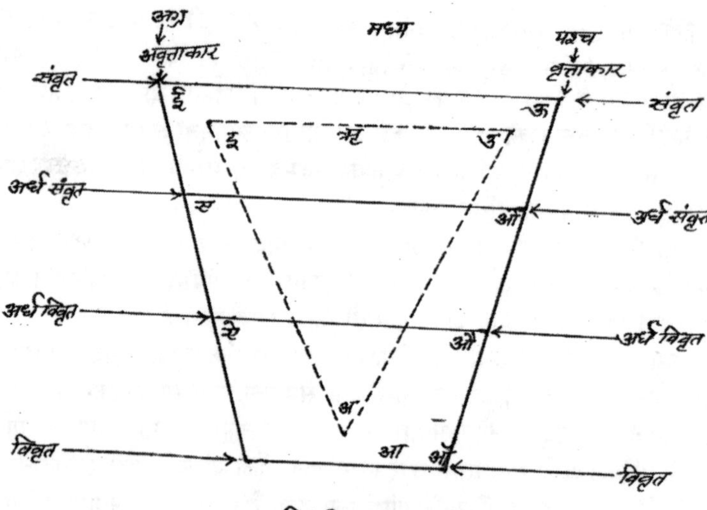

मानक हिंदी स्वर व्यवस्था

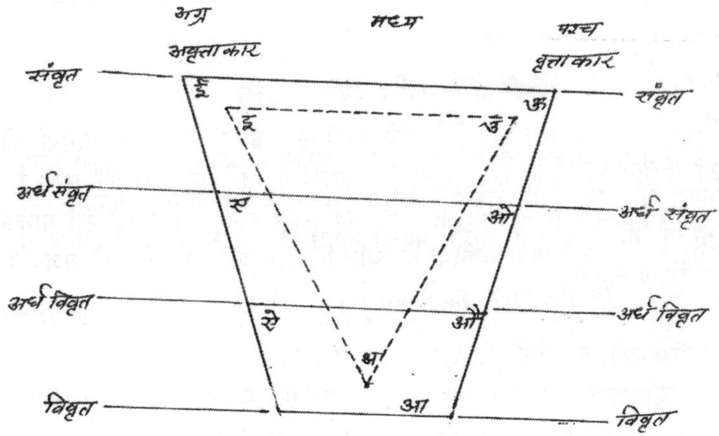

मेवाती हरियाणवी स्वर व्यवस्था

7.4.1.2 व्यांजन ध्वनि व्यतिरेक

मानक हिंदी की व्यंजन ध्वनियों की अपनी व्यवस्था है। मेवाती हरियाणवी में व्यंजन ध्वनियों का कुछ व्यतिरेक इस प्रकार प्रदर्शित कर सकते हैं।

मानक हिंदी : व्यंजन ध्वनि

	अघोष अल्पप्राण	अघोष महाप्राणा	घोष अल्पप्राण	घोष महाप्राण	नासिक्य
कंठ्य	क्	ख्	ग्	घ्	ङ्
तालव्य	च्	छ्	ज्	झ्	ञ्
मुर्द्धन्य	ट्	ठ्	ड् ड़	ढ् ढ़	ण्
दंत्य	त्	थ्	द्	ध्	न्
ओष्ठ्य	प्	फ्	ब्	भ	म

अंतस्थ – य् र् ल् व् ळ

ऊष्म – श् ष् स् ह्

मेवाती हरियाणवी : व्यंजन ध्वनि

कंठ्य	क्	ख्	ग्	घ्	ङ
तालव्य	च्	छ्	ज्	झ्	..
मूर्द्धन्य	ट्	ठ्	ड् ड़	ढ्	ण्

दंत्य	त्	थ्	द्	ध्	न्
ओष्ठ्य	प्	फ्	ब्	भ्	म्
अंतस्थ –		य् र् ल् ल व्			
ऊष्म –		... स् ह्			

मानक हिंदी की व्यंजन ध्वनियों के सामान्य प्रयोग के आधार पर नागरी लिपि की वर्णमाला में उनके लिए चिह्न निर्धारित किए गए हैं। नागरी लिपि में हिंदी के अतिरिक्त वैदिक, संस्कृत, पाली, प्राकृत, अपभ्रंश और मराठी आदि भाषाओं का लेखन किया जाता है।

'ळ' अतंस्थ ध्वनि का प्रयोग मानक हिंदी में नहीं होता है, किंतु वैदिक भाषा और हरियाणवी की केंद्रीय उपबोली आदि में होता है; यथा–

वैदिक भाषा	–	'अग्निमीळे पुरोहितम्'
केंद्रीय हरियाणवी	–	बाळक (बालक)

ञ : तालव्य व्यंजन की नासिक्य व्यंजन का प्रयोग एवं उच्चारण मानक हिंदी में होता है; यथा–

पंच	(पञ्च)	कंचुक	(कञ्चुक)
जंजाल	(जञ्जाल)	मंजुल	(मञ्जुल)

मेवाती में इसका हिंदी प्रयोग तालव्य नासिक्य 'ज्' के रूप में होता है।

श : मानक हिंदी की तालव्य 'श' का प्रयोग मेवाती में सहजीकृत रूप में दंत्य व्यंजन 'स' के व्यतिरेक में होता है; यथा–

श>स	**मानक हिंदी**	**मेवाती हरियाणवी**
	नाश	नास
	शराब	सराब
	शेर	सेर
	शौक	सौक
	शौकीन	सौकीन

ष : मानक हिंदी का मूर्धन्य ऊष्म व्यंजन 'ष' मेवाती हरियाणवी में सत्य ऊष्म व्यंजन के व्यतिरिकी रूप में प्रयुक्त होता है; यथा–

ष>स	दीनभ्रष्ट	दीनभिस्ट
	कष्ट	कसट
	नष्ट	नस्ट

अकारण अनुनासिकता

बोल-चाल की भाषा की प्रमुख विशेषता होता है–अनुनासिकता। यह प्रभाव

आंचलिकता के आधार पर उभर आता है। मानक हिंदी के स्वर मूल और अनुनासिक दोनों ही रूपों में प्रयुक्त होते हैं, किंतु व्यवस्था के अनुसार, किंतु मेवाती हरियाणवी में अकारण अनुनासिकता का प्रयोग यत्र-तत्र मिला जाता है; यथा–

	मानक हिंदी	**मेवाती हरियाणवी**
• आ> आँ	हा (ह् आ) हास	हाँस (ह्आँस्)
	उठा (उ ठ् आ)	उठां(उठ्आँ)
• अ >आँ	सच्चा (स् अ च् चूआ)	सांचा (स् आँ च् आ)
	मक्खी (म् अ क् ख् ई)	माँखी (म् आँ क् ख् ई)
• आ>ओ	छोरा (छ् ओ र आ)	छोरो (छ् ओ र् ओ)
	जाएगा (ज् आ ए ग् आ)	जावैगो (ज् आ व् ऐ ग् ओ)
	फायदा (फ् आ य् अ द् आ)	फायदो (फ् आ य् अ द ओ)
	बड़ा (ब् अ ड़् आ)	बड़ो (ब् अ ड़् ओ)
	लिया (ल् इ य् आ)	लियो (ल् ह स् स ओ)
	हिस्सा (ह इ स् स् आ)	हिस्सो (ह इ स् स ओ)
	हुक्का (ह् उ क् क् आ)	हुक्को (ह् उ क् क् ओ)
• ई (ऊ)>ईं	हूना (ह् ऊ न् आ)	हसीं (ह्अ ईं)
• इ>ई	आखिर (आ ख् इ र्)	आखीर् (आ ख् ई र्)
	बिजली (ब् इ ज् अ ल् ई)	बीजली (ब् ई ज् अ ल् ई)
• ` (ए)>(एँ)वे	(व् ए)	वें (व् एँ)
	करके (क् अ र् क् ए)	करकें (क् अ र् अ क् एँ)
• ै (ऐ)> ैं (ऐं)	पै (प् ऐ)	पैं (प् ऐं)
• आ>औ	करो (क् अ र् ओ)	करौ (क् आ र् औ)
	कारना (क् आ र् अ न आ)	कारनौ (क् आ र् अ न औ)
	तूड़ा (त् ऊ ड़् आ)	तूड़ौ (त् ऊ ड़ औ)
	बेचा (ब् ए च् आ)	बेचौ (बएच्औ)

• आ>अ– मेवाती हरियाणवी में 'और' शब्द का 'औ' प्रायः ह्रस्व 'अ' स्वर हो जाता है–

और (और्) अर (अर्)

• ओ– आ– मेवाती हरियाणवी में वैविध्यपूर्ण ध्वनियों में 'ओ' व्यंजन 'आ' हो जाता है; यथा–

कोई (क् ओ ई) – काई (क् आ ई)

इस प्रकार अ, आ, ई, ए और ऐ आदि स्वर का मौखिक प्रयोग यदा-कदा मेवाती में अँ, आँ, ईं, एँ और एँ अनुनासिक रूप में होकर व्यतिरेक का आभास देते हैं।

• व्यंजन व्यतिरेक की दिशाएँ

मानक हिंदी के व्यंजन वर्ण मेवाती हरियाणवी में विविध व्यतिरेक में प्रयुक्त होते हैं। व्यंजन व्यतिरेक को निम्नलिखित प्रमुख रूपों में देख सकते हैं।

• न>ण

मेवाती हरियाणवी के निकट की भाषा ब्रज और केंद्रीय हरियाणवी है। ब्रज में दंत्य ध्वनियों का मूर्द्धन्य में परिवर्तन नहीं होता है, किंतु केंद्रीय हरियाणवी में 'णकार' बहुला रूप सामने आता है। इस उपबोली के प्रभाव से प्रभावित हाने से मेवाती हरियाणवी में 'न' व्यंजन मूर्द्धन्य नासिक्य व्यंजन 'ण' हो जाता है; यथा—

मानक हिंदी	**मेवाती हरियाणवी**	**व्यतिरेक**
अपने	आपणै	न—ण
उठाना	उठाणो	न—ण
कामिनी	कामिणी	न—ण
कौन	कोण	न—ण
जान	जाण	न—ण
ठान	ठाण	न—ण
देखन	देखण	न—ण
दोनों	दोणों	न—ण
नयन	नैण	न—ण
पानी	पाणी	न—णी
बनिया	बणिया	न—ण

• र >ल

मानक हिंदी में यदा-कदा पार्श्विक व्यंजन 'ल' के स्थान पर प्रकंपित व्यंजन 'र' का प्रयोग भी मिल जाता है; यथा—दीवाल—दीवार, बलजोर—बरजोरी आदि।

यह ध्वनि परिवर्तन ब्रज भाषा में भी मिल जाता है। मेवाती हरियाणवी में कभी-कभी प्रकंपित व्यंजन 'र' के स्थान पर पार्श्विक व्यंजन के प्रयोग मिल जाते है; यथा—

मानक हिंदी	**मेवाती हरियाणवी**	**व्यतिरेक**
न्यारा	न्यालौ	र—ल
सारी (सभी)	सगली	र—ल

• ल>र

मेवाती में संस्कृत ध्वनि परिवर्तन प्रक्रिया 'रलयोभेदः' का स्वरूप मिलता है अर्थात कभी-कभी प्रयोग में 'ल' ध्वनि 'र' ध्वनि में परिवर्तित हो जाती है; यथा–

मानक हिंदी	**मेवाती हरियाणवी**	**व्यतिरेक**
काला	कारा	ल–र
काली	कारी	ल–र

• भ>ब

मेवाती हरियाणवी में ओष्ठ्य घोष महाप्राण ध्वनि ओष्ठ्य घोष अल्पप्राण बन जाने से मानक हिंदी से व्यतिरेकी रूप सामने आती है; यथा–

मानक हिंदी	**मेवाती हरियाणवी**	**व्यतिरेक**
अभी	अबी	भ–ब
कुछ भी	कुछ बी	भ–ब

• फ>प

मानक हिंदी की ओष्ठ्य अघोष महाप्राण 'फ' ध्वनि मेवाती हरियाणवी में यदा-कदा ओष्ठ्य अघोष अल्पप्राण बनकर व्यतिरेकी रूप में सामने आती है; यथा–

मानक हिंदी	**मेवाती हरियाणवी**	**व्यतिरेक**
अफसर	अपसर	फ–प
सफर	सपर	फ–प
अफरा-तफरी	अपरा-तप्री	फ–प

• ल>ड़

मानक हिंदी की पार्श्विक 'ल' ध्वनि मेवाती हरियाणवी में यदा-कदा ध्वन्यात्मक रूप में मूर्द्धन्य घोष अल्पप्राण उत्क्षिप्त 'ड़' बन जाती है। इससे इसमें व्यतिरेकी रूप सामने आता है; यथा–

मानक हिंदी	**मेवाती हरियाणवी**	**व्यतिरेक**
तहसीलदार	तहसीड़दार	ल–ड़
साल	साड़	ल–ड़
हल	हड़	ल–ड़

• श>स

मानक हिंदी ऊष्म तालव्य व्यंजन 'श' मेवाती हरियाणवी में ऊष्म दंत्य 'स' व्यंजन

के रूप में प्रयुक्त होती है; यथा–

मानक हिंदी	**मेवाती हरियाणवी**	**व्यतिरेक**
नाश	नास	श–स
शिकायत	सिकायत	श–स
सत्यानाश	सित्यानास	श–स

7.4.2 मानक हिंदी–मेवाती हरियाणवी : शब्द व्यतिरेक

मानक हिंदी के शब्दों के मेवाती हरियाणवी में प्रयोग-संदर्भ में विशेष परिवर्तन से व्यतिरेकी रूप सामने आते हैं। इसे निम्नलिखित संदर्भों में देख सकते हैं।

7.4.2.1 ध्वनि लोप

मानक हिंदी के शब्द जब मेवाती हरियाणवी में प्रयुक्त होते हैं, तो यदा-कदा उनमें से किसी-न-किसी ध्वनि का लोप हो जाता है। ऐसा लोप प्रायः प्रयत्नलाघव या मुख-सुख के कारण होता है; यथा–

• र लोप	**मानक हिंदी**	**मेवाती हरियाणवी**
	क्रूर (क् र्ऊ् र्)	कूर (क् ऊ र्)
	ग्राम (ग् र् आ म्)	गाम (ग् आ म्)
	प्रीतम (प् र् ई त् अ म्)	पीतम (प् ई त् अ म्)
	भ्रूण (भ् र् ऊ ण्)	भूण (भ् ऊ ण्)
• इ लोप	मानक हिंदी	मेवाती हरियाणवी
	क्योंकि (क् य् ओं क् इ)	क्यूंक (क् य् ऊं क्)
• क लोप	**मानक हिंदी**	**मेवाती हरियाणवी**
	मक्खीचूस (म् अ क् ख् ई च् ऊ स)	माँखीचूस (म् आँ ख् ई च् ऊ स्)
• ओ लोप	**मानक हिंदी**	**मेवाती हरियाणवी**
	तो (त् ओ)	त (त्)

7.4.2.2 ध्वनि आगम

मेवाती हरियाणवी के शब्दों में मानक हिंदी के आए शब्दों में आंचलिक सरलीकरण के लिए कभी-कभी अतिरिक्त ध्वनियों का प्रयोग करने से व्यतिरेकी रूप सामने आते हैं।

• इ आगम

मेवाती हरियाणवी शब्दों में यदा-कदा 'इ' ध्वनि का आगम दिखाई देता है; यथा–

मानक हिंदी	मेवाती हरियाणवी
रुपया	रुपिया
रहट	रहिट
सत्यानाश	सित्यानास

• अ आगम	मानक हिंदी	मेवाती हरियाणवी
	पत्र (प् अ त् र्)	पतर (प् अ त् अ र्)
	पत्रा (प् अ् त् र् आ)	पतरो (प् अ त् अ र् ओ)

7.4.2.3 द्वित्तीकरण

मेवाती हरियाणवी शब्दों की ध्वनियों में कभी-कभी द्वित्त रूप प्रयोग से व्यतिरेक का ज्ञान होता है; यथा–

मानक हिंदी	मेवाती हरियाणवी
खुद	खु द् द
नदी	न द् दी

7.4.2.4 उपसर्ग योजना

संयुक्त शब्द निर्माण में उपसर्ग की विशेष योजना होता है। उपसर्ग मूल शब्द के पूर्णांश में लगकर विशेष अर्थ की अभिव्यक्ति प्रदान करते हैं। मानक हिंदी और मेवाती हरियाणवी के पर्याप्त उपसर्ग समान हैं; किंतु कुछ में व्यतिरेकी रूप भी सामने आते हैं; यथा–

• अन>अण	मानक हिंदी	मेवाती हरियाणवी
	अनदेखी	अणदेखी
	अनपढ़	अणपढ़
	अनजान	अणजान
	अनमोल	अणमोल

• अव>औ

अवगुण	औगुर्ण
अवतार	औतार
अवसर	औसर

• पर>पड़

परदादा	पड़दादा
परनाना	पड़नाना

7.4.2.5 प्रत्यय-योजना

मूल शब्द के साथ प्रत्यय की योजना से नए अर्थ या विशेष अर्थ की अभिव्यक्ति

होती है। प्रत्यय का प्रयोग मूल शब्द के उत्तरांश में होता है। मेवाती हरियाणवी के प्रत्यय में भिन्नता होने के कारण उसमें मानक हिंदी से व्यतिरेकी रूप का आभास होता है; यथा–

	मानक हिंदी		**मेवाती हरियाणवी**
अन >	चलना–चलन	अण >	चलणो–चलण
	जलना–जलन		जलणो–जलण
आ >	खटकना–खटका	ओ >	खटकणो–खटको
	झगड़ना–झगड़ा		झगड़णो–झगडो़
	फिरना–फेरा		फिरणो–फेरो
आहट >	ड़गड़ाना–गड़गड़ाहट	आट >	गड़ाड़ाणो–गड़गड़ाट
	थरथराना–थरथराहट		थरथराणो–थर्राट
	सरसराना–सरसराहट		सर्सराणो–सर्राट
नी >	चाटना–चटनी	णी >	चाटणा–चटणी
	छानना–छननी		छानणा–छनणी
आना >	घर–घराना	आनो >	घर–घरानो
	यार–याराना		यार–यारानो
	सायर–सायराना		सायर–सायरानो
आपा >	पूजा–पुजापा	आपो >	पूजा–पुजापो
	बूढ़ा–बुढ़ापा		बूढ़ा–बुढ़ापो
	राँड–रँडापा		राँड़–राँडापो
एरा >	मामा–ममेरा	एरो >	मामा–ममेरो
	लूट–लुटेरा		लूट–लुटेरो
जादा >	नबाब–नबाबजादा	जादो >	जबाब–नबाबजादो
	साहब–साहबजादा		साहब–साहबजादो
	हराम–हरामजादा		हराम–हरामजादो
इला >	जहर–जहरीला	ईलो >	जहर–जहरीलो
	रस–रसीला		रस–रसीलो
	गाँठ–राँठीला		गाँठ–गँठीलो
ला >	फुर्ती–फुर्तीला	लो >	फुर्ती–फुर्तीलो

7.4.2.6 सर्वनाम शब्द व्यतिरेक

मानक हिंदी के कुछ सर्वनाम शब्दों के स्थान पर प्रयुक्त हरियाणवी मेवाती में प्रयुक्त होने वाले सर्वनाम में भी यत्र-तत्र व्यतिरेक मिलता है।

(अ) उत्तम पुरुष

	एक वचन		बहुवचन	
	मानक हिंदी	**मेवाती हरियाणवी**	**मानक हिंदी**	**मेवाती हरियाणवी**
कर्ता	मैं, मैं, ने	मैं, मैंने, मैं, नैं	हम, हमने	हम, हमने, हमां, हमनौ
कर्म	मुझको	मोकू, मोलू, मोप	हमको	हम, हमकू, हमां, हमीं
करण	मुझसे	मोसूं, मोसै	हमसे	हससूं, हम सै
संप्रदान	मेरे लिए	मोलू	हमारे लिए	हमलू, हमीं, हमकू
अपादान		मुझ से	मोसू, मो सूं	हमसे हमसू, हमसूं
संबंध	मेरा, मेरी, मेरे	मेरा, मेरी, मेरे	हमारा, हमारी हमारे	म्हारो, हमारी , हमारे
अधिकरर्ण	मुझ पर, मुझ में	मो पै, मो मैं	हम पर, हम में	हमपै, हम मैं

(ब) मध्यम पुरुष

	एक वचन		बहुवचन	
	मानक हिंदी	**मेवाती हरियाणवी**	**मानक हिंदी**	**मेवाती हरियाणवी**
कर्ता	तू, तुम तूमने	तू, तूने, तू नै	तुम (सब) तुम ने	तम, तम ने तम नै, तम्हीं
कर्म	तुम को	तोलू, तोय, तोहि	तुम (सब) तुमको तम्हीं	तम, तम कू,
करण	मुझ से	तो सूं, तो सै	तुम (सब) से	तम सूं, तम सै
संप्रदान	तुम्हारे लिए	तोलू	तुम (सब) के लिए	तम लू, तमकू, तम्हीं
अपादान	तुम से	तो सू, तो सूं	तुम (सब) से	तम सू, तम सूं
संबंध	तूम्हारे	तेरा, तेरी, तेरे	तुम्हारा, तुम्हारी, तुम्हारे	तिहारा, तिहारी, तिहारे
अधिकरण	तुम पर, तुम में	तो पै, तो मैं	तुम (सब) पर, हम में	तम पै, हम मैं

(स) अन्य पुरुष

मानक हिंदी	**मेवाती हरियाणवी**
यह, इनका, इनकी, इनको	ई/या, ईका, ईकी, ईको
वह, उनका, उनकी, उनको	ऊ/वो, वाका, वाकी, वाको
अपना, अपनी, अपनो	अपणो, अपणी, अपणो

7.4.2.7 विशेषण शब्द व्यतिरेक

विशेषण शब्दों के संख्यावाचक में व्यतिरेक का विशेष रूप रेखांकन योग्य है–
क्रमवाचक–पहला>प्हैलो, दूसरा>दूज्जो, तीसरा>तीज्जो, पाँचवा>पांचमों, बीसवा>बीसमों आदि।
आवृत्तिवाचक–दूना> दूणो, तिगुना>तिणो, चौगुना>चूगणी आदि।

इस प्रकार प्रत्यय आधारित मानक हिंदी और मेवाती हरियाणवी शब्दों के व्यतिरेक अध्ययन से उनकी संरचनात्मक विशेषता को रेखांकित कर सकते हैं।

7.4.3 मानक हिंदी–मेवाती हरियाणवी : अक्षर व्यतिरेक

भाषा की उच्चारणात्मक इकाई अक्षर है। निःश्वास की वायु के आधार पर अक्षर की गणना की जाती है। निःश्वास की वायु बाहर निकालते समय मुँह जितनी बार खुलता है, भाषा में उतने अक्षर प्रयुक्त होते हैं।

मानक हिंदी और मेवाती हरियाणवी की अक्षर व्यवस्था की भिन्नता के आधार पर उनमें होने वाले व्यतिरेक का अध्ययन किया जा सकता है।

दानों के अक्षर-व्यतिरेक को निम्नलिखित संदर्भों में विश्लेषण किया जा सकता है।

7.4.3.1 एकाक्षरी व्यतिरेक

मानक हिंदी के एकाक्षरी शब्दों का प्रयोग मेवाती हरियाणवी में कभी-कभी समान होता है, किंतु यत्र-तत्र व्यतिरेकी रूप भी सामने आते हैं; यथा–

मानक हिंदी	मेवाती हरियाणवी	मानक हिंदी	मेवाती हरियाणवी
और	अर	लेन	लेण
वह्	ऊ	तुम्	तू/तम
कौन्	कौण्	कौन्	कों
ग्राम्	गाम्	यह्	ई
वह्	वो	वह्	ऊ
हल्	हड़्		

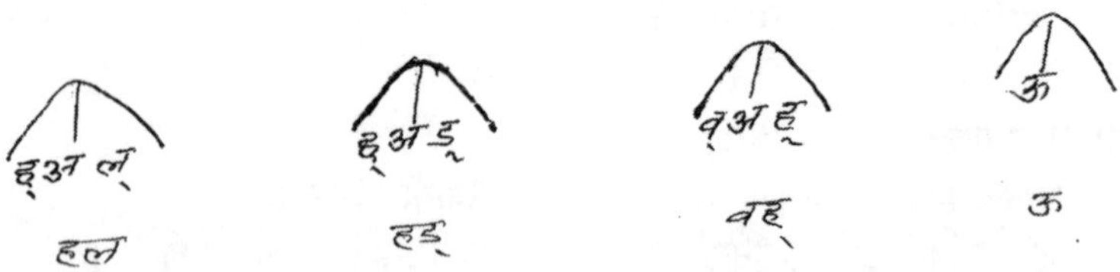

मानक हिंदी के एकाक्षरी शब्द मेवाती हरियाणवी में द्वयाक्षरी रूप में प्रयुक्त होते हैं; यथा–

मानक हिंदी	मेवाती हरियाणवी	मानक हिंदी	मेवाती हरियाणवी
कुछ्	कछू	चंद्र	चंदा
बाप्	बापै	मा	माई

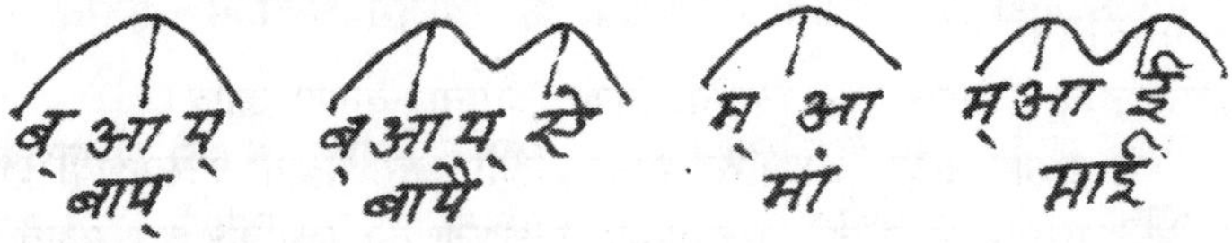

7.4.3.2 द्वयाक्षरी व्यतिरेक

मानक हिंदी के द्वयाक्षरी शब्द कभी-कभी समान स्वरूप में मेवाती हरियाणवी में प्रयुक्त होते हैं, जबकि उनकी वर्ण-व्यवस्था बदल भी जाती है। इस प्रकार संरचनात्मक व्यतिरेक होने पर भी ध्वन्यात्मक रूप समान होता है : यथा–

मानक हिंदी	मेवाती हरियाणवी	मानक हिंदी	मेवाती हरियाणवी
आखिर्	अखीर	जाता	जातो
दोनों	दोणों	पानी	पाणी
बहुत	घणो	रोड़ा	रोड़ो
मनुष्य	मानस्	रहा	रह्या
सच्ची	साँची		

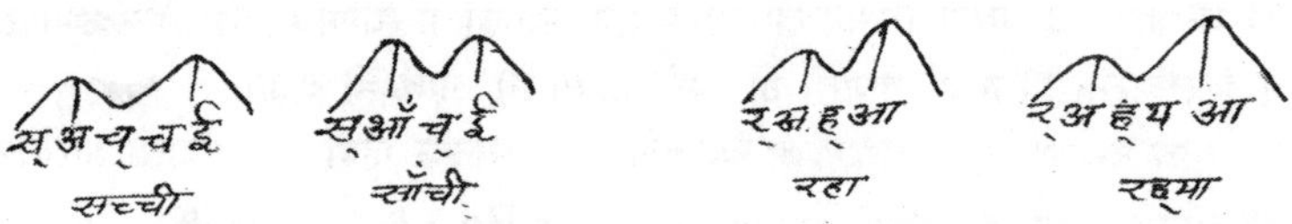

मेवाती हरियाणवी में द्वयाक्षरी शब्द प्रयत्न लाघव के कारणर एकाक्षरी रूप धारण कर लेते हैं। इससे अक्षरात्मक स्वरूप में व्यतिरेक सामने आता है; यथा–

मानक हिंदी	मेवाती हरियाणवी	मानक हिंदी	मेवाती हरियाणवी
क्योंकि	क्यूंक्	नमक्	नूण्
नमक्	लूण्	आंटा	चून्
यहाँ	हींन्	वहाँ	हूँन
बहुत्	भोत्	साहब्	साब्

7.4.3.3 त्र्याक्षरी व्यतिरेक

मेवाती हरियाणवी के त्र्याक्षरी कुछ शब्द मानक हिंदी के समान अक्षरात्मक रूप में प्रयुक्त होते हैं, किंतु उनकी वर्तनी में वर्णों की भिन्नता स्पष्ट दिखाई देती है। इस प्रकार मानक हिंदी और मेवाती हरियाणवी के त्र्याक्षरी शब्दों में व्यतिरेक सामने आते हैं।

मानक हिंदी	मेवाती हरियाणवी	मानक हिंदी	मेवाती हरियाणवी
अपना	अपणा	अपनी	अपणी
अपने	अपणे	इरादा	इरादो
उतना	उतणों	कितना	कितणों
पतला	पतरो	फायदा	फायदो
रुपया	रुपिया		

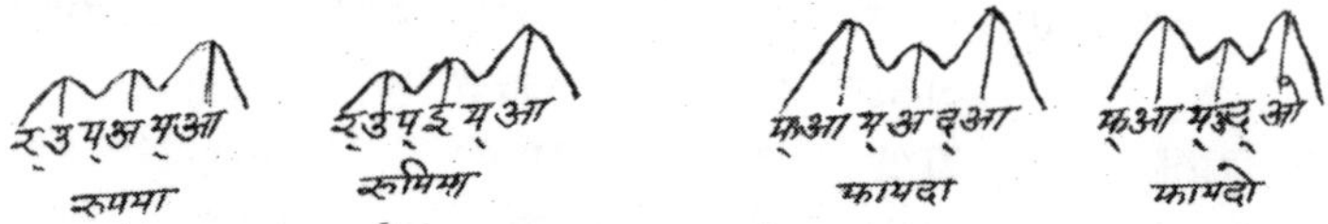

मेवाती हरियाणवी में प्रयत्नलाघव का प्रभाव त्र्याक्षरी शब्दों में भी दिखाई देता है। इसके त्र्याक्षरी शब्द प्रायः द्वयाक्षरी हो जाते हैं। मुख-सुख की इस प्रक्रिया को सरल शब्दों के उच्चारण में मुँह तीन बार खोलना पड़ता है या फेफड़े से वायु प्रवाह तीन बार करना होता है, मेवाती के उन्हीं शब्दों के ध्वन्यात्मक रूप में मुख से वायु प्रवाह मात्र दो बार करना होता है; यथा–

मानक हिंदी	मेवाती हरियाणवी	मानक हिंदी	मेवाती हरियाणवी
इनका	ईका	इनकी	ईकी
इनको	ईको	उनका	वाका
उनकी	वाकी	उनको	वाको
उलठा	उल्टो	उसके	वाकै
तिगुना	तिणो	मुझसे	मोस्
हमारा	म्हारो	ससुराल्	सुस्राड़्

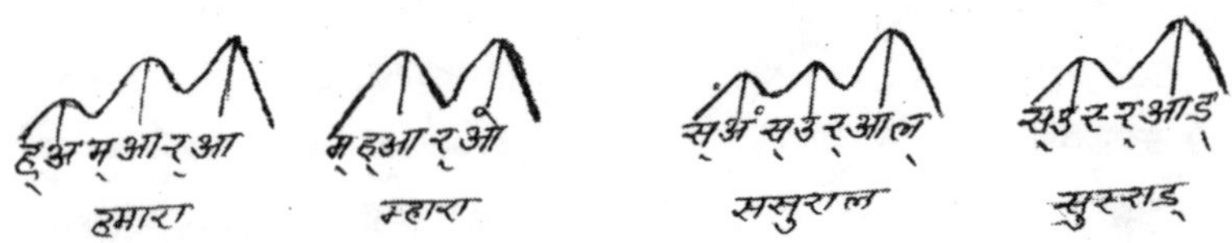

7.4.3.4 बहुअक्षरी व्यतिरेक

जिन शब्दों में तीन से अधिक अक्षरों की योजना होता है, उन्हें बहुअक्षरी शब्द वर्ग में रख सकते हैं। अन्य वर्गों के शब्दों के अनुसार इस वर्ग के शब्दों की संरचना और ध्वन्यात्मकता में व्यतिरेक सुनिश्चित है; यथा–

मानक हिंदी	**मेवाती हरियाणवी**	**मानक हिंदी**	**मेवाती हरियाणवी**
इमानदार्	इमाणदार्	कबरिस्तान्	कबरसतान्
जहरीला	जहरीलो	जानपहचान्	जाणपिछाण
पड़ोसियाँ	पोड़ोसियाँ	दुनियादारी	दुन्यादारी
भड़भूजा	भड़भूजो		

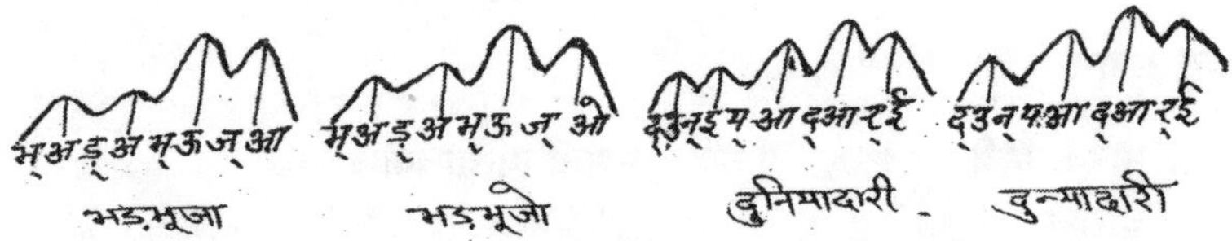

इस प्रकार मानक हिंदी और मेवाती हरियाणवी के अक्षरात्मक विवेचन–विश्लेषण से दोनों की विशेषताएँ सामने आती हैं और व्यतिरेकी स्वरूप स्पष्ट हो जाता है।

7.4.4 मानक हिंदी–मेवाती हरियाणवी : पद व्यतिरेक

भाषा की व्याकरणिक योग्यता प्राप्त इकाई पद होती है। इसमें व्याकरणिक योग्यता होने से वाक्य बनाने की क्षमता होती है। पद की दृष्टि से भी मानक हिंदी और मेवाती हरियाणवी में व्यतिरेक स्वरूप स्पष्ट रूप से प्रस्तुत कर सकते हैं।

7.4.4.1 सामासिक पद व्यतिरेक

मानक हिंदी के सामासिक शब्दों की संरचना से मेवाती हरियाणवी सामासिक शब्दों की संरचना में भिन्नता होने से उनकी व्यतिरेकी पहचान स्पष्ट होती है।

अव्ययीभाव : मानक हिंदी और मेवाती हरियाणवी के पूर्वपद अव्यय वाले सामासिक पदों में व्यतिरेक इस प्रकार विश्लेषित कर सकते हैं–

मानक हिंदी	**मेवाती हरियाणवी**
प्रतिदिन	परतिदिन
रातोंरात	रात्युरात
हाथोंहाथ	हाथुँहाथ

तत्पुरुष समास

मानक हिंदी	मेवाती हरियाणवी
कपड़छान	कपड़छाण
कर्मवीर	करमबीर
कर्महीन	करमहीन
देशनिकाला	देसलिकाड़ो
बड़बोला	बड़बोलो
भयभीत	भैभीत
मनगढ़ंत	मनघड़ंत
साहबजादा	साहबजादो

द्विगु समास

मानक हिंदी	मेवाती हरियाणवी
चौराहा	चुराह्यो
चौपाया	युपायौ
त्रिफला	तिरफलो

द्वंद्व समास

मानक हिंदी	मेवाती हरियाणवी
काँटा फूल	काँटोफूल
गंगा जमुना	गंगो जमुन
छोटा मोटा	छोटो मोटो
जान पहचान	जाण पिछाण
चावल दाल	चामड़ दाड़
नकम मिर्च	लूण मिरच
लाभ हानि	लाभ हाण

बहुव्रीहि समास

मानक हिंदी	मेवाती हरियाणवी
कनफड़ा	कनपड़ो
नाककटा (नकटा)	नकटो
मिठबोला	मिठबोलो

7.4.4.2 व्याकरणिक व्यतिरेक

मानक हिंदी और मेवाती हरियाणवी की लिंग, वचन, कारक और काल आदि व्याकरणिक कोटियों के संदर्भ से व्यतिरेकी अध्ययन किया जा सकता है।

7.4.4.2.1 लिंग व्यतिरेक

मानक हिंदी और मेवाती हरियाणवी दोनों में पुल्लिंग और स्त्रीलिंग दो लिंगों की योजना है। दानों की पद रचना में होने वाली भिन्नता के आधार पर व्यतिरेक सामने आता है–

पुल्लिंग		स्त्रीलिंग	
मानक हिंदी	**मेवाती हरियाणवी**	**मानक हिंदी**	**मेवाती हरियाणवी**
ऊँट	ऊँट	ऊँटनी	ऊँटणी
कुंजड़ा	कुंजड़ो	कुँजडिन	कुंजड़ी
घाघरा	घाघरो	घाघरा	घाघरी
घोड़ा	घोड़ो	घोड़ी	घोड़ी
चाचा	चाचो	चाची	चाची
जाट	जाट	जाटनी	जाटणी
तेली	तेली	तेली	तेल्लन
बंदर	बांदर	बंदरिया	बांदरी
ब्राह्मण	बामण	ब्राह्मणी	बामणी
भाई	भाई	बहन	बाहण
माली	माली	मालिन	मालण
मास्टर	मास्टर	मास्टरनी	मास्टरणी
राजा	राजो	रानी	राणी
सेठ	सेठ	सेठानी	सेठाणी
शेर	सेर	शेरनी	सेरणी

मानक हिंदी के ही समान मेवाती हरियाणवी में कुछ शब्द केवल पुल्लिंग या स्त्रीलिंग में ही प्रयुक्त होते हैं। उनकी रचना में यदि समानता मिलती है, तो कहीं-कहीं पर व्यतिरेकी रूप भी सामने आते हैं–

पुल्लिंग व्यतिरेक : कबीला (कबीलो), चना (चणो), धोखा (धोखो), नमक (नूण), पानी (पाणी), बैगन (बैंगण), मकोड़ा (मकौड़ो)।

स्त्रीलिंग व्यतिरेक : चौलाई (चुलाई), निराई (निडाई), मिर्च (मिरच), सरसों (सिरसूँ)।

7.4.4.2.2 वचन व्यतिरेक

मानक हिंदी के ही समान मेवाती हरियाणवी में एक वचन और बहुवचन- दो वचनों की व्यवस्था होती है। वचन योजना में यदि कभी समानता दिखाई देती है, तो कभी भिन्नता के कारण व्यतिरेक का आभास होता है। इस व्यवस्था को पुल्लिग और स्त्रीलिंग दोनों संदर्भों में विवेचन कर सकते हैं; यथा–

- **पुल्लिंग आधारित वचन व्यतिरेक**

एकवचन		**बहुवचन**	
मानक हिंदी	**मेवाती हरियाणवी**	**मानक हिंदी**	**मेवाती हरियाणवी**
आलू	आलू	आलू	आलून
किनारा	किनारा	किनारों	किनारान
खेत	खेत	खेतों	खेतान
गलियारा	गलियारा	गलियारों	गलियारन
घर	घर	घरों	घरन
चरण	चरन	चरणों	चरनन
जबान	जबान	जबानों	जबानन
जोगी	जोगी	जोगियों	जोगीन
नगाड़ा	नगारा	नागारों	नगारान
नयन	नैन	नयनों	नैनन
भालू	भालू	भालुओं	भालून
मुख	मुख	मुखों	मूखन
जोगी	जोगी	जोगियों	जोगीन

7.4.4.2.3 कारक व्यतिरेक

वाक्य के विभिन्न पदों में विभिन्न प्रकार के संबंधों का द्योतन होता है। इसी आधार पर कारक चिह्नों की योजना होती है। मेवाती हरियाणवी और मानक हिंदी के कारक चिह्नों के प्रयोग के व्यतिरेकी स्वरूप सामने आते है–सर्वप्रथम मेवाती हरियाणवी कारकयुक्त पदों की संरचना प्रस्तुत है–

कारक	**विभक्ति चिह्न**	**प्रयोग**
कर्ता	नैं	हमा नैं, जनैं नैं
	नें	मेवन्नें
कर्म	कूं	मेला कूं
	ते	वा ते खाण को

करण	सू	उनसूँ, हाथण सू
संप्रदान	लू	रुपिया लैणलू
अपादान	सुं	जबसुं
	सूं	बंदूक सूं गोली
संबंध	का	वा का
	के	गांम के सरपंच
	की	रामू की माँ
	को	वा को बेटा
अधिकरण	मैं	साल भर मैं
	पै	काम पै गयो हैं।
संबोधन	अरे	अरे!
	वाड़ी	वाड़ी!
	अरी	अरी!

1. कर्ता कारक व्यतिरेक

मानक हिंदीप्रयोग — **ने** : चोर ने घर से माल निकाल लिया।

मेवाती हरियाणवी प्रयोग — **नें** : चोर नें घर सू माल लिकाड़ लिया।

नै : छोरे नै गऊ चराई।

नैं : जुवानन नैं दुसमन कू मार गिरायो।

2. कर्म कारक व्यतिरेक

मानक हिंदी प्रयोग — **को** : उसको पकड़ ले गए।

मेवाती हरियाणवी प्रयोग — **कू** : बाकू पकड़ ले गयो।

लू : स्याम मोलू बुलावा।

को : खान को रोट्टी न हो।

3. करण कारक व्यतिरेक

मानक हिंदी प्रयोग — **से** : उसने हल से जमीन जोती।

मेवाती हरियाणवी प्रयोग — **सै** : ऊँनै हल से जमीन जोती।

सूँ : मैंने पेंन सूँ चिट्ठी लिखी।

4. संप्रदान कारक व्यतिरेक

मानक हिंदी प्रयोग — **के लिए** : स्याम के लिए रुपये नहीं दूँगा।

मेवाती हरियाणवी प्रयोग — **लू** : मैं स्यामलू रूपिया नहीं दूँगा।

5. अपादान व्यतिरेक

मानक हिंदी प्रयोग	–	**से** : कुएँ से पानी निकाल लेना।
मेवाती हरियाणवी प्रयोग	–	**सू** : कुआँ सू पाणी लिकाड़ लियो।
		सूं : छोरा घराँ सूं लिकाड़ लिया।
		सू : पेड़ सू पत्तो गिरो।

6. संबंध कारक व्यतिरेक

मानक हिंदी प्रयोग	–	**का** : उसका रुपया नहीं दूँगा।
मेवाती हरियाणवी प्रयोग	–	**का** : वाका रूपिया ना दूँगो।
		की : नंबरदार की घरती ल्लिाम करवाई दीती।
		के : गाँम के नबरदार को बड़ो नाम है।

7. अधिकरण कारक व्यतिरेक

मानक हिंदी प्रयोग	–	**में** : सामान्य साल में जाऊँगा।
मेवाती हरियाणवी प्रयोग	–	**मैं** : मैं साल मैं जाऊँगो।
		पै : बै आज काम पै गयो है।

8. संबोधन व्यतिरेक

मानक हिंदी	–	भाई! अब रोओ मत।
मेवाती हरियाणवी	–	भाई! अब रोबै मत।
		अरे! तू बिल्ख कै रोण लागो।

7.4.4.2.4 क्रिया पद व्यतिरेक

किसी कार्य के करने या होने को व्यक्त करने वाले पद को क्रिया पद की संज्ञा दी जाती है।

मेवाती क्रिया शब्द प्रायः मानक हिंदी क्रिया शब्दों के ही समान होते हैं। इनमें कुछ ही क्रिया शब्दों में भिन्नता दिखाई देती है। इनका स्वरूप इस प्रकार प्रस्तुत कर सकते हैं–

आना, करना, काटना, कातना, कूदना, खपना, खाना, खोदना खोना, गाना, घूमना, घूमाना, चखना, चखाना, चरना, चलना, चुराना, छूना (छी), जलना, जलाना, जमना, जागना, जाना, जीना, झगड़ना, झूलना, टँगना, टाँगना, ठोंकना, डरना, ढकना, ढोना, (दो), दौड़ना, धरना, धोना, पछताना (पिस्ता), पकाना(पो), पड़ना, पढ़ना, पाना

(पा), पोना (पो), बड़बड़ाना (नैड़ा), बूझना, बोना, भिगोना (भे), मरना, मारना, माँगना, मोहना, रँगना, रुकना, रोकना, रोना, लगना, लेना, लोटना, लौटना, सरकना, सड़ना, सोना, स्नानकरना (न्हाना), हँसना, होना आदि।

मेवाती हरियाणवी में भी मानक हिंदी के ही समान मूल क्रिया से प्रेरणार्थक क्रिया की संरचना की जाती है। प्रेरणार्थक क्रिया में भी मानक हिंदी-मेवाती हरियाणवी व्यतिरेकी रूप की विवेचना इस प्रकार कर सकते हैं–

प्रेरणार्थक क्रिया संरचना

मानक हिंदी

धातु	**मूल क्रिया**	**प्रथम प्रेरणा**	**द्वितीय प्रेरणा**	**मेवाती हरियाणवी**
कर	करना	कराना	करवाना	करवा
कह	कहना	कहलाना	कहलवाना	कहलवा
काट	कटना	कटना	कटवाना	कटवा
खाना	खाना	खिलाना	खिलवाना	खिलवा
गा	गाना	गवाना	गवाना	गवा
चल	चलना	चलाना	चलवाना	चलवा
जल	जलाना	जलाना	जलवाना	जलवा
टँग	टँगना	टाँगना	टँगवाना	टँगवा
ठग	ठगना	ठगाना	ठगवाना	ठगवा
डर	डरना	डराना	डरवाना	डरवा
ढक	ढकना	ढाकना	ढकवाना	ढकवा
दे	देना	दिलाना	दिलाना	दिलवा
दौड़	दौड़ना	दौड़ाना	दौड़वाना	दौड़वा
धो	धोना	धुलाना	धुलवाना	धुलवा
नाप	नपना	नापना	नपवाना	नपवा
पी	पीना	पिलाना	पिलवान	पिलावा
बोल	बोलना	बुलाना	बुलवाना	बुलवा
माँग	माँगना	मँगाना	मँगवाना	मँगना
रोक	रुकना	रोकना	रुकवाना	रुकवा
रो	रोना	रुलाना	रुलवाना	रुवा
सुन	सुनना	सुनाना	सुनवाना	सुन्वा
सो	सोना	सुलाना	सुलवाना	सुवा
हँस	हँसना	हँसाना	हँसवाना	हँसवा

मानक हिंदी के ही समान मेवाती हरियाणवी में भूत काल, वर्तमान काल एवं भविष्यत काल तीन कालो की व्यवस्था आधार पर अभिव्यक्त होती है। क्रिया पदों की संरचना के आधार पर व्यतिरेकी विवेचन किया जा सकता है—

(अ) भूतकाल

(क) सामान्य भूतकाल

	एकवचन		बहुवचन	
	मानक हिंदी	**मेवाती हरियाणवी**	**मानक हिंदी**	**मेवाती हरियाणवी**
उत्तम पुरुष	मैं गया	मैं गयो	हम गए	हम गया
मध्यम पुरुष	तू गया	तू गयो	तुम गए	तम गया
अन्य पुरुष	वह गया	ऊ गया	वे गए	वे गया

(ख) आसन्न भूतकाल

	एकवचन		बहुवचन	
	मानक हिंदी	**मेवाती हरियाणवी**	**मानक हिंदी**	**मेवाती हरियाणवी**
उत्तम पुरुष	मैं गया हूँ	मैं गयो हूँ	हम गए हैं	हम गया हा
मध्यम पुरुष	तुम गए हो	तू गयो है	तुम गए हो	तम गया हो
अन्य पुरुष	वह गया है	ऊ गयो है	वे गए हैं	वे गया है

(ग) पूर्ण भूतकाल

	एकवचन		बहुवचन	
	मानक हिंदी	**मेवाती हरियाणवी**	**मानक हिंदी**	**मेवाती हरियाणवी**
उत्तम पुरुष	मैं गया था	मैं गयो थो/हो	हम गए थे	हम गया था/हा
मध्यम पुरुष	तुम गए थे	तू गयो थो/हो	तुम गए थे	तम गया था/हा
अन्य पुरुष	वह गया था	ऊ गयो थो/हो	वे गए थे	वे गया था/हा

(घ) अपूर्ण भूतकाल

	एकवचन		बहुवचन	
	मानक हिंदी	**मेवाती हरियाणवी**	**मानक हिंदी**	**मेवाती हरियाणवी**
उत्तम पुरुष	मैं जा रहा था	मैं जा रह्यो थो/हो	हम जा रहे थे	हम जा रह्या था/हा

मध्यम पुरुष	तुम जा रहे थे	तू जा रह्या थो/हो	तुम जा रहे थे	तम जा रह्या था/हा
अन्य पुरुष	वह जा रहा था	ऊ जा रह्यो थो/हो	वे जा रहे थे	ते जा रह्या था/हा

(ङ) संदिग्ध भूतकाल

	एकवचन		बहुवचन	
	मानक हिंदी	**मेवाती हरियाणवी**	**मानक हिंदी**	**मेवाती हरियाणवी**
उत्तम पुरुष	मैं जाता हूँगा	मैं जातो हूँगो	हम जाते होंगे	हम जाता होंगा
मध्यम पुरुष	तुम जाते होंगे	तू जातो होगो	तुम जाते होंगे	तम जाता होंगा
अन्य पुरुष	वह जाता होगा	ऊ जातो होगो	वे जाते होंगे	वे जाता होगा

(च) पूर्वकालिक अपूर्ण भूतकाल

	एकवचन		बहुवचन	
	मानक हिंदी	**मेवाती हरियाणवी**	**मानक हिंदी**	**मेवाती हरियाणवी**
उत्तम पुरुष	मैं जाने लग रहा था	मैं जाण लग रो थो/हो	हम जाने लग रहे थे	हम जाण लाग रह्या
मध्यम पुरुष	तुम जाने लग रहा था	तू जाण लाग रो थो/हो	तुम जाने लग रहे थे	तम जाण लाग रह्या था/हा
अन्य पुरुष	वह जाने लग रहा था	ऊ जाण लाग रो थो/हो	वे जाने लग रहे थ	वे जाण लाग रह्या था/हा

(ब) वर्तमान काल

(क) सामान्य वर्तमान काल

	एकवचन		बहुवचन	
	मानक हिंदी	**मेवाती हरियाणवी**	**मानक हिंदी**	**मेवाती हरियाणवी**
उत्तम पुरुष	मैं जाता हूँ	मैं जाऊँ हूँ	हम जाहे हैं	हम जावां हों
मध्यम पुरुष	तुम जाते हो	तू जावै हो/ऐ	तुम (सब) जाते रहे हो	तम जावा हो
अन्य पुरुष	वह जाता है	ऊ जावै है/ऐ	वे जाते हैं	वे जौ हैं/ऐ

(ख) अपूर्ण वर्तमान काल

	एकवचन		बहुवचन	
	मानक हिंदी	**मेवाती हरियाणवी**	**मानक हिंदी**	**मेवाती हरियाणवी**
उत्तम पुरुष	मैं जा रहा हूँ	मैं जा रहूया हूँ	हम जा रहे हैं	हम जा रहा हां
मध्यम पुरुष	तुम जा रहे हो	तू जा रहो है/एं	तुम सब जा रहे हो	तम जा. रहे हो
अन्य पुरुष	वह जा रहा है	ऊ जा रहूयो है/ऐ	वे जा रहे हैं	वे जा रहूयो हैं/ऐं

(ग) पूर्णकालिक अपूर्ण वर्तमान काल

	एकवचन		बहुवचन	
	मानक हिंदी	**मेवाती हरियाणवी**	**मानक हिंदी**	**मेवाती हरियाणवी**
उत्तम पुरुष	मैं जाने लग रहा हूँ	मैं जाण लाग रो हूँ	मैं हम जाने लग रहे हैं	हम जाण लाग रहूया हां
मध्यम पुरुष	तुम जाने लग रहे हो	तू जाण लगरा है	तुम (सब) जाने लग रहे हो	तम जाण लाग रहूया हो
अन्य पुरुष	वह जाने लग रहा है	ऊ जाण लग रो है	वे जाने लग रहे हैं	वे जाण लाग रहूया है

(स) भविष्यत् काल

(क) सामान्य भविष्यत् काल

	एकवचन		बहुवचन	
	मानक हिंदी	**मेवाती हरियाणवी**	**मानक हिंदी**	**मेवाती हरियाणवी**
उत्तम पुरुष	मैं जाऊँगा	मैं जाऊँगो	हम जाएँगे	हम जावांगा
मध्यम पुरुष	तुम जाओगो	तू जावागो	तुम (सब) जाओगे	तम जाओगा
अन्य पुरुष	वह जाएगा	ऊ जावेगो	वे जाएँगे	वे जावैगा

(ख) पूर्ण भविष्यत् काल

	एकवचन		**बहुवचन**	
	मानक हिंदी	**मेवाती हरियाणवी**	**मानक हिंदी**	**मेवाती हरियाणवी**
उत्तम पुरुष	मैं जा चुका हूँगा	मैं जा लियो हूँगा	हम जा चुके होंगे	हम जा लिया होगा
मध्यम पुरुष	तू जा चुका होगा	तू जा लियो होगो	तुम (सब) जा चुके होगे	तम जा लिया होगा
अन्य पुरुष	वह जा चुका होगा	ऊ जा लिया होगो	वे जा चुके होंगे	वे जा लिया होगा

(ग) सामान्य भविष्यत् काल

	एकवचन		**बहुवचन**	
	मानक हिंदी	**मेवाती हरियाणवी**	**मानक हिंदी**	**मेवाती हरियाणवी**
उत्तम पुरुष	मैं जा रहा हूँगा	मैं जा रह्यो हूँगो	हम जा रहे होंगे	हम जा रह्या होगा
मध्यम पुरुष	तुम जा रहे होगे	तू जा रह्यो होगो	तुम (सब) जा रहे होंगे	तम जा रह्यो होगा
अन्य पुरुष	वह जा रहा होगा	ऊ जा रह्यो होगो	वे जा रहे होंगे	वे जा रह्यो होगो

(घ) पूर्वकालिक अपूर्ण भविष्यत् काल

	एकवचन		**बहुवचन**	
	मानक हिंदी	**मेवाती हरियाणवी**	**मानक हिंदी**	**मेवाती हरियाणवी**
उत्तम पुरुष	मैं जाने लग रहा हूँगा	मैं जाण लाग रो हूँगा	हम जा लग रहे होंगे	हम जाण लाग रह्या होंगा
मध्यम पुरुष	तुम जाने लग रहा होगा	तू जाण लाग रो होगो	तुम (सब) जाने लग रहे होगे	तम जाण लाग रह्यो होगा
अन्य पुरुष	वह जाने लग रहा होगा	ऊ जाण लाग रो होगा	वे जाने लग रहे होंगे	वे जाण लाग रह्या होगा

इस प्रकार स्पष्ट होता है कि मानक हिंदी और मेवाती हरियाणवी की व्याकरणिक

कोटियों की समान प्रक्रिया है, किंतु संरचनात्मक दृष्टि से पर्याप्त व्यतिरेक है। यह व्यतिरेक मेवाती हरियाणवी की विशेषताओं को प्रकट करता है।

7.4.5 मानक हिंदी–मेवाती हरियाणवी : वाक्य व्यतिरेक

भाषा की पूर्ण सार्थक इकाई वाक्य है। वाक्य से ही पूर्ण भाव या अर्थ की अभिव्यक्ति होती है। मानक हिंदी के ही समान मेवाती हरियाणवी में भी सरल, संयुक्त और मिश्र वाक्यों की योजना होती है।

7.4.5.1 सरल वाक्य व्यतिरेक

मानक हिंदी और मेवाती हरियाणवी में समान क्रम में कर्ता, कर्म और क्रिया का प्रयोग होता है। सरल वाक्य में एक मूल क्रिया का प्रयोग होता है। इसके साथ एक या एक से अधिक सहायक क्रियाओं की योजना हो सकती है। दोनों के विभिन्न पदों की विविधता के कारण व्यतिरेकी रूप सामने आते हैं।

मानक हिंदी — वह जाता है।
मेवाती हरियाणवी — ऊ जावै है।

यहाँ मानक हिंदी का कर्ता पद 'वह' है, जो मेवाती हरियाणवी में 'ऊ' के रूप में प्रयुक्त है, तो 'जाता है' मानक हिंदी का क्रिया पद मेवाती हरियाणवी में 'जावै है' हो गया है। इस प्रकार संरचनात्मक दृष्टि से स्पष्ट व्यतिरेक है। इन दोनों वाक्यों में संस्कृत 'गम' धातु से बनी 'जाना' मूल क्रिया से और 'जावै' की संरचना हुई है। इन दोनों के साथ सहायक क्रिया 'है' का प्रयोग हुआ है। सहायक क्रिया वाक्या के अंत में प्रयुक्त होने से इसे समापिका क्रिया की संज्ञा दी जाती है।

मानक हिंदी — तू जा रहा है।
तुम जा रहे हो।
मेवाती हरियाणवी — तू जा रहो है।

मानक हिंदी के मध्यम पुरुष के एकवचन के लिए तू, तुम और आप शब्दों का प्रयोग किया जाता है। 'तू' का प्रयोग छोटों के लिए, प्रेम और क्रोध संदर्भ में होता है। 'तुम का प्रयोग समकक्षता, हम उम्र आदि संदर्भ में होता है, 'आप' का प्रयोग बड़ों के लिए या आदरसूचक रूप में किया जा है। आंचलिक भाषा में प्रायः तू और तुम के प्रयोग मिलते हैं। मेवाती हरियाणवी में भी आधुनिकता के प्रवाह में यदा-कदा वाक्य में आप शब्द सुनाई दे जाता है।

इन दोनों भाषाओं के सरल वाक्य की संरचना में उल्लेखनीय तथ्य यह है कि इसमें जाना (जा) मूल क्रिया के साथ मानक हिंदी में 'रहा' और 'है', 'रहे' और 'हो' दो-दो सहायक क्रियाओं का प्रयोग हुआ है। इसी प्रकार मेवाती हरियाणवी में जाना (जा) मूल क्रिया के साथ 'रहा' यहाँ और 'है' दो सहायक क्रियाओं का प्रयोग हुआ है। यहाँ मेवाती हरियाणवी सरल वाक्य में 'रहा' के स्थान पर 'रहो' व्यतिरेकी रूप सामने आया है।

मानक हिंदी और मेवाती हरियाणवी के सरल और लघु वाक्यों में भी संरचनात्मक व्यतिरेक स्पष्ट रूप में सामने आता है; यथा—

मानक हिंदी	मेवाती हरियाणवी
वह जाता है।	ऊ जावै।
वे जाते हैं।	वे जावें।
तुम जाते हो।	तू जायौ।
तुम (सब) जाते हो।	तम जायौ।

7.4.5.2 संयुक्त वाक्य व्यतिरेक

जब किसी वाक्य में दो या दो से अधिक प्रधान उप वाक्यों की योजना होती है, तो संयुक्त वाक्य की संरचना होती है। मानक हिंदी और मेवाती हरियाणवी के संयुक्त वाक्यों की योजना समान होती है, किंतु विभिन्न पदों की संरचना विविधता से व्यतिरेकी स्वरूप सामने आता है। संयुक्त वाक्य की दोनों मूल क्रियाओं से बने वाक्य के मध्य और, तथा, अथवा, वा आदि योजक चिह्नों का प्रयोग होता है, यदि इन योजक चिह्न को संयुक्त वाक्य से अलग कर दिया जाए, तो मूल क्रिया के ही आधार पर उनकी संख्यानुसार सरल वाक्य बन जाते हैं।

मानक हिंदी और मेवाती हरियाणवी के संयुक्त वाक्य के व्यतिरेकी स्वरूप को इस प्रकार रेखांकित कर सकते हैं।

(अ) मानक हिंदी—

उसने जाता देखा और बिलख-बिलखकर रोने लगा।

... ...

उसने जाता देखा तथा बिलख-बिलख रोने लगा।

... ...

मेवाती हरियाणवी—

ऊनैं जातो देखा अर बिलख-बिलख कै रोण लागो।

... ...

(ब) मानक हिंदी—

हुक्का पिया और हल चलाने लगा।

... ...

मेवाती हरियाणवी—

हुक्को पियो अर हड़ हांक दियो।

...   ...

(स) मानक हिंदी–

<u>सरकार कुआँ बनाने के लिए</u> <u>और</u> <u>रहट लगाने के लिए रुपया देती है।</u>

...   ...

मेवाती हरियाणवी–

<u>सरकार कुआँ बनवांण लू</u> <u>अर</u> <u>रहिट लगाण लू रूपिया देती है।</u>

...   ...

संयुक्त वाक्य-विश्लेषण

(अ) मानक हिंदी

उसने जाता देखा और बिलख-बिलख रोने लगा।

- उसने जाता देखा। – सरल वाक्य
- (वह) बिलख-बिलख रोने लगा। – सरल वाक्य
- और संयोजक

मेवाती हरियाणवी

- ऊनै जातो देखा। – सरल वाक्य
- बिलख-बिलख कै रोण लागो। – सरल वाक्य
- अर – संयोजक

(ब) मानक हिंदी

- हुक्का पिया। – सरल वाक्य
- हल चलाने लगा। – सरल वाक्य
- और – संयोजक

मेवाती हरियाणवी

हुक्को पियो अर हड़ हांक दियो।

- हुक्को पियो। – सरल वाक्य
- हड़ हाँक दियो। – सरल वाक्य
- अर – संयोजक

(स) मानक हिंदी

सरकार कुआँ बनाने के लिए और रहट लगाने के लिए रुपया देती है।

- सरकार कुआँ बनाने के लिए (रुपया देती है)। — सरल वाक्य
- (सरकार) रहट लगाने के लिए रुपया देती है। — सरल वाक्य
- और — संयोजक

मेवाती हरियाणवी

सरकार कुआँ बनवांण लू अर रहिट लगाण लू रुपिया देती है।

- सरकार कुआँ बनवांण लू (रुपिया देती है)। — सरल वाक्य
- (सरकार) रहिट लगाण लू रूपिया देती है। — सरल वाक्य
- अर — संयोजक

7.4.5.3. मिश्र वाक्य व्यतिरेक

जब वाक्य संरचना में एक प्रधान उपवाक्य के साथ एक से अधिक उप वाक्य या अधीनाधीन उपवाक्य हों, तो उसे मिश्र या जटिल वाक्य कहते हैं।

बोल-चाल और आंचलिक भाषा में प्रायः सरल और लघु वाक्यों का प्रयोग होता है। इस प्रकार स्पष्ट रूप से कहा जा सकता है कि मानक हिंदी की अपेक्षा मेवाती हरियाणवी में मिश्र वाक्यों का प्रयोग सीमित रूप में होता है।

- **मानक हिंदी**

अफसर ने पूछा कि तुम्हारे कैसे-कैसे हिस्से हैं।

——— 1 ——— ——— 2 ———

मेवाती हरियाणवी

अपसर नै बूझी कि तिहारी कैसे-कैसेएं हिस्सा है।

——— 1 ——— ——— 2 ———

मानक हिंदी

वह बोला कि हम दोनों का आधा-आधा हिस्सा है।

——— 1 ——— ——— 2 ———

मेवाती हरियाणवी

ऊ बोलो के हमरा दोनूंण का आधा-आधा हिस्सा एँ।

——— 1 ——— ——— 2 ———

मानक हिंदी और मेवाती हरियाणवी की वाक्य संरचना के विश्लेषण से दोनों की संरचनात्मक विशेषताएँ सामने आती हैं, तो साथ ही व्यतिरेकी स्वरूप भी स्पष्ट हो जाता है।

दोनों भाषाओं के संरचनात्मक सैद्धांतिक और व्यावहारिक स्वरूप के अध्ययन से यह स्पष्ट होता है कि मानक हिंदी का स्वरूप मानकता के आधार पर पर्याप्त व्यवस्थित है, तो मेवाती हरियाणवी क्षेत्रीय या आंचलिक प्रभाव से वैविध्यपूर्ण है। मुख-सुख के कारण अक्षरात्मक स्वरूप प्रायः सीमित होकर प्रयत्नलाघव सिद्धांत को प्रमाणित करता है। मेवाती हरियाणवी के पदों में भी निकटवर्ती केंद्रीय हरियाणवी और व्रज हरियाणवी का प्रभाव भी स्पष्ट दिखाई देता है। इसके अधिकांश वाक्य उच्चारण सीमा में होने से लघु रूप में मिलते हैं। इस विश्लेषण से निर्विवाद रूप से कहा जा सकता है कि मानक हिंदी का अपना व्यस्थित रूप है, जो मेवाती हरियाणवी में मेवात क्षेत्र के परिवेश से जुड़ी हुई भाव-भंगिमा आधारित हरियाणवी की उपबोली है।

7.5 मेवाती हरियाणवी संदर्भ

1. लोक गीत

आराम कारणियाँ लू न ठोर ना है हराम की खाबालू।
चोखी-चोखी हीं सड़क बणीं अब गाँव-गेमरी जाबालू।।
नद्दी नाळा म्होंजोर मुलक में सित्यानास मचाबे हा।
डंगर टाला खेती बाड़ी पाणी में बोल बहावे हा।।
अब उनका म्होंडा मोड़ बाँध भारी मलूक बणवाया है।
बंजड़ खेती लू जोत-जात सींचण लू पाणी ल्याया है।।

2. लोक गीत

अदब कटाळा नैण, बणी तू सुन्दर नारी
चन्दा सी उण्धार, लटा छिटकाली कारी।
धोबी धोया दंत, बोलती लागै प्यारी
कुण कारीगर घड़ी, हसर की हूर उतारी
छतियन पै दो कुचण, बदन सूं दीखै न्यारी
अदब कटाळा नैण, बणी तू सुन्दर नारी।
डोलत बोलत कामणी, मेरे मन भाई।
कोण लोक सूं उतर, हींन धरती पै आई
धारो मनसा पाप, कुबद बासद बासक नैं धारी

कोड़ी होगो अन्त, बिगड़ती काया सारी
सुणै बिरामण देवता, साँची बोलो बीर
देखो पतरो खोल कें, मेरो का बिध फ्टो सरीर
राजा तेंनै धारा मनसा पाप...

3. लोक गीत

घुले मत कानूड़ा वे सबरी म को
इंधे सूं आई हूँ उँघालू जाऊँगी।
झींटीन लू काट आई गैम में बछेरू ऊबा
हीन लगै बेर हून खाणों पकाऊँगी।
कैड़ो क्यूँ लखावे ठेस्या कसनै बकायो तोलू
मैं तो रे ग्वालिया भोतेरो रस प्याऊँगी।
आपकी न सोचे मेरा बाप की न सोचे
दुनियादारी की बी बात तोलू नेक नाय सूझ रहा है।
बाबो हीनी डोले तू नेक माम तोले
तेरी देख ऐसी चाल मेरो धर-धन हिया घूणै है।

1. लोक कथा

एक मेव नै बैरवाणी करी, बाकै संग एक छोरो आयो। बा बैरवाणी कैं कए छोरो और होगो। ऊ मेव फिर मरगो। अब उनको दाखल खारज चढ़न लगो, तो दोनूँ झगड़ पड़ा। खुद्द छोरो कहैण लगो वा गैलड़ा सूं, तो तोलू जिमीन ना दूँगो, तू गैलड़ो ऐ। फिर गैलड़ो पुकार पड़ो अफ्सर कै आगै। अब उनका बयाणं हुआ। उपसर नैं बुझी, ''तिहारा कैसे-कैसे ऐं हिस्सा?'' अच्छो जब ऊ गैलड़ो वाणैं कहीं, ''हमारा आधा-आधा ऐं हिस्सा दोनूँण का। ''फिर ऊ बूझो, तू बता। वाणैं कही हाकम सूं, जैसे तेरो बाप मर जाय और तेरी माई मेरे बापै कर ले और तू वाकैं संग आवै तो तेरो हिस्सो ना रहैगो, जिमीनैं मैं ई मैं ले लूँगो।'' तो हाकम नैं बा गैलड़ा सूँ हँस के कही, ''कै जिमीन या ई या की ऐ, तू तेरा गाम लू जा।''

2. लोक कथा

माँखीचूस

एक माँखीचूस के पे कछु माल-मतो हो। वा लू सदां यांई डर बणों रह हो कै सारी दुनियाँ का चोर और लूटणियाँ मेराई धन की चगेस में है, कहा थाह जाणै कब लूट लैं। या सोच वा नै अपणा माल-मत्ता लू बचाण की खातर घर को अट्अस-कुट्टस

बेच एक सोना की ईट मोल ली। वा ईंट लू बांने घर का कूणां में एक अबीड़ी ठौर मैं गाड़ दी। पंण या पै बी वालू थ्यावस नांय आई! वा रोजीना वाई अबीड़ी ठौर पै जाकें देखो करे हो कै कोई सोना की ईंट लू चोर कै तो ना लेगो है। बा लू या तरै हर हमेस जातो देख वाई का नौकर लू कछु सुबो हुयो। उ टहलिया मौको पा एक दिना हुंई रै ठाण पै लूगो और हूं सु सोना की ईंट खोद अपणी आपेज मैं करी। उ माँखीचूस हुई ठौर पै अपणा लाग्या बंध्या टैंम पे पहुँचो तो कहा देखै है कै कोई ईंट लू चोर लेगो है। वा को या अभसोच कै मारै चित्त चिल्ला सूं उतरगो। उ जोर-जोर सूँ बिलख-बिलख कै रोण लगो। वा लू फूट-फूट कै रोतो सुण पोड़ोसियां नै वौ सूं रोण की बात पूछी। अखीर में वा नै वा माँखीचूस लू एक रोड़ो दै कै कही, ''भाई! अब रोवै-पुकारै मत या भांटा का रोड़ा लू उई रै ठाण मै। गाड़ दै और जाण लै कै तेरी सोना की ईंट गड़ रही है। क्यूंक जब तैने या पुख्ता इरादो कर लियो है कै वा सूं कोई फायदो उठाणो ई नांयतो तो लू जिसी सोनी की ईट उसो भाँटा को रोड़ो।''

संदर्भ

1. डॉ. पूर्णचंद शर्मा, हरियाणवी और उसकी बोलियों का अध्ययन, पृ. 151
2. हरियाणा शोध पत्रिका (डॉ. कृपाल चंद्र यादव) अगस्त 1966 अंक 1, प्र. 79
3. भारती पिलानी (उल्लेख, मेवाती लोक साहित्य सिंहावलोकन) जुलाई, 1967
4. डॉ. नरेश मिश्र, भाषा और हिंदी भाषा का इतिहास, पृ. 242
5. डॉ. जय नारायण कौशिक, हरियाणवी हिंदी कोश, भूमिका, पृ. 26
6. संपा. डॉ परमानंद, हरियाणा की उपभाषाएँ, पृ. 273
7. संपा. परमानंद, सप्त सिंधु उपभाषा विशेषांक, (राम प्रकाश विकल, मेवाती एक परिचय), पृ. 223
8. डॉ. पूर्णचंद शर्मा, हरियाणवी और उसकी बोलियों का अध्ययन, पृ. 153
9. डॉ. नरेश मिश्र, भाषा और हिंदी भाषा का इतिहास, पृ. 224

अष्टम अध्याय

मानक हिंदी और अंबालवी हरियाणवी : व्यतिरेकी अध्ययन

हरियाणा की विभिन्न उपबोलियों में 'अंबालवी हरियाणवी' का विशेष स्थान है। अंबालवी हरियाणवी क्षेत्र उत्तर प्रदेश, हिमाचल प्रदेश, पंजाब और केंद्र शासित चंडीगढ़ से घिरा है। भाषायी दृष्टि से यह क्षेत्र सहारनपुर की कौरवी, उत्तर में हिमाचल को पहाड़ी बोली, पश्चिम में पंजाब की पंजाबी भाषा और दक्षिण मे केंद्रीय हरियाणवी से घिरा हुआ है। वर्तमान सर्वेक्षण के आधार पर यह उल्लेखनीय तथ्य सामने आया है कि पूर्व-दक्षिण के यमुना नगर और कुरुक्षेत्र के कुछ भाग में कौरवी का रंग मिलता है।

इस उपबोली पर समग्रता से विचार करें, तो स्पष्ट होता है कि इस पर सर्वाधिक प्रभाव पंजाबी भाषा का है। इसके दो मुख्य कारण हैं। प्रथम इस क्षेत्र में पंजाबियों की संख्या अधिक होने से उनके आहार, व्यवहार और संस्कार के साथ पंजाबी भाषा का सहज रूप में प्रयोग होता है। दूसरा कारण है—पंजाब क्षेत्र के लोगों का भारत के विभिन्न भागों में आवागमन के लिए इस क्षेत्र से ही गुजरना। यह भी सुनिश्चित तथ्य है कि एक भाषा पर दूसरी भाषा के प्रभाव के ये ही मुख्य आधार होते हैं। इस क्षेत्र से घग्गर और यमुना नदियाँ गुजरती हैं। इससे इनका प्रभाव सुस्पष्ट है।

8.1 नामकरण

14वीं शताब्दी में अम्बा राजपूतों द्वारा बसाए जाने के आधार पर इसे क्षेत्र को अंबाला शहर का नाम मिला। इस उपबोली अंबालवी हरियाणवी का केंद्र अंबाला है। इसलिए इसे अंबालवी हरियाणवी की संज्ञा दी जाती है। हरियाणा और पंजाब की राजधानी चंडीगढ़ है। अंबाला शहर चंडीगढ़ के बहुत निकट है। इसलिए इसका बहुत महत्त्व है और इसका बहुत तेजी से विकास भी हुआ है। अंबाला सड़क और रेल द्वारा हिमाचल प्रदेश, उत्तर प्रदेश, दिल्ली, पंजाबा, चंडीगढ़, जम्मू-कश्मीर ही नहीं देश के

विभिन्न भागों को जोड़ने वाला शहर है। इसलिए इस शहर और यहाँ की भाषा को विशेष रूप में विकसित होने का अवसर मिला है। आवागमन की अनुकूलता भाषा-विकास का प्रमुख आधार है। यमुनानगर जिले के कुछ भाग में भी इस उपबोली का प्रयोग सामाजिक व्यवहार में किया जाता है।

8.2 मानक हिंदी और अंबालवी हरियाणवी : ध्वनि व्यतिरेक

अंबाला क्षेत्र की हरियाणवी बोली में आंचलिक ध्वनियों का सहज प्रयोग स्वाभाविक है। यह विशेष ध्वन्यात्मक प्रयोग इस उपबोली की अपनी पहचान है। इस प्रकार मानक हिंदी की ध्वनियों से उभरने वाली भिन्नता को दोनों का ध्वनि-व्यतिरेक कहा जाता है।

8.2.1. स्वर ध्वनि व्यतिरेक

मानक हिंदी की ध्वनियाँ सुनिश्चित कर दी गई है। इससे उसमें एकरूपता और मानकता है। मानक हिंदी के स्वरों को उनके उच्चारित स्वरूप आधार पर इस प्रकार वर्गीकृत कर रेखांकित किया जाता है–

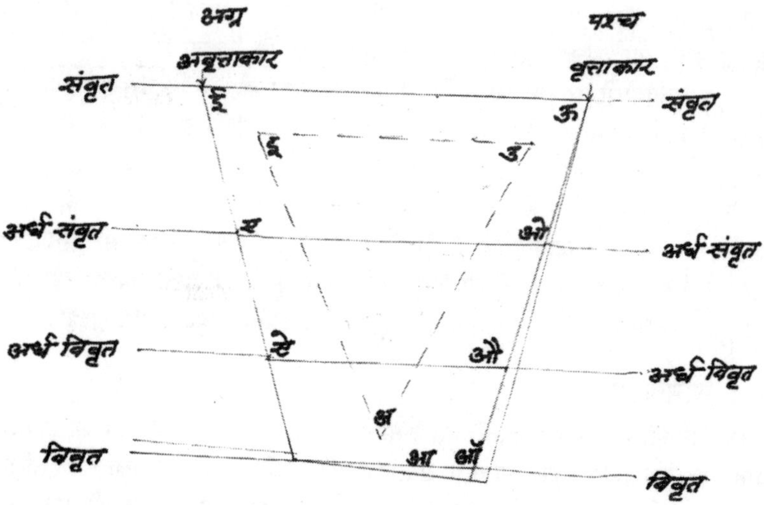

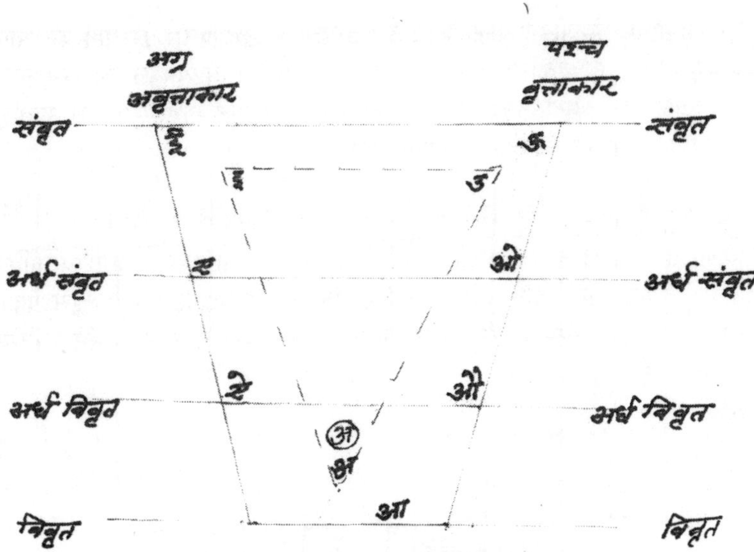

अंबालवी हरियाणवी स्वर

मानक हिंदी के स्वरों को प्रयोग की सरलता, स्पष्टता के लिए विशेष व्यवस्था दी गई है। इन्हें मानस्वर की संज्ञा दी जाती है। उच्चरित स्वरों को लेखन की सुविधा के लिए व्यवस्था की गई है। बोली और उपबोली के उच्चारण में विशेष व्यवस्था न होकर अभिव्यक्ति को महत्त्व दिया जाता है। इसलिए उच्चारण में विविधता होना स्वाभाविक है।

अंबालवी हरियाणवी में हिंदी के सभी स्वरों का प्रयोग होता है साथ ही एक अन्य ध्वनि 'अ' का भी प्रयोग होता है। यह ध्वनि हिंदी की 'अ' ध्वनि से कुछ कम विवृत अर्थात् अर्ध विवृत के निकट की प्रवृति की है। इसका प्रयोग दुर्बल या अल्पबलाघाती 'अ' के रूप में किया जाता है; यथा–

तपन	>	त् अ प् अ न्
बचाव	>	ब् अ् च् आ व

8.2.2 व्यंजन ध्वनि व्यतिरेक

प्रत्येक भाषा की स्वर ध्वनियों के समान ही व्यंजन ध्वनियों की संख्या और उनकी व्यवस्था होती है। अर्थात् एक भाषा की विभिन्न बोलियों और प्रत्येक बोली की विभिन्न उपबोलियों की व्यंजन ध्वनियों का वैविध्यपूर्ण प्रयोग होता है।

मानक भाषा और उसकी उपबोली हरियाणवी की व्यंजन ध्वनियों की भिन्नता

उनके व्यतिरेकी रूप का आधार है। इसे रेखाकंन के आधार पर इस प्रकार प्रस्तुत कर सकते हैं–

मानक हिंदी व्यंजन व्यवस्था

	महाप्राण / अल्पप्राण					उत्क्षिप्त		अंतस्थ		ऊष्म
	अघोष		घोष					प्रकंपित	पार्श्विक	
कंठ्य	क्	ख्	ग्	घ्	ङ्					
तालव्य	च्	छ्	ज्	झ्	ञ्					श्
मूर्द्धन्य	ट्	ठ्	ड्	ढ्	ण्	ड़् ढ़्				ष्
दंत्य	त्	थ्	द्	ध्	न्					स्
ओष्ठ्य	प्	फ्	ब्	भ	म्		व्			
अंतस्थ								र्	ल्	
स्वरयंत्र मुखी										ह्

अंबालवी हरियाणवी व्यंजन

	अघोष (अल्पप्राण)	अघोष (महाप्राण)	घोष (अल्पप्राण)	घोष (महाप्राण)	घोष	उत्क्षिप्त	अंतस्थ	अंतस्थ: प्रकंपित	अंतस्थ: पार्श्विक	ऊष्म
कंठ्य	क्	ख् (ख़्)	ग्	[घ्]	ङ्					
तालव्य	च्	छ्	(ज़्) ज्	[झ्]	ञ्					
मूर्द्धन्य	ट्	ठ्	ड्	[ढ्]	ण्	ड़्			ळ्	
दंत्य	त्	थ्	द्	[ध्]	न्					स्
ओष्ठ्य	प्	फ् (फ़्)	ब्	[भ्]	म्					
अंतस्थ								र्	ल्	
स्वरयंत्र मुखी										ह्

[ ] में अंकित घोष और महाप्राण ध्वनियों का प्रयोग सीमित रूप में होता है- [घ], [झ], [ढ], [ध], [भ] ।
( ) संघर्षी ध्वनियों (ख़), (ज़) और (फ़) का यदा-कदा प्रयोग ।

● मानक हिंदी और अंबालवी हरियाणवी की व्यंजन ध्वनियाँ लगभग समान है, किंतु प्रयोग संदर्भ में पर्याप्त बदलाव आ जाता है। कुछ रेखांकन योग्य बदलाव इस प्रकार हैं–

● मानक हिंदी की दंत्य, घोष अल्पप्राण नासिक्य व्यंजन 'न' अंबालवी हरियाणवी में पूर्ववत प्रयोग होने के साथ यत्र-तत्र मूर्द्धन्य, अल्पप्राण घोष नासिक्य व्यंजन 'ण' ध्वनि के रूप में प्रयुक्त होती है; यथा–

दाना > दाणा, कौन > कौण, पानी > पाणी आदि

● मानक हिंदी की अंतस्थ पार्श्विक 'ल' ध्वनि कभी-कभी अंबालवी हरियाणवी में पार्श्विक घोष अल्पप्राण मूर्द्धन्य 'ळ' व्यंजन ध्वनि के रूप में प्रयुक्त होती है; यथा–

उजाला > उजाळा, ताला > ताळा, दाल > दाळ आदि

● मानक हिंदी में सामान्य रूप में प्रयुक्त होने वाली घोष, महाप्राण कंठ्य 'घ', तालव्य 'झ', मूर्द्धन्य 'ढ़', दंत्य 'ध' और ओष्ठ्य 'भ' ध्वनियों का प्रयोग अंबालवी हरियाणवी में सीमित रूप में होता है। इससे यह नहीं समझना चाहिए कि प्रयोग ही नहीं होता है। कुछ प्रयोग द्रष्टव्य हैं–

घ – घड़े, घड़ाई, घाली, घोड़ला।
झ – झम, झमकाट, झूलण, तुझको।
ढ़ – गूढ़ा, काढ़, मीढ़े, ढोला।
ध – धरम, बध, बधावड़या, धीरज।
भ – भरतार, भात, भूल, भैणा।

संघर्षी व्यंजन प्रयोग–अंबलवी हरियाणवी में पदा-कदा संघर्षी व्यंजन ध्वनियों का प्रयोग होता है। ये ध्वनियाँ अरबी और फारसी के आगत शब्दों में प्रयुक्त होती हैं; यथा–

ख़ – ख़त, ख़फा, ख़ाना, ख़ाना (ख़ान), ख़लीफ़ा (ख़लीफ़)–अरबी
ख़ानदान, खुश-फारसी
ज़ – ज़माना (ज़मानः), अर्ज़, अर्ज़ी–अरबी
ज़खमी, जमींदार–फारसी
फ़ – फ़कीर, फ़र्ज–अरबी
फ़रार–फारसी

व्यंजनगुच्छ व्यतिरेक

जब एक साथ दो सा दो से अधिक व्यंजन प्रयुक्त होते हैं, तो उसे व्यंजनगुच्छ कहते हैं। व्यंजन गुच्छ सभी भाषाओं में मिलते हैं, किंतु जब एक में सामान्य प्रयोग हो और दूसरे में व्यंजनगुच्छ रूप, हो तो उसे व्यंजनगुच्छ व्यतिरेक कहते हैं।

मानक हिंदी और अंबालवी हरियाणवी के व्यंजनगुच्छ के प्रयोग यत्र-तंत्र मिलते हैं; यथा–

मानक हिंदी	अंबालवी हरियाणवी
टीका—ट् इ क् आ	टीक्का-ट् ई क् क् आ
गाड़ी-ग् आ ड् ई	गाड्डी-ग् आ ड् ड् ई
जाओ-ज् आ ओ	ज्याओ-ज् य् आ ओ
दूँगी-द् ऊँ ग ई	द्यूँगी-द् य् ऊँ ग ई
हमारी-ह् अ म् आ र् ई	म्हारी-म् ह् आ र् ई
में-म् एँ	म्ह-म् ह् अ

इस प्रकार स्पष्ट है कि मानक हिंदी और अंबालवी हरियाणवी की स्वर और व्यंजन ध्वनियों में यदि पर्याप्त समानता है, तो आंचालिक स्वरूप से कुछ भिन्नता व्यतिरेक का आधार बनती है। 'ल' का 'ळ' परिवर्तन भी व्यतिरेकी स्वरूप है। यह ध्वन्यात्मक व्यतिरेक अंबालवी हरियाणवी की विशेष पहचान है। इस आधार पर इसका शिक्षण सरल हो जाता है।

8.3 अक्षर और अक्षर व्यतिरेक

अक्षर भाषा की ध्वन्यात्मक इकाई है। इसके आधार-बिना भाषा का शुद्ध उच्चारण संभव ही नहीं हो सकता है। भाषा की सर्व प्रमुख इकाई शब्द है। शब्द और अक्षर का विशेष संबंध है। शब्द के संदर्भ से अक्षर को सरलता से परिभाषित कर सकते हैं। शब्द के उच्चारण में मुंह जितनी बार खुलता और बंद होता है, उतने अक्षर संभावित होते हैं, क्योंकि उच्चारण में निःश्वास की वायु के एक प्रवाह को अक्षर कहते हैं। इसे इस प्रकार परिभाषित भी सकते हैं—'उच्चारण हेतु एक बार मुंह खुलने और बंद होने से होनेवाले वायु-प्रवाह संदर्भ को अक्षर कह सकते हैं।

मानक हिंदी की वर्तनी सुनिश्चित कर दी गई है। अंबालवी हरियाणवी में यह व्यवस्था नहीं है। इस प्रकार इनके शब्दों की संरचना में भिन्नता होना स्वाभाविक है। शब्दों की संरचना की भिन्नता का कारण उनकी आक्षरिक भिन्नता है। माना कि मानक हिंदी और अंबालवी दोनों के कुछ शब्द आक्षरिक दृष्टि से समान हैं, क्योंकि अंबालवी हरियाणवी हिंदी की एक महत्त्वपूर्ण उपबोली है। पूर्णसमान आक्षरिक शब्द है—

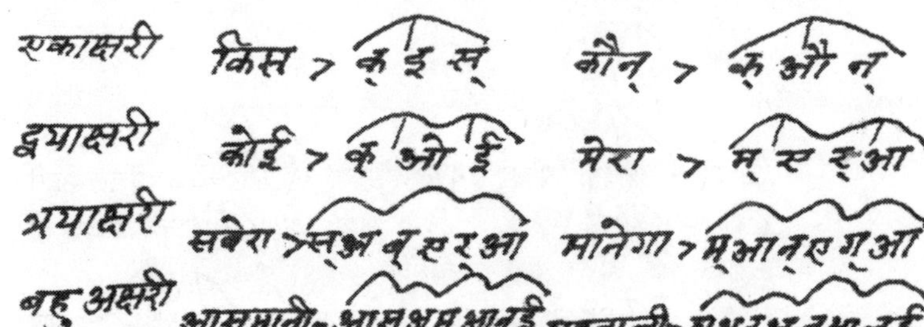

मानक हिंदी और अंबालवी हरियाणवी की आक्षरिक संरचना में उल्लेखनीय भिन्नता सामने आती है। अंबालवी हरियाणवी की यह आक्षरिक विशेषता इसकी अपनी पहचान है। इसे व्यतिरेक आधार पर रेखांकित किया जा सकता है। प्रस्तुत आक्षरिक व्यतिरेकी अध्ययन को निम्नलिखित शीर्षकों में प्रस्तुत किया जा सकता है–

8.3.1 एकाक्षरी शब्द व्यतिरेक

मानक हिंदी के अनेक एकाक्षरी शब्दों की संरचना अंबालवी हरियाणवी में भी एकाक्षरी होती है, किंतु संरचनात्मक स्वरूप की भिन्नता उनकी पहचान बनती है; उदाहरणार्थ–

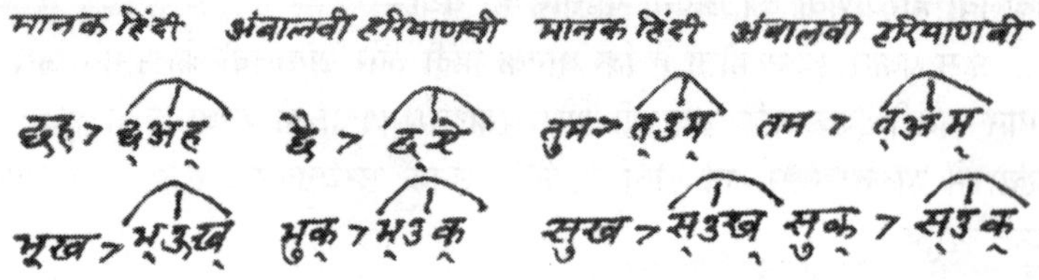

8.3.2 द्वयाक्षरी शब्द व्यतिरेक

मानक हिंदी और अंबालवी हरियाणवी में भी द्वयाक्षरी शब्दों की प्रधानता है। इसका कारण है कि बोली उपबोली में दो अक्षरों के उच्चारण में मुख-सुख होता है। इन शब्दों की संरचनात्मकता भी उसी प्रकार विशिष्ट रूप में सामने आती है; यथा–

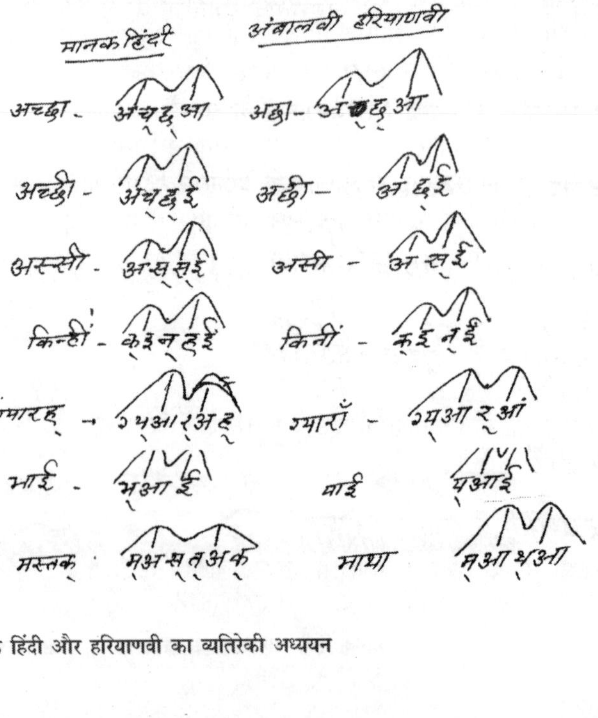

8.3.3 त्र्याक्षरी शब्द व्यतिरेक

भाषा में त्र्याक्षरी शब्द की सीमा तक के उच्चारण सरलता और सहजता से होता है, क्योंकि ऐसे शब्दों के उच्चारण संदर्भ में तीन बार निःश्वास के प्रवाह में तीन बार मुख खुलता और बंद होता है।

मानक हिंदी और अंबालवी हरियाणवी में समानार्थी त्रय अक्षर आधारित शब्दों के पर्याप्त रूप में प्रयोग मिलते हैं। इनकी अक्षरात्मक अर्थात् उच्चारणात्मक संरचना पर विचार करें, तो रेखांकन योग्य व्यतिरेक सामने आते हैं। यह आक्षरिक व्यतिरेक अंबालवी हरियाणवी की अपनी पहचान है; यथा–

इस प्रकार स्पष्ट होता है कि मानक हिंदी और अंबालवी के समान अर्थ वाले समान अक्षरी (एकाक्षरी, द्वयाक्षरी और त्र्याक्षरी) शब्दों के उच्चारण में मुख समान संख्या में खुलता और बंद होता है, किंतु उनके संरचनात्मक स्वरूप का व्यतिरेक प्रकट करता है।

8.4 मानक हिंदी और अंबालवी हरियाणवी : अक्षर संरचनात्मक व्यतिरेक

मानक हिंदी और अंबालवी हरियाणवी के शब्दों की संरचना में ही नहीं उनके अक्षरात्मक स्वरूप में भी स्पष्ट व्यतिरेक होता है अर्थात् समानार्थी शब्दों की संरचना के साथ उनके उच्चारण में मुख खुलने और बंद होने की आवृत्ति या संख्या में भिन्नता होती है। यह अक्षरात्मक व्यतिरेक उनकी विशेषताओं को स्पष्ट करता है। यथा–

8.4.1 एकाक्षरी से द्वयाक्षरी संरचनात्मक व्यतिरेक

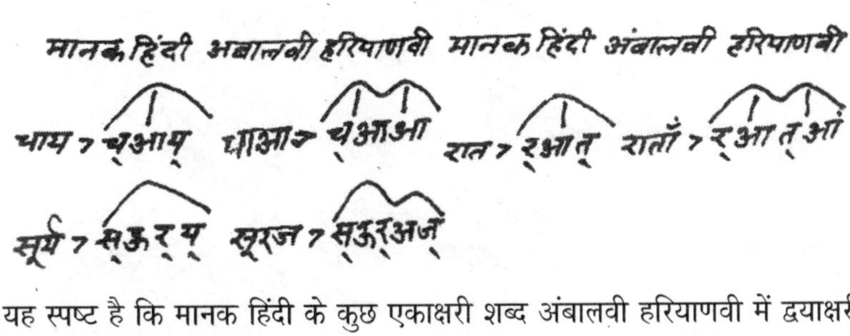

यह स्पष्ट है कि मानक हिंदी के कुछ एकाक्षरी शब्द अंबालवी हरियाणवी में द्वयाक्षरी रूप में प्रयुक्त हुए हैं।

8.4.2 द्वयाक्षरी से एकाक्षरी संरचना

कभी-कभी मानक हिंदी के द्वयाक्षरी शब्द अंबालवी हरियाणवी में एकाक्षरी रूप में

प्रयुक्त होते हैं। इसमें प्रायः सरलीकरण या मुख-सुख के लिए एक या एकाधिक ध्वनियों की लोप प्रक्रिया सामने आती है; यथा–

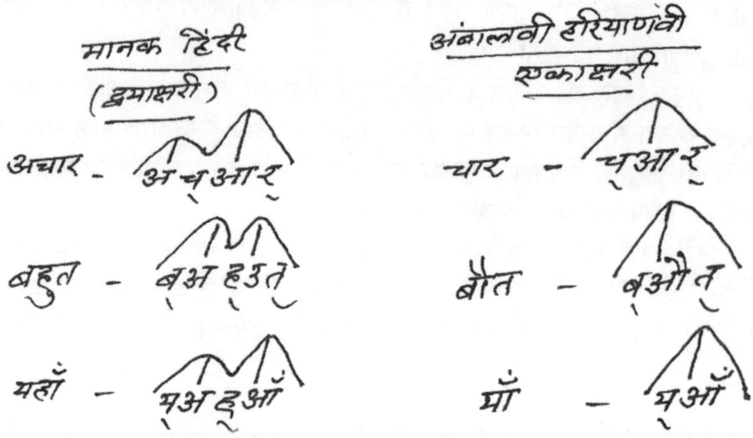

8.4.3 त्रयाक्षरी से द्वयाक्षरी संरचनात्मक व्यतिरेक

मानक हिंदी के कुछ त्रयाक्षरी शब्द अंबालवी हरियाणवी में द्वयाक्षरी रूप में प्रयुक्त होते हैं। यह भी प्रायः मुख-सुख आधार पर ध्वनि लोप से व्यतिरेक सामने आया है; यथा–

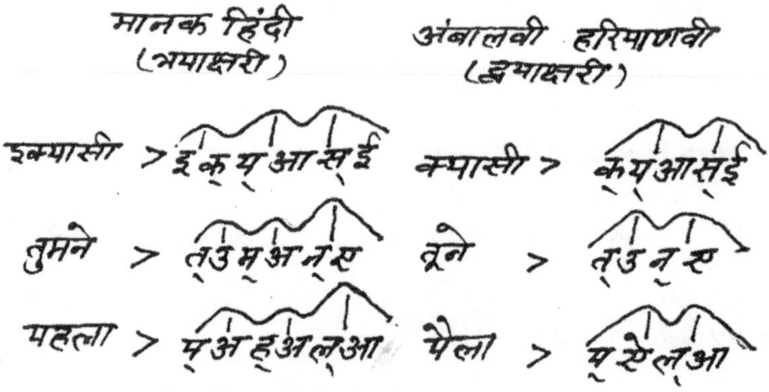

8.5 शब्द व्यतिरेक

शब्द भाषा की लघुतम, स्वतंत्र, सार्थक और महत्त्वपूर्ण इकाई है। मानक हिंदी और अंबालवी हरियाणवी के शब्दों का एक वर्ग है, जो संरचना और अर्थ संदर्भों में पूर्ण समान होते हैं। इसका कारण है कि भारतीय आर्य भाषा हिंदी की प्रमुख बोली

हरियाणवी का ही एक रूप है। यह पूर्ण समानता एक भाषा-वर्ग के होने का प्रमाण है। ऐसे शब्द हैं–किस, किन, ऐसा, मेरा, वैसा आदि।

अंबालवी हरियाणवी का वैविध्यपूर्ण स्वरूप इसकी अपनी पहचान है। मानक हिंदी में प्रयुक्त तत्सम और तद्भव शब्द अंबालवी हरियाणवी में प्रायः विविध रूपों में परिवर्तित हो जाते हैं। यह व्यतिरेक अंबाला अंचल के परिवेश के अनुसार सरलता, सहजता के साथ प्रयत्नलाघव या मुख-सुख के आधार पर सामने आया है। मानक हिंदी और अंबालवी हरियाणवी के शब्दों के व्यतिरेक को निम्नलिखित वर्गों में रखकर विवेचन कर सकते हैं–

8.5.1 लोप आधारित व्यतिरेक

भाषा में सरलता, सहजता के साथ त्वरा और प्रयत्नलाघव गुण विकसित करने के संदर्भ से शब्द की एक या एकाधिक ध्वनि और वर्ण का लोप होता है। लोप आंचलिक भाषा की प्रमुख विशेषता है। शब्द में स्वर या व्यंजन या दोनों का लोप संभावित होता है। शब्द के आदि में और अंत्य स्थितियों में लोप से उसके उच्चारण में मुख-सुख अर्थात् सारल्य संभावित होता है।

अंबालवी हरियाणवी की लोप प्रक्रिया से उभरने वाला व्यतिरेक विभिन्न संदर्भों में रेखांकित किया जा सकता है–

8.5.1.1 स्वर लोप आधारित व्यतिरेक

अंबालवी हरियाणवी में प्रयुक्त शब्दों में मानक हिंदी के संबंधित शब्द की एक अथवा एकाधिक ध्वनियाँ लुप्त हो जाती है। स्वर ध्वनियों का लोप संबंधी व्यतिरेक प्रायः शब्द के आदि और मध्य स्थितियों में होता है; यथा–

8.5.1.1.1 आदि स्वर लोप व्यतिरेक

मानक हिंदी	अंबालवी हरियाणवी	लुप्त ध्वनि
अँगूठी	गूँठी	अ-
अचार	चार	अ-
इकहत्तर	कहात्तर	इ-
इक्यानवे	क्यानमें	इ-
इक्यासी	क्यासी	इ-
उठा	ठा	उ-
विवाह	ब्याह	इ-

8.5.1.1.2 मध्य स्वर लोप व्यतिरिक

यदा-कदा अंबालवी हरियाणवी के शब्दों के मध्य से स्वर ध्वनि लोप से व्यतिरेकी रूप सामने आते है; यथा–

मानक हिंदी	अंबालवी हरियाणवी	लोप व्यतिरेक
गलत	गल्त	-अ-
चौबारा	चबारा	-औ-
जेठानी	जठानी	-ए-
यमुना	जमना	-उ-
सुना	सूना	-उ-
भाई जी	पा जी	-ई-

8.5.1.2.1 मध्य व्यंजन लोप आधारित व्यतिरेक

अंबालवी हरियाणवी में कभी-कभी मानक हिंदी के शब्दों की व्यंजन ध्वनियों का लोप हो जाता है। इस प्रकार व्यंजन लोप व्यतिरेक सामने आता है। ऐसे में व्यंजन व्यतिरेक प्रायः मध्य और अंत्य स्थितियों में होता है; उदाहरणार्थ–

मानक हिंदी	अंबालवी हरियाणवी	मध्य व्यंजन व्यतिरेक
अच्छा	अछा	-च-
अस्सी	असी	-स्-
इक्यानवे	इकानवे	-य-
तुमने	तूने	-म-
तुम्हारे	तेरे	-म्ह-
नब्बे	नबे	-ब्-
पहला	पैला	-ह-
मस्तक	माथा	-स्-

8.5.1.2.2 अंत्य व्यंजन लोप आधारित व्यतिरेक

कभी-कभी अंबालवी शब्द की अंतिम ध्वनि के लोप होने से व्यतिरेक के रूप सामने आते हैं; यथा–

मानक हिंदी	अंबालवी हरियाणवी	अंत्य व्यंजन-व्यतिरेक
इक्कीस	इकई (इकी)	-स
उन्हें	उने	-ह
किन्हें	किनाँ	-ह
ग्यारह	ग्याराँ	-ह
चाय	चा/चाआ	-य
चालीस	चाली	-स
छह	छै	-ह

पर	प	-र
भिगो	भे	-ग
यहाँ	यआँ	-ह
वह	व/वो	-ह

8.5.2 आगम आधारित व्यतिरेक

भाषा के शब्दों में उच्चारण अनुकूलता के लिए कुछ नई ध्वनियों का प्रयोग किया जाता है। यह ध्वन्यात्मक परिवर्तन उक्त भाषा की पहचान और मानक भाषा के व्यतिरेक का आधार बनता है। शब्द में कभी स्वर ध्वनि का आगम होता हे, तो कभी व्यंजन ध्वनि का।

8.5.2.1 स्वर आगम आधारित व्यतिरेक

मानक हिंदी के शब्द की स्वर ध्वनियों से अधिक स्वर ध्वनि के प्रयोग से अंबालवी हरियाणवी में व्यतिरेकी ध्वन्यात्मक रूप सामने आता है। ऐसा प्रयोग अंचल विशेष की प्रवृत्ति पर अधारित होता है; यथा–अंबालवी हरियाणवी शब्दों की प्रमुख प्रवृति मध्य और अंत्य स्वर आगम के व्यतिरेक हैं–

8.5.2.1.1 मध्य स्वर आगम-व्यतिरेक

मानक हिंदी	**अंबालवी हरियाणवी**	**मध्य स्वरागम-व्यतिरेक**
कर्म	करम	-अ-
दहला	दहेला	-ए-
धर्म	धरम	-अ-
पलंग	पिलग	-ई-
लड्डू	लाड्डू	-आ-

8.5.2.1.2 अंत्य स्वर आगम-व्यतिरेक

मानक हिंदी	**अंबालवी हरियाणवी**	**अंत्य स्वरागम-व्यतिरेक**
पंद्रह	पंद्रहा	-आ
बहन	बहणा	-आ
बाहर	बारहा	-आ
मसूर	मसूरी	-ई
मेध	मेधा	—आ
ससुर	सुसरा	-आ
सोलह	सोलहा	-आ

8.5.2.2 व्यंजन आगम आधारित व्यतिरेक

अंबालवी हरियाणवी शब्दों के ध्वन्यात्मक व्यतिरेक में व्यंजन आगम की भी विशेष भूमिका होता है। ऐसे व्यंजनों के आगम से आंचलिक ध्वन्यात्मक रूप विकसित हो जाता है। इसमें मुख्यतः मध्य और अंत्य स्थितियों के आगम से उभरा व्यतिरेक सामने आता है। इसे अंबालवी हरियाणवी की पहचान कह सकते हैं।

8.5.2.2.1 मध्य व्यंजन आगम व्यतिरेक

मानक हिंदी	अबालवी हरियाणवी	मध्य व्यंजनागम व्यतिरेक
जाओ	ज्याओ	-य-
दूँगी	द्यूँगी	-य-
दूँगा	द्यूँगा	-य-
नई	नवीं	-व-
लाऊं	ल्याऊं	-य-

8.5.2.2.2 व्यंजन आगम व्यतिरेक

मानक हिंदी	अबालवी हरियाणवी	मध्य व्यंजनागम व्यतिरेक
आधी	आधड़ी	-ड़-
कहे	कहेन	-न-
पूँछ	पूँछड़	-ड़-
में	म्ह/म्है	-ह-
सास	सासड़	-ड़-

8.5.3 ध्वनि परिवर्तन आधारित व्यतिरेक

ध्वन्यात्मकता में सर्वाधिक व्यतिरेक ध्वनि परिवर्तन का है। यदि मानक हिंदी और अंबालवी हरियाणवी शब्दों की व्यतिरेकी स्थिति पर चिंतन करें, तो मात्राओं का व्यतिरेक तो वैविध्यपूर्ण है ही। यदि मुख्य उल्लेखनीय परिवर्तन पर विचार करें, तो 'न' से 'ण' और 'ल' से 'क' होना सामने आते हैं।

8.5.3.1 'न' से 'ण' ध्वनि व्यतिरेक

अपनी—अपणी	कौन—कौण	खोदना—खोदणा
दाना—दाणा	पहचान—पहचाण	पानी—पाणी
बनजारा—बणजारा	बना—बणा	बहन—बहणा

8.5.3.2 'ल' से 'ळ' ध्वनि व्यतिरेक

ल-ळ	आला–आळा	उजाला–उजाळा	गल–गळा
	जाल–जाळ	जालीदार–लाळीदार	तसला–तसळा
	ताला–ताळा	तोला–तोळा	थाल–थाळ
	दाल–दाळ	निकल–निकळ	पतली–पतळी
	बदल–बदळ	भोला–भोळा	साली-साळी

8.5.4 प्राणीकरण व्यतिरेक

प्रत्येक भाषा की अपनी पहचान उच्चारण में प्रयुक्त निःश्वास की वायु की मात्रा से होती है। क्षेत्र विशेष के भौगोलिक, सामाजिक, सांस्कृति और अन्य भाषा या भाषाओं के प्रभाव से उच्चारण में प्रयुक्त वायु की मात्रा के ह्रास अथवा वृद्धि से व्यतिरेकी रूप सामने आते हैं। मानक हिंदी और अंबालवी हरियाणवी शब्दों की ध्वनियों का अल्पप्राणीकरण और महाप्राणीकरण व्यतिरेक अवलोकनीय है।

8.5.4.1 अल्पप्राणीकरण व्यतिरेक

मानक हिंदी के शब्दों की महाप्राण ध्वनियाँ अंबालवी हरियाणवी में यत्र-तत्र अल्पप्राण व्यतिरेक के रूप में प्रयुक्त होकर अभिव्यक्ति का आधार बनती है; यथा–

मानक हिंदी	**अंबालवी हरियाणवी**	**ध्वनि-व्यतिरेक**
		महाप्राण > अल्पप्राण
गधा	गदा	ध > द
घर	गर	ध > ग
चखना	चाक	ख > क
धोबी	दोबी	ध > द
भाभी	पाओ	भ > प
साथ	सात	थ > त
सुख	सुक	ख > क
हाथ	हात	थ > त

8.5.4.2 महाप्राणीकरण व्यतिरेक

मानक हिंदी और अंबालवी हरियाणवी के शब्दांतर्गत ध्वनियों के व्यतिरेक पर चिंतन करें, तो कहीं पर जोर देने के लिए अल्पप्राण ध्वनियों का प्रयोग महाप्राण के रूप में किया जाता है; यथा–

मानक हिंदी	अंबालवी हरियाणी	ध्वनि-व्यतिरेक
		अल्पप्राण >महाप्राण
तुम्हारी	थारी	त > थ
पहचान	पिछाण	च > छ

8.5.5 घोषीकरण व्यतिरेक

ध्वनि-उच्चारण में स्वर तंत्रियों के बहुआयामी भूमिका होती है। ध्वनि उत्पादन के समय जब स्वरयंत्र की दोनों झिल्लियाँ (स्वर तंत्रियाँ) एक-दूसरे से अपेक्षाकृत दूर होती हैं, तो वायु बिना घर्षण के बाहर आती है और 'अघोष' ध्वनियों का उत्पादन होता है। जब स्वर-तंत्रियाँ आपस में निकट होती हैं, तो वायु घर्षण के साथ बाहर आती है, इससे घोष या सघोष ध्वनियों का उत्पादन होता है। प्रत्येक भाषा में यह प्रक्रिया विशिष्ट होती है।

अंबालवी हरियाणवी शब्दों में आंचलिक संदर्भ आधार पर अघोषीकरण और घोषीकरण दोनों व्यतिरेक देखे जा सकते हैं, जो मानक हिंदी से अपनी भिन्न पहचान दर्शाते हैं।

8.5.5.1 अघोषीकरण व्यतिरेक

अंबालवी हरियाणी के शब्द की कुछ अघोष ध्वनियाँ ऐसी है, जिनके लिए मानक हिंदी में घोष रूप रहता है। यह अघोषीकण मुख सुख और सहजता के लिए किया जाता है; यथा—

मानक हिंदी	अंबालवी हरियाणवी	घोष—अघोष ध्वनि-व्यतिरेक
उधर	ओथे	ध—थ
जिधर	जित्थे	ध—थ
भाई	या (पाई)	भ—प
भाभी	पाभो/पाओ	भ—प

8.5.5.2 घोषीकरण व्यतिरेक

मानक हिंदी शब्दों की अघोष ध्वनियाँ अंबालवी हरियाणवी में यत्र-तत्र घोष रूप के व्यतिरेक में सामने आती हैं। इन घोष ध्वनियों के प्रयोग से अभिव्यक्ति का प्रभाव बढ़ा हुआ लगता है, जो इसकी भंगिमा की पहचान है; यथा—

मानक हिंदी	अंबालवी हरियाणवी	अघोष—घोष ध्वनि-व्यतिरेक
आते	आंदे	त—द
चलता	चलदा	त—द
जाते	जांदे	त—द
भूलती	भूलदी	त—द
रोती	रोंदी	त—द

8.5.6 मात्रिक व्यतिरेक

भाषा की विभिन्न ध्वनियों के उच्चारण में लगने वाले समय को मात्रा की संज्ञा दी जाती है। इसे ही लेखन में स्वर की ह्रस्व-दीर्घ मात्रा के रूप में लिपबद्ध भी करते हैं। मानक हिंदी शब्दों की वर्तनी लगभग सुनिश्चित कर दी गई है। जब अंबालवी हरियाणवी से तुलना करते है, तो दीर्घ और ह्रस्व ध्वनियों के व्यतिरेक सामने आते हैं।

8.5.6.1 दीर्घीकरण व्यतिरेक

मानक हिंदी में व्यवस्थानुसार ह्रस्व-दीर्घ मात्राओं के आधार पर उच्चारण किया जाता है। अंबालवी हरियाणवी दीर्घता गुण संपन्नता में प्रयोग की जाती है। इसलिए मानक हिंदी की ह्रस्व ध्वनियाँ भी यत्र-तत्र दीर्घ व्यतिरेक रूप में सामने आती हैं।

मानक हिंदी	अंबालवी हरियाणवी	ह्रस्व-दीर्घ (ध्वनि-व्यतिरेक)
गिराना	गेरना	इ > ए
चखना	चाक	अ > आ
चुनरी	चून्दड़	उ > ऊ
तुमने	तूने	उ > ऊ
पंद्रह	पंद्रहा	अ > आ
बाहर	बारहा	अ > आ
मस्तक	माथा	अ > आ
मेघ	मेघा	अ > आ
लड्डू	लाड्डू	अ > आ
ससुर	ससुरा	अ > आ
सोलह	सोलहा	अ > आ

8.5.6.2 ह्रस्वीकरण व्यतिरेक

मानक हिंदी और अंबालवी हरियाणवी संदर्भ में ह्रस्वीकरण व्यतिरेक अत्यंत सीमित रूप सामने आता है। कुछ उल्लेखनीय ह्रस्वीकरण व्यतिरेक हैं–

मानक हिंदी	अंबालवी हरियाणवी	दीर्घ-ह्रस्व (ध्वनि-व्यतिरेक)
अँगूठी	गुंठी	ऊ–उ
गौवों	गउवाँ	औ–उ
भूख	भुक	ऊ–उ

8.5.7 अनुनासिकीकरण

अनुनासिकीकरण आंचालिक भाषा की प्रमुख विशेषता है। इसे मानक हिंदी और अंबालवी हरियाणवी की प्रमुख व्यतिरेकी प्रवृत्ति के रूप में देख सकते हैं। मानक

हिंदी में भी अनुनासिकता का प्रयोग किया जाता है, किंतु इसकी प्रयोग की व्यवस्था की गई है। अंबालवी हरियाणवी में अन्य आंचलिक भाषाओं, बोलियों और उप-बोलियों के समान अकारण प्रयोग किया जाता है; यथा–

मानक हिंदी	अंबालवी हरियाणवी	अनुनासीकरण व्यतिरेक
किन	किनाँ	आँ (नाँ)
ग्यारह	ग्याराँ	आँ (राँ)
ज्यादा	ज्यादाँ	आँ (दाँ)
नई	नवीं	ईं (वीं)
सड़क	सड़काँ	आँ (काँ)
हाथ	हाताँ	आँ (ताँ)

8.5.8 विपर्यय व्यतिरेक

भाषा के शब्दों की विभिन्न ध्वनियाँ उच्चारण में या वर्ण लेखन में जब एक दूसरे के स्थान पर प्रयुक्त होती हैं, तो उसे विपर्यय कहते हैं। मानक हिंदी के कुछ शब्दों की ध्वनियाँ अंबालवी हरियाणवी में एक-दूसरे के स्थान पर प्रयुक्त होकर व्यतिरेक विपर्यय प्रस्तुत करती हैं; यथा–

मानक हिंदी	अंबालवी हरियाणवी	विपर्यय व्यतिरेक
लगाम	गलाम	ल ≷ ग
हमारा	म्हारा	ह ≷ म
हमारी	म्हारी	ह ≷ म
हमारे	म्हारे	ह ≷ म

8.5.9 विशेष व्यतिरेक

मानक हिंदी के कुछ क्रिया पद और विशेष अर्थबोधक दो शब्दों को अंबालवी हरियाणवी में एक शब्द में प्रयुक्त किए जाते हैं। यह संस्कृत भाषा की श्लेषात्मक और योगात्मक रूप की निकटता दर्शाती है, जो मानक हिंदी से विशेष व्यतिरेकी रूप है; यथा–

मानक हिंदी	अंबालवी हरियाणवी	मानक हिंदी	अंबालवी हरियाणवी
चार गुना	चौगणा	टूट गया	टूटग्या
टाल देना	टाळै	तीन गुना	तीगणा
डूब गया	दसक	निकल गई	लिकड़्गी
पाँच एक	पाँचक	रूठ गया	रूसग्या

8.5.10 पूर्ण व्यतिरेक

भाषा सर्वाधिक महत्त्पूर्ण इकाई शब्द है। शब्द की ध्वनियों में लोप, आगम, परिवर्तन आदि संदर्भों से व्यतिरेक सामने आते हैं। शब्द संदर्भ का स्पष्ट और पूर्ण व्यतिरेक उस समय सामने आता है, जब एक अर्थ के लिए पूर्ण भिन्न शब्द के प्रयोग होते है। यह भी स्पष्ट तथ्य है कि यह व्यतिरेकी स्वरूप उक्त भाषा की अपनी उल्लेखनीय पहचान होती है।

मानक हिंदी और अंबालवी हरियाणवी के ऐसे शब्दों के कुछ व्यतिरेकी रूप उल्लेखनीय हैं–

मानक हिंदी	**अंबालवी हरियाणी**	**मानक हिंदी**	**अंबालवी हरियाणवी**
ईश्वर	रब	उधर	ओड़
घुटना	गोड़ा	चपत	रैपट
चारपाई	मंजी	झुंड	झमळाट
दरवाजा	बुहे	दादा	बाबा
दादी	अम्मा	धान	जीरी
प्यारी	लाड़ली	बुखार	नवाई

8.6 पद व्यतिरेक

शब्द जब वाक्य बनाने की क्षमता से युक्त हो जाता है या शब्द जब व्याकरणिक योग्यता प्राप्त कर लेता है, तो उसे पद कहते हैं। भाषा में मुख्यतः कर्ता, कर्म और क्रिया पदों की योजना होती है। समस्त पदों में क्रिया पद की सर्वाधिक भूमिका होती हैं।

यदि किसी वाक्य में कर्ता कर्म और क्रिया तीनों पद तीन भाषाओं में हों, तो क्रियापद की भाषा के आधार पर वाक्य की भाषा का निर्धारण किया जाता है; यथा–जमादार मैंगो खा रहा है। वाक्य में 'जमादार' (जमा, अरबी दार फारसी) उर्दू, 'मैंगो' अंग्रेजी तथा 'खा रहा है' हिंदी पद हैं। वाक्य में 'खा रहा है' हिंदी क्रिया पद होने से यह वाक्य वैज्ञानिक चिंतन में हिंदी का सिद्ध होता है।

मानक हिंदी और अंबालवी हरियाणवी पद-व्यतिरेक में क्रिया पद-प्रयोग की चर्चा की जा रही है। संस्कृत श्लेष और संयोगात्मक भाषा है, जबकि हिंदी अश्लेष और वियोगात्मक भाषा है। इसका अर्थ है कि संस्कृत के पद एक शिरोरेखा में लिपिबद्ध किए जाते हैं; जबकि हिंदी में शिरोरेखा विभक्त रहती है; यथा–

संस्कृत	**हिंदी**
वृक्षात् पयत्राणि पतंति।	वृक्ष से पत्ते गिरते हैं।

अंबालावी हरियाणवी में हिंदी से व्यतिरेकी पद रूप संस्कृत के श्लेष के निकट

दिखाई देता है। इसमें ध्वन्यात्मक परिवर्तन के साथ ध्वनि या वर्ण लोप की भूमिका होती है। इसे क्रिया पद के विभिन्न कालों के व्यतिरेक में देख सकते हैं।

8.6.1 वर्तमान काल क्रिया पद व्यतिरेक

'जाना' क्रिया के वर्तमान काल के दोनों वचनों और लिंगों में प्रयुक्त रूपों में ध्वन्यात्मक और संरचनात्मक व्यतिरेक को देख सकते हैं–

मानक हिंदी	अंबालवी हरियाणवी	मानक हिंदी	अंबालवी हरियाणवी
जाता है	जान्दा है	जा रहा है	जारा है
जा रही है	जारी है	जाती है	जान्दी है
जा रहे हैं	जारे हैं	जा रही हैं	जारी है
चला जा रहा है	चला जारा है	चली जा रही है	चली जारी है
जा रहा हूँ	जारा ऊँ	चलता चला जा रहा हूँ	जाई जारा ऊँ

मानक हिंदी	अंबालवी हरियाणवी
चलते चले जा रहे हैं।	चले ही जारे हैं।
चलते चले जा रहे हो	जान्दे ही जारे हो।

8.6.2 भूत काल क्रिया पद व्यतिरेक

मानक हिंदी की ही तरह अंबालवी समापिका क्रिया में 'था' 'थी और 'थे' का प्रयोग होता है, किंतु मूल क्रिया और समापिका क्रिया के मध्य आनेवाली क्रियाओं का विशेष संयुक्त रूप में प्रयोग होता है। यह दोनों के मध्य व्यतिरेकी स्वरूप है, जो अंबालवी हरियाणवी क्रिया के भूतकालिक पद की पहचान है; यथा–

मानक हिंदी	अंबालवी हरियाणी
जा रहा था	जारा था
जा रही थी	जारी थी
जा रहे थे	जारे थे
चला जा रहा था	चला जारा था
चली जा रही थी	चली जारी थी
चले जा रहे थे	चले जारे थे

8.6.3 भविष्यत काल क्रिया पद व्यतिरेक

मानक हिंदी के भविष्यत कालीन क्रिया पद निर्माण के समान 'गा', 'गे' और 'गे' अंबालवी हरियाणवी में भी समापिका किया के अंत्य रूप में मिलते हैं, किंतु मूल क्रिया और समापिका क्रिया के पूर्व की सहायक क्रिया का विशेष संयुक्त रूप में

सामने आता है। समापिका क्रिया से 'ह' ध्वनि वर्ण का लोप भी अंबालवी हरियाणवी की पहचान है; यथा–

मानक हिंदी	**अंबालवी हरियाणवी**
जा रहा होगा	जारा ओगा
जा रही होगी	जारी ओगी
चला जा रहा होगा	चला जारा ओगा
चली जा रही होगी	चली जारी ओगा
चले जा रहे होंगे	चले जारे ओंगे

इस प्रकार मानक हिंदी और अंबालवी हरियाणवी पद में ध्वत्यात्मक, संरचनात्मक परिवर्तन में श्लेषात्मक लोप प्रक्रिया की प्रधानता आधारित व्यतिरेक सामने आता है।

8.7 वाक्य व्यतिरेक

भाषा की पूर्ण सार्थक महत्त्वपूर्ण इकाई वाक्य है। इसमें आकांक्षा योग्यता और सन्निधि गुणों की संपन्नता दिखाई देती है। प्रत्येक भाषा के वाक्य की संरचना में अपनी विशेषताएँ होना स्वाभाविक है। ऐसी वैविध्य पूर्ण विशेषताएँ व्यतिरेक का आधार होती हैं।

मानक हिंदी और अंबालवी हरियाणवी वाक्य रचना के ध्वन्यात्मक-व्यतिरेक के साथ विभिन्न पदों की योजना भी उल्लेखनीय होती है। इसे हम सामान्य वाक्य, प्रश्नवाचक वाक्य, आदरसूचक आदि वाक्यों की रचना में व्यतिरेकी रूप देख सकते हैं–

8.7.1 सामान्य वाक्य व्यतिरेक

मानक हिंदी	**अंबालवी हरियाणवी**
वह पढ़ता है।	वो पढ़ता है।
वह पढ़ नहीं सकता है।	वो पढ़ नई सकदा।
वह सो रहा था।	वो सोरा था।
नैरिती जा रही होगी।	नैरिती जारी ओगी।

8.7.2 प्रश्नवाचक वाक्य व्यतिरेक

मानक हिंदी	**अंबालवी हरियाणवी**
वह क्या पढ़ता है?	वो क्या पढ़ता है?
वह कब पढ़ता है?	वो कब पढ़ता है?
क्या तुम वैवाहिक गीत गा सकती हो?	क्या तु शादी का गाना गा सकती है?

8.7.3 आदरसूचक वाक्य व्यतिरेक

आंचलिक भाषाओं की सहजता के कारण प्रायः आदरसूचक वाक्यों का प्रयोग नहीं किया जाता है। वास्तव में आदरसूचक वाक्यों में औपचारिकता का बोध होता है। मानक हिंदी और अंबालवी हरियाणवी में 'आप' और 'तुम' के स्थान पर 'तु' व्यतिरेकी प्रयोग देख सकते हैं; यथा–

मानक हिंदी	**अंबालवी हरियाणवी**
आप जा रही हैं?	तु जान्दी है?
आप गीत गा रहे होंगे!	तु गाना गारा ओगा!

जहाँ पर बहुवचन का संदर्भ होता है, वहाँ क्रिया का कर्ता की अन्वित पर बहुवचन रूप होते हुए वाक्य में व्यतिरेक सामने आता है–

वे घर जा रहे होंगे।	वे घर जारे ओंगे।

8.7.4 विशेष वाक्य संरचनात्मक व्यतिरेक

विशेष संदर्भ की विशेष भावाभिक्ति में विशेष वाक्य की रचना की जाती है। ऐसे में भाषानुसार हर विशेष रचना संभावित होती है। मानक हिंदी और अंबालवी की वाक्य संरचना की विशिष्टताओं में सामने आने वाले व्यतिरेक को इस प्रकार प्रस्तुत कर सकते हैं–

मानक हिंदी	**अंबालवी हरियाणवी**
वह तो कोल्हू का बैल हो गया है।	वो तो है ही कोलू का बैल।
उसको बुला कर लाओ।	उसको बुलाके ला।
तुम वहाँ न जाना।	तु वाँ ना जाइयो।
मैं चला जा रहा हूँ	मैं जाई जारा ऊँ।

वाक्य भाषा की पूर्ण सार्थक महत्वपूर्ण इकाई होने से मानक हिंदी और अंबालवी के व्यतिरेक में ध्वन्यात्मक, अक्षरात्मक, शब्दगत, पदगत और वाक्यात्मक रूपों के व्यतिरेक सामने आते हैं।

प्रस्तुत मानक हिंदी और अंबालवी व्यतिरेकी अध्ययन से एक ओर मानक हिंदी और अंबालवी का संरचनात्मक स्वरूप सामने आता है, तो दूसरी ओर दोनों के व्यतिरेकी स्वरूप से उनकी निकटता अर्थात् मानक भाषा की एक उप बोली के रूप में ज्ञानार्जन का अवसर मिलता है।

8.8 अंबालवी हरियाणवी लोक गीत

1

सुहाग गीत

देश पराए लाड्डो जाणा ए होगा,
ना वहाँ दादा होगा ना दादी।
चारों तरफ से पड़ा जिडकियाँ,
फेर भी फर्ज निभाणा ए होगा।
देश पराए लाड्डो जाणा ए होगा ॥
ना वहाँ बाबल होगा ना अम्मा,
चारों तरफ से पड़ा निभाणा ए होगा,
फेर भी फर्ज निभाणा ए होगा,
देश पराए लाड्डो जाणा ए होगा ॥

2

खेलाण का गीत

सासे तसके म्ह दाणा भे दे बाल्टी म्ह भे दे ज्वाँर,
सास आज घेर म्ह जाणा हे तेरा बेटा गया बुलै,
उसने सतरंग सेज लगाई सतरंगे लगाए तास,
मनै महलै प देहला मार्‍या मनै जीत लिया भरतार
गौरी हटके बाजी खेलांगे अभी होई अधड़ी रात,
मनै नहलै प देहला मार्‍या हे मनै जीत लिया भरतार।
मेरे पकड़े दोनूँ हाथ री मेरे मारे रैपटे चार,
मैं रोंदी सुबकती आई मेरी सासू पूछे बात,
बहू साचै-साच बता दे री तेर किसने मारे आज,
सास बळदा न दाणा धरूँ थी लीलै न मारी लात,
बहू आण दे तेरे सुसरे नूँ लीलै की बादू राँद,
अम्मा ली लै का दोस नहीं, पूँछड़ कह लाया हाथ॥

3

घोड़ी का गीत

बीरा तेरी घोड़ी सादे दरवाजे खड़ी
दरबाजे खड़ी बुहे आगे खड़ी,
तेरे बाबा हजारी ने मोल लई,
दादी राणी वारे मोतियों की लड़ी,
मोतियों की लड़ी हीरों से जड़ी।
वीरा तेरी घोड़ी साढ़े दरवाजे खड़ी ॥
दरवाजे खड़ी बुहे आगे खड़ी
तेरे ताऊ हमारी ने मोल लई,
ताई राणी वारे मोतियों की लड़ी,
मोतियों की लड़ी हीरों से जड़ी ॥

4

लाड्डो का गीत

लाड्डो ला लेना तेल गलेल हाथाँ क ला ले मेहंदी रचणी,
तनै ब्याहवण आवै सिसपाल फेराँ प रहिए बणी बिजळह
बावल कोण कड़ै का सिसपाल देखया ऐ मैं तो जाणदी नहीं,
लाड्डो हो न्यागी जाण पिछाण फेर तूँ तो भूलदी नहीं।
बाबल कोण कड़ै का सिसपाल देखया ऐ मैं तो भूपदी नहीं
लाड्डो हो ज्यागी जाण पिछाण फेर तूँ तो भूलदी नहीं ॥

5

बोली

मेरे ससुर के पंज पुतर दो आबी दो सराबी,
जोड़ा मेरे हाण दाओ खिड़या फूल गुलाबी,
नी मरा काळा सा सरदार होराँ नू दफा करो,
मैं आप किले दी सरदार होराँ दफा करो।

6

भात का गीत

हो तेरा टीक्का ले ज्याओ भरतार,
माँ जाई खड़ी तकावैगी,
चढ़ चौंकी पर रुदन कराँगी
माँ बापाँ न याद कराँगी,
हो मेरे फौजाँ के भरतार,
तनै तो कंगाल बतावैगी
हो मेरी कंठी ले ज्याओ भरतार
माँ जाई खड़ी तकावैगी
चढ़ चौंकी पर रुदन कराँगी
माँ बापाँ न याद कराँगी,
हो मेरे फौजाँ के भरतार,
तनै तो कंगाल बतावैगी।

7

बनड़ी

तारे तो निकलदे देख लिए,
इब चांद निकलदा देखांगे।
दादी का प्यार दादस का देखांगे।
तारे तो निकलदे देख लिए,
इब चाँद निकलदा देखाँगे।
माता का प्यार तो देख लिया
अब प्यार सास का देखांगे ॥

8

सपेरा गीत

संपेले म्हारे बाग्यो आइए रे,
कोई लहरा नागण का सुणाइए रे,
उमर म्हारी बारहाँ बरस की रे
जवानी लहरे ले रही रे ॥1॥

संपेले म्हारे कुओ आइए रे,
कोई लहरा नागण का सुणाइए रे,
उमर म्हारी बारहा वरस की रे,
जवानी लहरे ले रही रे ॥2॥
संपेले म्हारे राळियो आइए रे
कोई लहरा नागण का सुणाइए रे,
उमर म्हारी बारहा बरस की रे।
जवानी लहरे ले रही रे ॥3॥
संपेले म्हारे महलों आइए रे,
कोई लहरा नागण का सुणाइए रे,
उमर म्हारी बरस की रे।
जवानी लहरे ले रही रे ॥4॥

□□